Gareth F. Williams

GOMER

Argraffiad cyntaf – 2004

ISBN 1 84323 244 8

ⓗ y testun: Gareth F. Williams, 2004

Mae Gareth F. Williams wedi datgan ei hawl dan
Ddeddf Hawlfraint, Dyluniadau a Phatentau 1988
i gael ei gydnabod fel awdur y llyfr hwn.

Cyhoeddwyd dan drwydded i S4C.
Cynhyrchwyd 'Jara' gan HTV Cyf. i S4C.

Dymuna'r awdur a'r cyhoeddwyr ddiolch am ganiatâd
i ddyfynnu o gerdd Elin Llwyd Morgan, 'Zombodoli',
a gyhoeddwyd gyntaf yn *Duwieslebog*, Cyfres y Beirdd
Answyddogol, Y Lolfa.

Dymuna'r cyhoeddwyr gydnabod cymorth
Adrannau Cyngor Llyfrau Cymru.

Argraffwyd yng Nghymru gan
Wasg Gomer, Llandysul, Ceredigion SA44 4QL

PROLOG

Lleuad yn ola',
Plant bach yn chwara'.

– Hen hwiangerdd

There's a darkness on the edge of town . . .
– Bruce Springsteen

Un tro, bum haf yn ôl, daeth chwech o blant tair ar ddeg oed
o hyd i hen, hen gêm mewn adfeilion hen dŷ ar gyrion
gorllewinol eu pentref.

Doedden nhw ddim i fod yno, wrth gwrs. Dyna pam yr
aethon nhw yno – ddwywaith, a dweud y gwir – gan fethu'n
glir â deall pam fod eu rhieni wedi'u siarsio i gadw draw.
Doedd dim byd i'w weld yno heblaw muriau di-do a lloriau'n
anialwch o fieri a rwbel.

Dywedodd un ohonyn nad oedd y muriau'n ddiogel (yn ôl
ei dad); doedden nhw ddim wedi gorffen pydru ac efallai y
byddai darnau o rwbel yn syrthio am ben rhywun a'i wasgu'n
domato sgwishi.

Dywedodd un arall fod yno nadroedd (yn ôl ei mam) yn
llechu yng ngwaelodion y drain: gwiberod milain a hoffai
dorheulo ar wynebau'r cerrig rwbel ar ddiwrnodau braf o
haf, yn aros am bigwrn fach gigog, flasus, i blannu eu
dannedd miniog ynddi.

Ie, pethau fel'na oedd yn aros amdanoch chi yn yr hen dŷ
ar brynhawniau hirfelyn haf.

Ond yn y nos . . .

Wel, doedd yr un ohonyn nhw'n debygol o fentro yno yn y
nos. Yn enwedig un ohonyn nhw ar ei ben ei hun. Dyna pryd

roedd y lloriau'n berwi o lygod ffyrnig, a'r muriau'n glystyrau aflonydd o ystlumod. Yn ôl y sôn (sibrydodd un arall) crwydrodd cardotyn i mewn yno un noson, yn chwilio am rywle i gysgu. Daethpwyd o hyd iddo fore trannoeth – neu, yn hytrach, daethpwyd o hyd i'w sgerbwd, gyda phob un asgwrn wedi'i grafu'n lân.

Ac roedd yna straeon eraill, hefyd . . .

Straeon tywyllach.

Fel yr un enwog honno am y cwpwl ifanc – ymwelwyr, twristiaid – a geisiodd dreulio noson mewn pabell yng ngardd yr hen dŷ. Daethpwyd o hyd i'r ferch fore trannoeth yn gelain yn ei sach gysgu, ei hwyneb allan-o-siâp i gyd, fel petai rhywbeth wedi ei dychryn i farwolaeth, a'i chariad mewn pelen yng nghornel y babell, yn llefen fel babi. Ac felly mae e hyd heddiw, medden nhw, mewn ysbyty meddwl, yn llefen drwy'r dydd ac yn sgrechen bob tro mae rhywun yn digwydd diffodd y golau, oherwydd ei fod yn cofio rhywbeth yn dod atynt i'r babell yn y nos, rhywbeth a ddaeth o'r hen dŷ . . .

Medden nhw.

Ond ar brynhawn bendigedig o Orffennaf gwych, wel, hawdd iawn oedd diystyrru hen straeon fel 'na. Hawdd oedd wfftio atynt, a chwerthin, hyd yn oed: onid celwydd oedd pob un? Ac onid oedd hen adfeilion tebyg ym mhob pentref drwy'r wlad, gyda straeon tebyg wedi'u gwau o'u cylch?

Hawdd iawn oedd chwerthin yng ngolau dydd, yn enwedig a hwythau'n chwech, gydag un yn dilyn y llall i mewn drwy'r bwlch lle'r oedd y drws ffrynt yn arfer bod dros ddeugain mlynedd ynghynt, gan siarad yn uchel a chwerthin ar sylwadau nad oedd yn ddoniol o gwbl. Ac anwybyddu hefyd yr hen gosi oer hwnnw yng nghefnau eu gyddfau wrth iddynt syllu o'u cwmpas ar y drain a'r chwyn ar y lloriau a'r olion llosgi ar wynebau'r muriau.

Doedd dim byd yno i fynd â sylw'r un o'r chwech, heblaw efallai'r arogl llosgi oedd yn dal i dreiddio o'r muriau a gweddillion y trawstiau duon, er bod galwyni o law wedi golchi drostynt ar hyd y blynyddoedd. Trodd sawl un eu trwynau, dim ond am eiliad, gan dybio efallai bod yna arogl arall yn gorwedd o dan ddrewdod y mwg – arogl rhywbeth oedd wedi pydru, fel darn o hen gig yng ngwaelod bin sbwriel.

Wrth noswylio'r noson honno, sylwodd pob un fod rhith o'r arogl hwn ar eu dillad o hyd, fel petai wedi setlo arnynt fel niwl neu law mân. Arhosodd gyda nhw am ddyddiau, hyd yn oed ar ôl i'r dillad gael eu golchi, ond yn rhyfedd iawn – a diolch am hynny – doedd yr un o'u rhieni wedi sylwi arno o gwbl.

Dyna un rheswm ardderchog dros beidio â dychwelyd i'r hen dŷ; roedd yr arogl ffiaidd wedi llenwi eu ffroenau, a threuliodd bob un ohonynt y noson honno'n troi a throsi, yn ofni eu bod am chwydu unrhyw funud o'i herwydd.

Ond rhaid oedd dychwelyd yno, petai ond er mwyn profi i'w gilydd nad oedd y lle wedi codi tamaid o ofn arnynt; wedi'r cwbl, gallai unrhyw ffŵl, unrhyw fabi clwt, ymweld â'r lle un waith. Y gamp oedd mynd yn ôl yno.

A dyna wnaethon nhw, wythnos yn ddiweddarach, ar ddiwrnod arall o heulwen hirfelyn tesog. Doedd hi ddim wedi glawio yn ystod yr wythnos, ac ofnent y byddai'r arogl yn gryfach nag erioed. Ond y tro hwn doedd yno ddim arogl o gwbl – oni bai eu bod nhw wedi dechrau arfer ag ef, wrth gwrs, a heb sylwi arno gymaint erbyn hyn.

Ni phrofodd yr un ohonynt y cosi anghyffordus hwnnw ar gefnau eu gyddfau, chwaith, wrth gamu i mewn dros y cerrig a'r chwyn. Roedden nhw'n fwy hyderus y tro hwn, yn fwy parod i fusnesu mewn corneli ac i grwydro o weddillion un ystafell i'r llall. Roedd llawr uchaf y tŷ wedi hen fynd, a dim ond olion y grisiau oedd ar ôl, felly dim ond tair ystafell oedd ganddyn nhw i fusnesu ynddynt, cegin a dau barlwr.

Petaen nhw wedi bod yn fwy craff, yn fwy cyfarwydd â ffyrdd natur, efallai y bydden nhw wedi sylwi nad oedd yna ddim ôl un anifail nac aderyn i'w weld yn unman – dim baw,

7

dim plu, dim llwybrau bach cul yn arwain drwy'r drain, ac mor rhyfedd oedd hynny.

Ond plant blaen cynffon yr unfed ganrif ar hugain oedd y rhain bob un, hyd yn oed mab y fferm; cyfrifiaduron a theledu a pheiriannau fideo, DVD a chryno-ddisgiau oedd eu pethau. A'r penderfyniad cyffredin oedd fod yr hen dŷ, er gwaetha'r holl straeon amdano, yn 'boring'.

Yna gwelodd un ohonynt gornel rhywbeth yn ymwthio o'r pentwr rwbel yn y gegin – rhywbeth pren, gyda chornel go siarp iddo.

Rhywbeth nad oedd yn perthyn yno.

Roedd beth-bynnag-oedd-e wedi'i gladdu'n dynn yn y rwbel – fel petai wedi cael ei bacio ynddo, rywsut, heblaw am un gornel fechan oedd wedi ymladd y drain a'r cerrig am lygedyn o olau dydd. Fe gawson nhw gryn drafferth i'w ryddhau. Roedd y danadl poethion yn crafu'u dwylo, y drain yn pigo'u bysedd a'u bodiau, a'r cerrig miniog yn gyndyn iawn o ollwng eu gafael.

Ond allan, o'r diwedd, y daeth y bocs pren chwe-ochrog, mewn cyflwr annisgwyl o wych ac ystyried ei fod wedi gorwedd yno ers dyn a ŵyr pryd.

Wrth lanhau'r llwch a'r pridd a'r dail a'r malwod oddi arno, daeth cysgod sydyn dros y tŷ, fel petai aderyn anferth, du wedi hedfan rhyngddynt a'r haul, ond pan edrychodd pawb i fyny at ble'r oedd y to'n arfer bod, roedd yr awyr cyn lased a chyn gliried ag erioed.

Agorodd y bocs yn hynod o hawdd.

A'r tu mewn iddo roedd y gêm. Wrth ei chario oddi yno yn ei bocs, trodd un yn ôl i edrych ar yr hen dŷ. Am eiliad, credai fod rhywun yn sefyll wrth y drws ffrynt yn eu gwylio'n mynd – ffigwr tal, main a charpiog, ei wyneb yn wyn fel blawd yng ngolau'r heulwen. Hyd yn oed o bellter edrychai fel petai'n wên o glust i glust, cyn diflannu mewn amrantiad.

Ond wrth gwrs, roedd hynny'n amhosib.

Wrth gwrs . . .

RHAN 1

Isod roedd cornel cae,
Ac yno, heb dybio gwae,
Y gwyddau'n pori.

– R. Williams Parry

It's not dark yet, but it's getting there . . .

– Bob Dylan

Pennod 1

(i)

Dychwelodd y corynnod pan oedd llai nag awr ganddi i fynd cyn cyrraedd y pentref.

Dod yn slei bach wnaethon nhw, fel petaen nhw wedi aros yn amyneddgar iddi bendwmpian. Doedd hi ddim wedi bwriadu gwneud hyn, ddim o gwbl. Funudau ar ôl iddi ddringo i gaban y lorri, daeth yn ymwybodol o lygaid y gyrrwr yn dawnsio dros ei chorff fel dau bilipala chwantus, weithiau'n setlo ar ei chluniau, dro arall ar ei bronnau. Oherwydd hyn, brwydrodd yn erbyn y demtasiwn i gysgu, rhag ofn iddi ddeffro'n sydyn i deimlo pawen chwith esgyrnog y gyrrwr yn crancio i fyny'i chlun.

Cofiai syllu ar y dŵr ymhell oddi tani wrth iddyn nhw groesi Pont Hafren, ac mor isel oedd yr haul yn yr awyr erbyn hynny a hwythau'n gyrru tua'r gorllewin, ac fel y dywedodd wrthi'i hun mai ond cau'i llygaid rhag cryfder yr haul roedd hi . . .

. . . nes iddi deimlo'r coesau bychain, blewog yn cosi y tu

mewn i'w chnawd. Dihunodd â naid, ei bysedd a'i hewinedd eisoes yn pinsio ac yn crafu cyn iddi orffen agor ei llygaid yn llawn.

'Ti'n o'reit?'

Roedd y gyrrwr yn ciledrych arni'n chwilfrydig.

Nodiodd hithau. 'Odw . . . odw, diolch.'

Odw! sgrechiodd arni hi'i hun. *Rwy'n iawn – yn wych, yn ardderchog, mor iach ag unrhyw gneuen, a does yna ddim byddin o gorynnod bach barus yn llifo drwy fy nghorff o dan fy nghroen. Does dim llygaid cochion ganddyn nhw, na dannedd miniog, milain, a dydyn nhw ddim yn yfed o'm gwythiennau na chwaith yn gwledda ar fy mherferdd achos dydyn nhw DDIM YN BODOLI!*

Ciliodd y cosi ddigon iddi fedru llonyddu'i llaw dde, ond gyda'i llaw chwith, o olwg y gyrrwr a rhwng ei chorff a'r drws, gwasgodd gnawd tyner ei chlun nes i'r corynnod setlo am ychydig eto.

Roedd y lorri wedi hen basio heibio Caerdydd bellach, yr haul bron iawn wedi machlud yn gyfan gwbl a'i waed yn lliwio'r awyr. Abergwaun oedd cyrchfan y gyrrwr, ac wedyn drosodd i Iwerddon, ond byddai hi wedi cyrraedd pen ei thaith ymhell cyn hynny.

Pen fy nhaith bresennol, fe'i cywirodd ei hun. Unwaith y bydda i wedi cael yr hyn dwi ei eisiau, bydda i'n ffarwelio 'da'r twll lle 'ma am byth.

Ac wedyn, ble? Y Cyfandir, efallai; rhywle heulog â digon o fywyd yn perthyn iddo, lle mae'r *bougainvillea* yn ffrwydro'n borffor o fasgedi a siliau ffenestri, lle mae'r haul yn iacháu yn hytrach nag yn llethu . . .

Ysgydwodd ei phen yn ffyrnig, gan ennyn edrychiad chwilfrydig arall gan y gyrrwr. *Paid ti â meiddio breuddwydio, 'merch i! Dylet ti wybod erbyn hyn – 'dyw breuddwydion bach neis byth yn dod yn wir.*

Dim ond hunllefau sy'n dod yn wir.

Teimlai'n hyderus na fyddai neb a'i gwelai'n ei hadnabod. Doedd hi ddim eisiau i hynny ddigwydd – ddim tan nos yfory, beth bynnag. Dyna un rheswm pam y dewisodd aros yn y gwesty modern, digymeriad hwn ar gyrion y pentref, lle nad oedd neb yn adnabod neb arall – a lle, gyda lwc, na fyddai neb *eisiau* adnabod neb arall chwaith.

Bu bron i'w hyder ei gadael, fodd bynnag, pan ddisgynnodd o gaban y lorri a sylweddoli fod y pentref yn bellach o geg y draffordd nag a gofiai: wyth milltir a hanner, i gyd. Nid oedd arni ofn y tywyllwch o gwbl: bu oriau'r nos yn hafan – na, yn *gynefin* – iddi am flynyddoedd. Nid y pellter a'i poenai chwaith, ond yn hytrach y perygl y buasai rhyw Samariad Trugarog lleol yn aros a chynnig pàs iddi, a sylweddoli ymhen ychydig *pwy* oedd hi. Gwyddai ei bod wedi newid yn aruthrol, ond oedd hi wedi newid *digon*?

Ond y perygl mwyaf oedd yr atgofion. Doedd dim ots ganddyn nhw faint roedd hi wedi newid. Gallai fod wedi newid ei rhyw a thyfu barf: ni fuasai hynny'n twyllo'r atgofion am eiliad. Bydden nhw'n sicr o'i hadnabod yn syth a phrancio i'w chroesawu fel haid o gŵn bach.

Cŵn bach sy'n brathu, a chyda gwenwyn yn eu poer.

Doedd dim amdani felly ond dal y bws, gan obeithio y byddai'n weddol wag. Cafodd ei dymuniad – yr unig deithwyr oedd teulu o dwristiaid cochion: mam, tad a thri phlentyn blinedig a phiwis. Anwybyddodd hwy a mynd i eistedd reit yng nghefn y bws, yn y gornel, fel hen iâr â'i phen yn ei phlu, cyn dilyn y teulu allan wedyn pan arhosodd y bws gyferbyn â'r gwesty ac i mewn trwy'r drysau yn eu sgil.

Yn awr, wrth sefyll yn noethlymun o flaen y drych hir yn yr ystafell ymolchi, gwelai fod nemor ddim sail i'r diffyg hyder hwnnw. Oedd, roedd hi *wedi* newid cryn dipyn yn ystod y bum mlynedd ddiwethaf, yn feddyliol, yn ysbrydol, yn gorfforol a phob un '-ol' arall. Plentyn tair ar ddeg oed a gafodd ei gorfodi i ffoi yn bell o'r ardal: plwmpen fach blorog heb owns o hyder yn perthyn iddi, un oedd mor swil nes ei bod yn ffinio ar fod yn llywaeth.

Rhywun oedd mor druenus o *ddiolchgar* am y fraint o gael bod yn un o'r Criw, hwyaden fach ddiolwg a herciai ar ôl y pump arall i bobman.

Roedd honno bellach wedi hen fynd, gan adael dim ond rhith ohoni'i hun ar ôl yn y ddynes ifanc a drodd i ddiffodd y tapiau a suddo'n araf i ddŵr bendigedig y bàth, gan gau'i llygaid ac ochneidio'n bleserus.

Tybed beth maen *Nhw* i gyd yn ei wneud heno? meddyliodd. Gwyddai fod y pum aelod arall yn dal i fyw yn y cylch – roedd ychydig o funudau mewn *cybercafé* wedi dangos hynny iddi. A thybed i ba raddau yr oedden *Nhw* hefyd wedi newid? Oedd Emma yn dal yn hen ast fach sbeitlyd, yn fwy felly nag erioed ar ôl pum mlynedd ychwanegol o gael ei difetha'n llwyr gan ei rhieni? Oedd Jos yn dal yn un o'r bois ac yn drewi o wair a llaeth a thail? Oedd Rol yr un mor unsill ag erioed, neu a oedd e wedi magu rhywfaint o bersonoliaeth bellach? A roddai Meic yr argraff o hyd o fod yn rhywun slei a llechwraidd, yn gyfeillgar un funud ond yn un o'r rhai cyntaf i droi yn ei herbyn a galw enwau maleisus arni pan synhwyrai fod y lleill am ei phryfocio eto? A beth am Seren? Oedd hi'n dal mor hipïaidd â'i rhieni, neu oedd hi efallai wedi gwrthryfela'n erbyn y ddau ffrîc a chael gwared ar ei henw twp?

Tybed faint o *chwerthin* roedden *Nhw* i gyd wedi'i wneud dros y blynyddoedd?

Tipyn mwy nag a wnes i, meddyliodd. Ond bydd hynny'n newid ar ôl nos yfory . . . ac erbyn diwedd yr haf byddan nhw – a llawer iawn o bobl eraill y pentref uffernol yma – yn difaru'u heneidiau eu bod nhw wedi fy nhrin i fel gwnaethon nhw . . .

Agorodd ei llygaid yn sydyn, gan wrando'n astud. Bu'n hanner-ymwybodol ers rhai munudau fod rhywbeth yn digwydd yn y coridor y tu allan i ddrws ei hystafell: swniai fel pe bai 'na blentyn yn rhedeg i fyny ac i lawr y coridor, yn ôl ac ymlaen, drosodd a throsodd, gan chwerthin bob hyn a hyn. Yr hyn a barodd iddi eistedd i fyny yn y bàth, fodd bynnag, a chraffu drwy ddrws agored yr ystafell ymolchi at ddrws yr ystafell, oedd y teimlad anghysurus fod y plentyn wedi aros yn stond *wrth ei drws hi*. Gallai weld y drws yn glir, ac yn y llinell denau o oleuni ar waelod y drws, gwelai gysgod dwy droed.

Wrth iddi syllu, gwelai fod handlen y drws yn troi'n araf.

Gan regi wrthi'i hun, dringodd yn gyndyn o gofleidiad poeth y bàth.

'Ie?' meddai'n uchel.

Arhosodd yr handlen yn stond, mewn hanner tro, fel petai'r sawl oedd yr ochr arall wedi rhewi yn y fan o glywed ei llais.

Cydiodd mewn tywel a'i lapio amdani. Camodd am y drws, a syrthiodd yr handlen yn ôl i'w lle gyda chlic uchel a phendant.

Clywodd y plentyn yn giglan un waith, yna sŵn traed yn rhedeg i ffwrdd ar hyd y coridor.

'Hei!' gwaeddodd. Brysiodd am y drws a'i agor led y pen. Aeth allan i'r coridor. Doedd dim golwg o neb i'r un cyfeiriad.

Dychwelodd i'w hystafell am eiliad a chydio yn ei hallwedd. Allan yn y coridor eto, gadawodd i'w drws gau gyda chlep. Safodd yno gan deimlo'n siŵr y byddai'r plentyn direidus yn ailymddangos yn wên o glust i glust o glywed sŵn y drws yn cau ac yn barod i chwarae'r un tric eto.

Ond na. Prin bod unrhyw sŵn i'w glywed, ddim hyd yn oed furmur tawel rhaglenni teledu o'r gwahanol ystafelloedd. Daeth yn ymwybodol fod drafft oer yn dod o rywle: roedd cnawd ei hysgwyddau a'i breichiau'n groen gŵydd i gyd. Ac roedd hi wedi dripian dŵr bàth dros y carped . . .

13

Na, meddai wrthi'i hun, does bosib mai y fi wnaeth *hyn*. Teimlai'r carped yn wlyb socian dan ei thraed, ac wrth iddi symud, gallai ei deimlo – a'i glywed – yn *sgweltshian* oddi tani. Aeth i'w chwrcwd a'i wasgu gyda'i llaw. Cododd pwll bychan o ddŵr i wyneb y carped – dŵr brown, budur, yn union fel dŵr afon neu ffos.

Aeth yn ei hôl i mewn i'w hystafell gan ofalu cau a chloi'r drws ar ei hôl. Rhwbiodd ei breichiau: roedd cynhesrwydd yr ystafell yn tanlinellu mor oer oedd y coridor, er ei bod yn un o'r misoedd Gorffennaf poethaf ers blynyddoedd. Gadawodd i'w thywel syrthio i'r llawr wrth iddi frysio am y bàth, bron yn methu ag aros i deimlo'r dŵr poeth yn cau amdani unwaith eto.

Camodd i mewn i'r bàth . . . a neidio'n ôl allan gyda bloedd.

Roedd y dŵr cyn oered â dŵr llyn yng nghanol mis Ionawr.

Pennod 2

(i)

Meddyliodd Seren: *Fel hyn y mae'r trueiniaid sydd ar* Death Row *yn teimlo – pob awr fel munud, a phob munud fel eiliad . . . a thrwy'r cyfan y gobaith gwyllt yma'n corddi'r tu mewn i mi . . . nid y byddai'r ffôn yn canu gyda'r gorchymyn i'm rhyddhau – mae'n rhy hwyr o lawer i hynny – ond fod yr hyn y mae pawb wedi'i ddweud wrthyf yn wir ac mai'r aros yffernol yma* yw'r *rhan waethaf ohono i gyd.*

Pwy oedd y sadydd a ddewisodd *Danse Macabre* fel darn arholi? Pwy bynnag oedd ef neu hi, roedd yn haeddu cael ei gloi neu ei chloi mewn ystafell am flynyddoedd maith, gyda thâp o *The Wit Of Terry Wogan* yn cael ei chwarae'n ddiddiwedd drwy sbîcyrs a guddiwyd yn y muriau. Prin ei bod wedi cysgu neithiwr. Mynnai pob un nodyn unigol o gerddoriaeth Saint-Saëns droi a throsi yn ei phen, i gyd yn chwarae ar draws ei gilydd cyn uno bob-siâp nes swnio fel symffoni y byddai'r Diafol ei hun wedi'i chyfansoddi i wallgofi'r meirw.

Sylweddolodd ei bod yn eistedd gyda chas ei feiolin wedi'i wasgu'n dynn i'w mynwes, fel babi. Chwythodd ei hanadl allan yn araf cyn dodi'r cas i orwedd ar y ddwy gadair wag wrth ochr ei chadair hi.

'Paid â becso,' oedd cysur naïf ei mam dros y bwrdd brecwast. 'Byddi di'n teimlo'n well ar ôl bore 'ma.'

'Chi'n credu 'nny, odych chi?'

''Sdim rhagor o arholiade 'da ti, o's e?' cyfrannodd ei thad. 'Gei di ymlacio, neud yn fowr o'r tywydd 'ma, a meddwl am joio yn America.'

'*Ymlacio* wedoch chi?' rhyfeddodd Seren. 'Fydda i ar bige'n aros am y canlyniade!'

Ond roedd gan Lloerfaen ac Enfys – neu Gerald a Gwyneth, a rhoi eu henwau bedydd iddyn nhw – bob ffydd ynddi. Mwy o lawer nag oedd gan Seren ynddi hi'i hun.

Edrychodd i fyny wrth i'r drws agor ym mhen arall yr ystafell. Meirwen Jenkins, ei hathrawes gerddoriaeth, a safai yno.

'Mae'n bryd mynd, Seren,' meddai.

Cododd Seren i'w thraed yn sigledig gan feddwl – ie, yn union fel *Death Row*.

(ii)

Efallai mai camgymeriad oedd mentro mor agos â hyn i'r ysgol, ond heblaw am res liwgar o geir yr athrawon yn pobi'n braf yn yr haul, doedd dim arwydd o gwbl fod y lle ar agor, hyd yn oed.

Tybed faint ohonyn *nhw* oedd y tu mewn i'r adeilad y

funud hon, ychydig lathenni'n unig oddi wrthi? Pob un ohonyn nhw? Neu a oedden nhw i gyd wedi cwblhau eu harholiadau erbyn hyn? Beth bynnag: yn ôl y ddynes a oedd yn gweini amser brecwast yn y gwesty, roedd dawns fawr yn y ganolfan hamdden heno. Roedd hynny'n sicr o ddenu rhai ohonyn nhw, o leiaf, os nad pob un.

Ac roedd lle fel y ganolfan hamdden yn cynnig pob mathau o bosibiliadau. Roedd hi eisoes wedi dechrau cynllwynio . . .

Trodd ei phen wrth glywed cerddoriaeth yn nofio allan drwy ffenestr agored un o'r ystafelloedd ar y llawr uchaf. Ffidil, a phiano yn cyfeilio. Roedd rhywbeth cyfarwydd ynglŷn â'r darn, ond ni allai roi enw iddo. Roedd rhywbeth ysbrydol yn ei gylch hefyd, os nad rhywbeth iasol, ac am yr ail dro ers iddi ddychwelyd teimlodd groen gŵydd yn ffrwydro dros ei chnawd. Dyna beth rhyfedd arall: roedd y carped y tu allan i'w hystafell yn sych grimp fore heddiw. Neithiwr, roedd yn union fel petai afon wedi llifo drosto.

Nid oedd wedi trafferthu ceisio cael bàth arall. Aeth i gysgu tra oedd yn gorwedd yn ei gwely'n gwylio'r teledu. Dihunodd yn ddryslyd ddwy awr yn ddiweddarach gan deimlo'n argyhoeddedig fod rhywun yn sefyll wrth droed ei gwely'n syllu arni, ond wrth gwrs doedd neb yno. Roedd y teledu erbyn hynny'n dangos hen ffilm o'r 1970au; cafodd gip ar Donald Sutherland yn rhedeg drwy un o strydoedd clawstroffobig Venice ar ôl rhywun bychan mewn cot goch, cyn iddi ddod o hyd i'r *remote* a diffodd y sgrin. Ar ôl hynny, fe gysgodd yn drwm nes i'r haul ei deffro.

Roedd y corynnod, diolch byth, wedi gadael llonydd iddi am noson arall.

Gwyddai y dylai aros o'r golwg cyn hired ag y gallai heddiw, ond roedd y syniad o guddio yn ei hystafell ar ddiwrnod mor braf yn wrthun iddi. Gyda'i sbectol haul a'i chap *baseball*, beth bynnag, edrychai fel un arall o'r dwsinau o dwristiaid a lenwai'r ardal, yn enwedig â'i gwallt i lawr fel hyn.

A fi sy'n chwilio amdanyn nhw, meddyliodd. *Fentra i nad oes yr un ohonyn nhw hyd yn oed yn meddwl amdana i. Ac os na wna i rywbeth twp fel cerdded i mewn i siop grefftau rhieni ffrîci Seren – odi, ma' hi'n dal yno, fe gerddes i heibio iddi gynne fach – yna dylwn i fod yn o'reit.*

Roedd y gerddoriaeth wedi dechrau cyflymu'n awr. Os rhywbeth, swniai'n fwy iasol nag erioed, fel petai'r feiolin yn wylofain â thristwch annaearol. *Na*, penderfynodd, *sa i'n hoffi'r darn yma o gwbl.*

Trodd yn ei hôl i gyfeiriad canol y pentref, ac erbyn i sŵn y gerddoriaeth beidio'n llwyr, roedd ei chynllwyn wedi blodeuo'n llawn.

Gwenodd am y tro cyntaf ers iddi gyrraedd yn ei hôl.

(iii)

Roedd Meic wedi hen roi'r gorau i syllu ar ei bapur arholiad. Gwell o lawer ganddo oedd syllu ar goesau Eleri Morgan, merch euraidd a edrychai fel un o freninesau traethau Califfornia. Rwy'n gwbod nad oes unrhyw obaith 'da fi gyda hon, meddyliodd, llai na sy 'da fi o basio'r arholiad yma hyd yn o'd – ond jiawl, galla i *edrych* arni, sbo? A dyheu – dyhead trist fel un pry'r gannwyll am seren bell.

Gan ochneidio'n uchel, llwyddodd Meic i lusgo'i lygaid oddi ar fyrdd rinweddau Eleri – a oedd, fel pawb arall yn y neuadd heblaw amdano ef, yn eistedd â'i phen i lawr ac yn ysgrifennu'n ddiwyd.

Hanes Celfyddyd oedd testun yr arholiad olaf hon. Erthygl am Gaugin a sbardunodd Meic i wneud y cwrs, darn digon arwynebol a ganolbwyntiai ar y miri a gafodd Gaugin ar ynys Tahiti flynyddoedd maith yn ôl, yn gwneud dim byd ond meddwi yn yr haul yng nghwmni merched gogoneddus noethlymungroen ac yn peintio ambell ddarlun bob hyn a hyn. Erbyn diwedd y tymor cyntaf, fodd bynnag, roedd Meic wedi dysgu fod llawer mwy i Hanes Celfyddyd nag anturiaethau amheus rhyw *Man Behaving Badly* fel Gaugin – a bod y rhan fwyaf ohono'n sych ddifrifol.

Ond erbyn hynny, doedd ganddo mo'r amynedd i newid ei gwrs. Ymlusgo trwyddo a wnaeth, gyda'r canlyniad anochel ei fod yn awr wedi hen ateb yr unig gwestiynau y gwyddai unrhyw beth amdanynt. Petai'r cwrs wedi canolbwyntio ar artistiaid fel Goya ac ambell egsentrig fel Richard Dadd, buasai Meic wedi gallu ateb yn well o lawer, ond ddim shwt lwc.

Gwelodd fod Jos yn dal i ysgrifennu fel cath i gythraul, y feiro'n edrych yn fregus iawn rhwng ei fysedd amaethyddol, anferth. Ma' hwn am neud yn o'reit, meddyliodd Meic. Na – yn fwy nag o'reit, mae e am neud yn *wych*, damo fe. Ond dyna fe, ma'r bachan *yn* arlunydd, ma'n rhaid cydnabod hynny. Yn barod ma' pobol wedi dechre prynu rhai o'i ddarlunie. A bod yn onest, byddwn *i* yn prynu un tase'r arian 'da fi – golygfeydd lleol ydyn nhw i gyd, ond ma' ryw dywyllwch yn perthyn iddyn nhw, sy'n apelio at fy chwaeth i.

Edrychodd Jos i fyny am eiliad gan ddal llygad Meic. Gwenodd Meic a rhowlio'i lygaid, ond trodd Jos yn ôl at ei waith heb ei gydnabod o gwbl. Doedd dim byd newydd yn hyn, wrth gwrs. Brwydro i'w hanwybyddu ei gilydd a wnâi bob un o'r Criw ers blynyddoedd, ac erbyn hyn roedd hyd yn oed eu rhieni wedi rhoi'r gorau i ofyn pam nad oedden nhw i gyd yn ffrindiau mwyach.

Petaen nhw ond yn gwybod . . . *Na*, Meic! Paid â hyd yn oed *meddwl* am hynny. Ni fyddai fawr o ots ymhen ychydig wythnosau, beth bynnag. Roedden nhw i gyd am fynd i ffwrdd i wahanol golegau a gwahanol fywydau, i gyd am ddianc o'r ardal a'i holl atgofion am byth.

Ac mae hynny'n fy nghynnwys i, meddai Meic wrtho'i hun, dim ots am ganlyniadau'r arholiadau yma. Efallai na fydda i'n gallu ffoi i ryw brifysgol neu'i gilydd, ond rwy 'run mor benderfynol o droi cefen ar y lle yma ag yw'r pedwar arall. A mynd i ble, dyn a ŵyr. Ond does dim ots, ond 'mod i'n mynd i *rywle*.

Califfornia, efallai.

Neu Tahiti . . .

(iv)

'Wy'n credu y dyle hi'i shafo fe i gyd bant,' barnodd Clare.

'Wy'n cytuno. Bydde fe'n 'i siwto hi,' meddai Meinir. 'Ma'r *bone structure* 'da hi, ta beth. Beth wyt ti'n feddwl, Lise?'

Dim ond newydd ddechrau gweithio yn y siop trin gwallt roedd Lise, ac edrychai'n ansicr ar y ddwy efeilles. Doedden nhw ddim o ddifri, gobeithio? Roedd gwallt hardd iawn gan Emma, y ferch yn y gadair; trueni fyddai ei dorri i gyd i ffwrdd.

'Meddylia am y sylw y byddet ti'n 'i gael ar draethe Ibiza, Emma,' meddai Clare wrthi.

'Ie, ond shwt *fath* o sylw?' chwarddodd Emma. 'A meddylia faint o olew haul fyddai'i angen ar ben moel!'

'Gallet ti wishgo het,' meddai Meinir.

'Sdim lot o bwynt 'i dorri fe o gwbl 'te, o's e? Os taw dim ond 'i gwato fe fydda i'n 'i neud,' heriodd Emma. 'Paid â chymryd sylw o'r ddwy 'ma, Lise. Sa i'n moyn *new look*, dim ond rhwbeth bach yn wahanol. Dere i fi weld y cylchgawn 'na 'to.'

Byseddodd drwy'r tudalennau, gyda Clare a Meinir yn awgrymu steiliau gwallt gwahanol ferched enwog, nad oedd, wrth gwrs, yn ddim help o gwbl.

'Ma' un peth da ymbytu shafo dy ben yn foel, cofia,' meddai Clare.

'A beth yw hwnnw?'

'Fydd dy fam ddim moyn dy gopïo di wedyn,' gorffennodd Meinir.

19

''Sen i ddim yn betio ar 'nny!' ochneidiodd Emma. Roedd hyn bellach y tu hwnt i jôc. Byth ers i un o ffrindiau golff ei thad, rhyw grîp canol-oed a ffansïai ei hun fel tipyn o *charmer*, ddweud wrth Linda ei bod hi ac Emma'n edrych fwy fel dwy chwaer na mam a merch, roedd Linda wedi bod yn efelychu Emma ym mhob ffordd bosib. Heddiw, bu raid i Emma ddod yma ar y slei i gael gwneud ei gwallt; petai hi wedi digwydd sôn gartref ei bod am ddod, byddai Linda wedi mynnu dod gyda hi er mwyn cael torri'i gwallt hithau'n union yr un peth ag un ei merch.

Penderfynodd yn y diwedd ar steil debyg i'r un oedd gan Sarah Michelle Gellar yn y ffilm *Cruel Intentions*, a setlodd yn ôl yn y gadair gan adael i Lise wau ei hud.

Roedd Emma a'r efeilliaid wedi gorffen eu harholiadau Lefel A hwy dridiau'n ôl, ac ymestynnai'r haf cyfan o'u blaenau. Yr unig gwmwl ar eu gorwel oedd diwrnod y canlyniadau. Gwyddai Emma nad oedd hi wedi gweithio fel y dylai ar eu cyfer, ond eto, rywsut neu'i gilydd, teimlai'n eithaf hyderus ei bod wedi gwneud yn go dda. Roedd y sefyllfa'n union 'run peth pan safodd ei harholiadau TGAU: gwnaeth y nesa peth i ddim gwaith paratoi ar gyfer y rheini chwaith, ond am ryw reswm hwyliodd drwyddynt a chael y canlyniadau gorau o bawb yn ei blwyddyn.

Ond doedd hi ddim eisiau meddwl am bethau fel arholiadau heddiw, diolch yn fawr. Roedd y gwyliau yn Ibiza ganddi i'w trefnu ac, ar ôl hynny, roedd am gael treulio pythefnos ar ynys Corfu yn y fila oedd yn eiddo i deulu Meirion, a hynny'n rhad ac am ddim. Byddai Meirion a'i deulu yno gyda hi, gwaetha'r modd, ond doedd dim modd cael popeth.

Hwn, gwyddai, fyddai ei haf olaf gartref – diolch byth. Ac roedd hi'n benderfynol o fwynhau pob eiliad ohono, canlyniadau Lefel A neu beidio; doedd hi ddim am adael i unrhyw beth ei ddifetha iddi.

Arhosodd Rol eto i sychu'r chwys a lifai i lawr ei dalcen ac i mewn i'w lygaid. Craffodd i fyny at ben y clogwyn. Doedd dim llawer ganddo i fynd – rhyw ugain troedfedd arall, efallai, dim llawer mwy na hynny.

'Ti'n o'reit?' clywodd Ffion yn gweiddi i fyny ato o'r traeth. Edrychodd i lawr at ble'r oedd hi a Hanibal, ci Rol, yn ffigurau bychain, corachaidd wrth droed y clogwyn, a chododd ei law arni er mwyn ei thawelu. O leiaf doedd hi ddim wedi ei alw'n *Spiderman* y tro hwn, er ei fod, fwy na thebyg, yn ymddangos fel corryn dynol o bell ar wyneb y graig.

Roedd Ffion yn dechrau mynd yn dipyn o niwsans, ar ei ôl ym mhob man. Rhywsut, cafodd y syniad yn ei phen eu bod yn mynd allan gyda'i gilydd, er nad oedd Rol erioed wedi'i hannog mewn unrhyw ffordd, hyd y gwyddai ef.

Wel – ar wahân i'r hanner awr o snogio gwyllt wnaethon nhw mewn parti yng nghartref un o ffrindiau Ffion bythefnos yn ôl. Credai Rol ar y pryd fod Ffion yn dal i fynd allan gyda Jos, ond deallodd wedyn ei bod hi a Jos newydd orffen gyda'i gilydd ddeuddydd cyn hynny. Dyna beth ddywedodd Ffion wrtho, beth bynnag; ond roedd yr edrychiadau cas a gâi Rol gan Jos yn ddiweddar yn dweud stori wahanol.

Dyma'r peth olaf wy'n moyn, meddyliodd: ffermwr cyhyrog yn ysu am gael fy rhwygo'n ddarnau a'm gwasgaru i'r pedwar gwynt, dim ond achos rhyw groten fach dwp sy'n joio chwarae gêmau.

Ond jiawl, ma' rhaid cyfadde – ma' hi'n dishgwl yn grêt mewn bicini.

Sychodd y chwys oddi ar ei wyneb unwaith eto, cyn ailddechrau dringo i fyny'r graig. Roedd Rol yn hen gyfarwydd â'r graig hon: yma y deuai i ymarfer ei sgiliau dringo. Doedd hi ddim yn hawdd, ond doedd hi ddim yn ofnadwy o anodd chwaith, ddim i rywun gofalus fel fe.

Pum munud arall, a byddai wedi'i choncro unwaith eto.

Roedd yr haul union uwchben y clogwyn erbyn hyn; syllu i lygad yr haul a wnâi Rol bob tro yr edrychai i fyny, er mwyn gweld faint oedd ganddo i fynd cyn cyrraedd y brig. Dim ond ychydig o droedfeddi eto; ymhen munud neu ddwy byddai'n gallu'i lusgo'i hun i fyny dros wefus y clogwyn. Nid oedd yn sicr pa un oedd orau ganddo: y dringo ei hun, ynteu'r teimlad gogoneddus hwnnw o eistedd ar gorun craig roedd newydd ei choncro, gyda'r awel yn sychu'r chwys oddi ar ei wyneb a'r byd fel map ymhell oddi tano. Tybed faint o amser a gâi i feddwi ar y mwynhad hwnnw heddiw, cyn i Ffion ddechrau gweiddi arno i ddychwelyd i'r traeth am ei bod hi wedi diflasu . . .

Edrychodd i fyny. Chwe throedfedd arall, ar y mwyaf. Gwenodd Rol. 'Ma fi wedi dy drechu di unwaith 'to, sibrydodd wrth y graig. Cyffyrddodd ei wefusau'n ysgafn yn erbyn ei hwyneb garw: cusan o ddiolch, ac o barch. Gweithred fechan, efallai, ond un hynod o bwysig oedd bellach yn draddodiad ganddo, eiliadau cyn cwblhau'r dringo bob tro. Mor bwysig yw parchu'r creigiau, oherwydd hawdd iawn fyddai iddyn nhw droi yn ei erbyn a'i ladd.

Edrychodd i fyny am y tro olaf . . . a chamodd rhywun rhyngddo a'r haul.

Na, mwy na hynny. Edrychai'r ffigur fel petai wedi *dod allan* o'r haul – un eiliad roedd pen y clogwyn yn wag a'r ennyd nesaf roedd hwn/hon/beth bynnag yn sefyll yno'n syllu i lawr ar Rol. Ond â'r haul yn ei ddallu chafodd Rol fawr mwy nag argraff sydyn fod *rhywbeth* yno yn aros amdano ar wefus y clogwyn, rhywbeth tywyll, rhywbeth mewn dillad du carpiog oedd yn drewi yn y modd mwyaf ofnadwy o hen gig a physgod wedi pydru. Gallai Rol glywed Hanibal yn cyfarth yn wallgof o waelod y clogwyn a Ffion yn sgrechian ei enw wrth iddo lithro . . .

. . . ac yn yr ysgol, yn yr ystafell gerddoriaeth gyda nodau Danse Macabre yn cyflymu fel petaen nhw'n rasio'i gilydd am ddiwedd y darn, gwelodd Seren, fel petai'n digwydd i rywun arall, i rywun mewn ffilm, un o dannau ei feiolin yn torri ac yn ymwahanu oddi wrth y gribell ac yn cyrlio bron yn ara, fel gwiber, ac yn anelu amdani a chrafu'i boch, ychydig filimetrau'n unig oddi wrth ei llygad dde . . .

. . . ac yn y neuadd lle'r oedd Meic yn cnoi blaen ei feiro, ei feddwl unwaith eto ar goesau Eleri Morgan, ffrwydrodd y feiro gan lenwi'i geg ag inc du – llawer gormod o inc, mwy o lawer nag y mae'r un feiro erioed wedi'i gynnwys – gan beri iddo ebychu'n uchel a phesychu a phoeri gyda'r inc yn dal i lifo o'i geg fel petai'n chwydu peintiau ohono . . .

. . . ac yn y siop trin gwallt credai Lise am un ennyd chwim fod rhywun wedi taro'i braich nes bod blaen ei siswrn yn llithro ac yn crafu boch Emma ychydig filimetrau'n unig oddi wrth ei llygad dde . . .

. . . ac er bod ei raffau'n ei ddal yn ddiogel, meddyliodd Rol am un eiliad ofnadwy ei fod am gwympo'r holl ffordd i lawr i'r traeth, ond dim ond ychydig droedfeddi a lithrodd mewn gwirionedd, gan grafu cnawd ei fraich yn erbyn y graig. A'i galon ar garlam edrychodd eto i ben y clogwyn, ond roedd beth bynnag oedd yno wedi diflannu.

Oddi tano, roedd Ffion yn dal i sgrechian ei enw er bod Hanibal wedi ymdawelu. Cododd Rol ei fraich er mwyn dangos iddi ei fod yn iawn, ar wahân i'r ffaith ei fod yn benwan grac. Pwy ddiawl oedd yn ddigon twp i godi ofn arno fel'na? Ailddechreuodd ddringo, ei ofn a'i dymer yn ei wthio i fyny i'r copa â chyflymder anarferol.

Dringodd dros wefus y clogwyn. Cae eang oedd ar y copa, un hir a llydan, a disgwyliai weld pwy bynnag oedd wedi aflonyddu arno'n brysio i ffwrdd – yn dianc yn euog am ei fod e neu hi bron ag achosi damwain.

Ond doedd dim golwg o neb yn unman. Cododd Rol ar ei draed a chraffu i bob cyfeiriad. Byddai'n amhosib i neb fod wedi gallu diflannu mor sydyn dros gae mor anferth; buasai rhedwyr cyflymaf y byd ond wedi gallu cyrraedd ei hanner erbyn i Rol ddringo i fyny i'r copa.

A doedd unman i neb guddio chwaith – dim un craig, na choeden, na llwyn, dim ond aceri o laswellt byr.

Beth yffarn oedd yn digwydd *yma?*

(vi)

'Wyt ti'n siŵr?'

'*Ydw*,' taerodd Ffion. 'Weles i neb, Rol.'

Trodd Rol a syllu eto ar ben y clogwyn. Roedd golwg boenus ar ei wyneb, a gwenodd Ffion yn dawel. Cywilydd sy arno fe, meddyliodd: mae e'n teimlo'n ofnadwy oherwydd 'mod i wedi'i weld e'n cwympo, felly mae e'n esgus bod rhywun anhysbys a dirgel wedi codi ofn arno.

Cyffyrddodd yn ysgafn â'i fraich. 'Paid becso. Ma' pob dringwr yn cwympo weithie.'

Safodd ar flaenau'i thraed gyda'r bwriad o gusanu'i foch, ond symudodd Rol oddi wrthi'n bigog.

'Fydda *i* byth yn cwympo!' meddai, cyn sylweddoli fod ei eiriau'n swnio'n blentynnaidd iawn. 'A ta beth,' mwmblodd. 'Llithro wnes i. 'Chydig o droedfeddi, 'na i gyd.' Plygodd i gasglu'i raffau ynghyd, cyn ochneidio ac edrych i fyny arni. 'A ti'n hollol siŵr nawr, Ffion? O'dd neb 'na?'

'Wir i ti, weles i'r un enaid byw.' Crynodd Rol yn sydyn, a gwelodd Ffion fod ei freichiau'n groen gŵydd i gyd. 'Falle taw aderyn oedd yno.'

'Aderyn!'

'O, damo – o'reit!' Pam fod yn rhaid i bob bachgen fod

mor *macho* drwy'r amser? 'Shgwl, sa i'n disgwl i ti fod fel Tom Cruise, ti'n gwbod.'

'Y?'

'Yn y ffilm yna. *Mission Impossible Two*.'

Cyfeirio roedd Ffion at gampau anhygoel yr actor ar ddechrau'r ffilm honno, lle hongiai oddi ar wefus craig uchel gerfydd blaenau'i fysedd – gyda chymorth technoleg gyfrifiadurol ac ambell i *stunt man* dewr, siŵr o fod, meddyliodd Rol yn ddilornus, a gwenodd er gwaetha'i hun.

'Sa i'n credu y bydde neb yn 'y nghamgymryd i am Tom Cruise,' meddai. Ymsythodd. 'Wy'n dalach nag e, yn un peth. Ac yn fwy o hync. Ac os wyt ti'n gall, cytuno wnei di.'

'O, â phob un gair,' meddai Ffion. Gwyliodd ef yn codi'i raffau a'u hongian oddi ar ei ysgwyddau. Falle taw cellwair wyt ti, Rol Lewis, meddyliodd, ond rwyt ti *yn* hync, gw'boi. Ddim cymaint â Tom Cruise, falle, ond fe wnei di'r tro i fi . . . taset ti ond yn rhoi'r cyfle i fi brofi hynny i ti.

Penderfynodd fentro ailgodi pwnc roedd Rol, yn gynharach, wedi llwyddo i'w osgoi.

'So ti 'di ypseto gormod i ddod mas i'r ddawns heno, 'te?' a daeth yn agos at ei chicio'i hun wrth iddi weld y wên yn diflannu oddi ar wyneb Rol.

'Sa i'n credu y dof i, Ffion.'

'Grinda, os taw becso ymbytu Jos wyt ti . . .'

'Sai'n *becso* ambytu fe, nagw, ond . . .'

'Sawl gwaith sy ishe gweud?' gofynnodd Ffion. 'Ni 'di bennu.'

'Pam 'i fod e, Jos, yn dala 'i ddishgwl arna i fel 'se fe'n dwlu ca'l dawnso ar 'y medd i, 'te?'

'O, paid â chymryd sylw ohono fe! Fel 'na ma' Jos yn edrych ar bawb.'

'A wy ddim hyd yn oed yn mynd mas 'da ti, odw i?' Trodd Ffion oddi wrtho, ac ochneidiodd Rol. 'O, Ffion – wy *ddim*, odw i? 'Whare teg . . .'

''Whare teg . . . beth?' meddai Ffion.

Edrychodd Rol arni. Mor hawdd, meddyliodd, mor yffernol o hawdd fyddai gollwng y rhaffau a chydio ynddi; teimlo'i breichiau yn cau amdano a'i gwefusau'n agor o dan ei rai ef, ei bronnau'n gwthio'n ei erbyn wrth i'w tafodau chwarae â'i gilydd . . .

Ochneidiodd eto. 'Dim byd, dim byd. Hanibal – dere,' meddai, gan ddechrau cerdded i ffwrdd. Rhedodd y ci heibio iddo'n ufudd, ond pan droes Rol ac edrych, yno roedd Ffion yn dal i sefyll yn ei hunfan yn syllu ar ei ôl. 'Wel, wyt ti'n dod, neu beth?'

'Os wyt ti'n siŵr 'i bod hi'n o'reit i fi gerdded gartre 'da ti.'

Am eiliad, meddyliodd Rol fod rhywun wedi piffian chwerthin ar hyn, fel petai plentyn direidus yn ymguddio gerllaw yn gwrando arnynt. Trodd ei ben yn wyllt i bob cyfeiriad . . .

'Rol?'

. . . ond wrth gwrs, doedd neb i'w weld yn unman.

'Rol!'

Roedd Ffion wedi nesáu tuag ato. 'Wyt ti'n siŵr dy fod ti'n o'reit?'

'Ydw.' Roedd yn amlwg nad oedd Ffion wedi clywed unrhyw beth, ond buasai ef wedi taeru . . . 'Odw, wy'n siŵr. Dere.'

Wrth gerdded i ffwrdd, teimlai'n sicr, petai ond yn troi'n sydyn, y gwelai rywun yn sefyll yno'n ei wylio'n mynd.

Ffigur tal a main, mewn dillad du, a gwên faleisus ar ei wyneb.

Neu ffigur plentyn ifanc, mewn cot law felen . . .

Pennod 3

'Paid â becso. Ma'r pethe 'ma'n digwydd, Seren. Doedd dim bai arnot ti o gwbwl. Ma'r arholwyr yn gwybod 'nny. Cofia taw arholi dy *chware* di ma' nhw – a wir i ti, wnest ti chware'n wych.'

Felly roedd Meirwen Jenkins wedi ymdrechu i'w thawelu, a dyma fwy neu lai beth a ddywedai Elin, ei ffrind, wrthi'n awr.

'Byddi di'n o'reit, wy'n siŵr.'

'Na fydda, fydda i ddim.'

'O, God . . . *Seren*!'

'Beth!'

Fel hyn roedd Seren – byth yn hapus os nad oedd hi'n poeni am rywbeth neu'i gilydd. Ceisiodd Elin newid y pwnc.

'Ti'n dala i ddod heno, on'd wyt ti? I'r ddawns?'

'Sa i'n gwbod. Ga i weld.'

'Seren – ti *yn* dod. O'reit?'

Cerdded drwy'r ysgol oedd y ddwy. Deuai sŵn chwerthin a gweiddi a chwibanu a gorfoleddu cyffredinol o gyfeiriad y neuadd, ac roedd Elin yn awyddus i ymuno yn y miri. Pum munud arall yng nghwmni Seren, teimlai, a byddai'n barod i lyncu potelaid o dabledi, hollti'i harddyrnau a gorwedd o flaen y 13.25 o Abertawe i Paddington.

'*Reit*?' pwysodd.

'O, o'reit, o'reit!'

Roedden nhw wedi cyrraedd y tu allan i ddrysau'r neuadd, a rhoes Elin sgrech fechan wrth i rywun gydio am ei chanol o'r tu ôl iddi a chwyrnu'n ei chlust.

'Ian!'

'Dere. Ni i gyd am fynd lawr i'r traeth – 'rôl gneud *pit-stop* yn yr offi,' meddai'r bachgen. 'Dere!'

Dechreuodd ddawnsio i ffwrdd gydag Elin. Trodd Elin gan weiddi ar Seren dros ei hysgwydd.

'Ti'n dod?'

Petrusodd Seren, yna ysgydwodd ei phen.

'Fe alwa i amdanot ti heno, 'te!' gwaeddodd Elin, cyn gadael i Ian ei dawnsio i ffwrdd i gyfeiriad yr allanfa.

O, dam-damo-*damo*! meddyliodd Seren. Ddylwn i ddim gadel i hyn sbwylo'r diwrnod, wy'n gwbod, ond alla i ddim peidio. Ro'n i *yn* 'whare'n dda, ro'dd Mrs Jenkins yn gweud y gwir; ro'n i'n gallu teimlo hynny ar y pryd, sa i'n credu 'mod i erioed wedi 'whare'r darn cystal.

Cododd ei llaw i'w boch. Roedd archoll fechan ganddi, yn beryglus o agos i'w llygad dde. Bu'n ffodus iawn, gwyddai: buasai'r tant wedi gallu chwipio i mewn i'w llygad a'i dallu. Diolch byth, nid oedd yr archoll wedi gwaedu llawer, a chyda lwc byddai'r crafiad wedi diflannu ymhen ychydig o ddyddiau.

Sylweddolodd mai dyma fyddai un o'r troeon olaf iddi sefyll fan hyn. Ar y muriau o amgylch y neuadd roedd dwsinau o luniau – dosbarthiadau gwahanol dros y blynyddoedd, timau rygbi a hoci a phêl-rwyd, perfformiadau theatrig, partïon canu ac adrodd mewn gwahanol eisteddfodau ac yn y blaen. Gadawodd Seren i'w llygaid grwydro drostynt. Ni fu hi erioed yn amlwg iawn ym mywyd yr ysgol: dim ond mewn un llun roedd hi, sef un o'r chweched dosbarth a dynnwyd y llynedd.

Ymhen ychydig wythnosau, meddyliodd, bydd y rhan fwyaf o'r wynebau cyfarwydd hyn yn gwasgaru. Efallai na fydda i'n eu gweld eto am flynyddoedd: efallai'n wir mai'r haf hwn fyddai'r tro olaf iddi weld ambell un am weddill ei hoes.

Symudodd ei llygad dros y llun i gornel chwith y rhes flaen, lle'r oedd hi'i hun yn eistedd . . .

. . . a rhewodd.

Beth yffach?

Roedd rhywbeth yn bod ar y llun, gwelai. Rhaid bod golau'r haul wedi tywynnu'n gyson arno dros y flwyddyn ddiwethaf gan achosi i'r llun bylu rhywfaint: roedd manylion wyneb Seren bron wedi diflannu'n llwyr, fel petai rhywun wedi rhwbio haearn smwddio drostynt, ac roedd amlinell ei chorff yn amwys hefyd.

Edrychai fel petai'n graddol ddiflannu o'r llun.

O, grêt! meddyliodd. Alla i ddim hyd yn oed cael f'anfarwoli mewn llun. Yna sylweddolodd nad y hi oedd yr unig un yn y llun oedd yn edrych fel pe bai ar fin diflannu. Roedd yr un peth wedi digwydd i Jos, ac i Meic, a . . .

. . . ac Emma . . .

. . . a Rol . . .

Teimlodd Seren ei lliw yn ei gadael nes ei bod cyn wynned, credai, â'i delwedd yn y llun. Gallai glywed chwiban uchel, fain yn sgrechen drwy'i phen ac roedd ei chorff cyfan yn domen o chwys oer. Rhythodd ar y llun â'i llygaid fel dwy soser anferth, ac yna camodd yn ôl oddi wrtho, yn fyddar i'r sŵn rhialtwch a ddeuai'n nes ati ar hyd y coridor, ac yn ddall i bopeth o'i hamgylch heblaw am y pum ffigur yn y llun a edrychai bellach mor amwys a di-ffurf â phum ysbryd coll.

(ii)

Credai Meic ei fod wedi llwyddo i lanhau'r rhan fwyaf o'r inc oddi ar ei wyneb; er bod ei wefusau'n teimlo ychydig yn dyner, o leiaf doedden nhw ddim yn edrych fel petai'n gwisgo minlliw Goth, du mwyach. Roedd golwg y diawl ar ei grys, ond doedd dim y gallai ei wneud ynglŷn â hynny nes iddo gyrraedd adref. Pwy fydde wedi meddwl fod cymaint o inc mewn un beiro cyffredin? Gwelodd fod ganddo un staen bach ar ôl ar ei wyneb, rhyw filimetr neu ddwy o gornel ei lygad dde: edrychai fel deigryn du.

Digon addas, meddyliodd, o ystyried fy mherfformiad truenus yn yr arholiad yna heddiw. Penderfynodd adael i'r deigryn fod; efallai y byddai rhywun . . .

. . . *Eleri Morgan – plîs, Dduw Mawr!* . . .

. . . yn ei gamgymryd am datŵ ac yn sylweddoli hwyrach bod Meic Griffith yn berson diddorol wedi'r cwbl.

Cychwynnodd am yr allanfa. O'i flaen, ym mhen pella'r coridor, gallai weld Seren y tu allan i ddrysau'r neuadd yn rhythu ar yr oriel luniau. Petrusodd Meic am eiliad, yna cerddodd yn ei flaen; ymhen ychydig wythnosau, ni fyddai'n rhaid i'r un ohonynt boeni am anwybyddu'i gilydd.

Daeth sgrech uchel o gyfeiriad y toiledau wrth i un o'r merched gael trochfa, a neidiodd Seren. Trodd i wynebu Meic, a welodd fod ei hwyneb yn wyn fel blawd a'i llygaid yn llawn ofn.

'Seren . . . ?'

Rhythodd Seren ar Meic fel petai hi newydd weld ysbryd, yna troes yn sydyn a brysio i ffwrdd am yr allanfa.

Beth ar y ddaear . . . ? Doedd y sgrech a ddaeth o'r toiledau ddim mor frawychus â *hynny*; roedd Meic yn argyhoeddedig fod rhywbeth wedi dychryn Seren *cyn* i'r ferch sgrechen.

Ond beth?

Nesaodd Meic at y lluniau. O, roedd ambell sbesimen digon anghynnes wedi mynychu'r ysgol dros y degawdau, ambell un efallai'n debycach i greaduriaid Llyfr y Datguddiad, *horror show* y Beibl, nag i unrhyw beth dynol, ond roedd y mwyafrif o'r lluniau i fyny ar y wal i bawb eu gweld ers blynyddoedd lawer. Roedd hi'n annhebygol fod yr un o'r rheini wedi codi ofn fel'na ar Seren.

Yna glaniodd llygaid Meic ar *y* llun.

A deallodd.

Faint o amser aeth heibio tybed, tra safodd yno'n rhythu â chwilfrydedd, ag anghrediniaeth, ac yna *ofn* . . . Rywbryd, camodd yntau hefyd yn ôl oddi wrth y llun, yn union fel y gwnaeth Seren – yn union fel y gwna rhywun oddi wrth gaets gwydr sarff gwenwynig.

Tarodd yn erbyn criw o fechgyn oedd ar eu ffordd allan o'r adeilad. Yn eu plith, gwelodd Jos.

'Jos . . .' dechreuodd, ond roedd ei geg mor sych â phe bai newydd fod yn cnoi tywod. Cliriodd ei wddf. 'Jos . . .'

Dim ond un arall o'r bechgyn a sylwodd ar y llun.

'Wwwwww . . . sbw-*ciii*! O's rhif ffôn Mulder a Scully 'da rhywun?' Chwarddodd wrth wasgu Meic mewn *head-lock* a rhwbio'i gorun a'i figyrnau, ond roedd Meic wedi cael cip ar lygaid Jos yn setlo ar y llun yna'n lledaenu.

Rhwygodd ei hun o afael y bachgen, ond roedd Jos yn diflannu trwy ddrysau'r allanfa gyda'r gweddill.

Trodd Meic yn ôl at y llun, ac yna edrychodd o'i amgylch. Roedd y coridorau a'r cyntedd bellach yn wag, a thawelwch wedi setlo dros yr adeilad.

Tynnodd y llun, gan gynnwys y ffrâm wydr, oddi ar y mur a'i wthio i mewn i'w fag. Yna brysiodd yntau hefyd allan o'r ysgol.

(iii)

'Bydd e 'di mynd ymhen cwpwl o ddyddie.'

'Odych chi'n siŵr, chi'ch dwy?'

''Bach o golur drosto fe heno, a fydd neb ddim callach 'i fod e 'na,' oedd barn Clare.

'Os na fydd Meirion wedi'i lyfu e i gyd bant cyn y ddawns,' meddai Meinir.

'Hei – os yw Emma am wisgo *honna*,' meddai Clare am y ffrog oedd gan Emma yn ei llaw, 'fydd sylw Meirion ddim ar 'i *hwyneb* hi!'

Sefyll mewn siop ddillad roedd y tair, yn disgwyl i guddugl newid ddod yn rhydd, gyda'r Sterephonics yn chwarae'n uchel dros y siop. Cododd Emma ei llaw a chyffwrdd yn ysgafn â'r archoll fechan dan ei llygad dde.

'Wel, 'y mai i o'dd e, sbo. 'Na beth wy'n ga'l am symud 'y mhen.'

Edrychodd yr efeilliaid ar ei gilydd mewn syndod.

'Nage *Emma Christie* yw hon sy'n siarad?'

'Na, sa i'n credu. Bydde honno wedi siwo perchen y salon a gofalu fod pob un o'r staff yn gwerthu'r *Big Issue* ar gorneli'r strydo'dd.'

'Ie, ie, o'reit,' chwarddodd Emma. 'Gwedwch wrtho i 'to – pam gytunes i fynd bant i Ibiza 'da chi'ch dwy?'

'Achos 'yn bod ni'n *loveable*,' meddai Clare.

'Ac yn ciwt,' ategodd Meinir. 'Shgwl – 'na ti. Ma' un o'r ciwbicyls 'na'n rhydd i ti nawr.'

Tynnodd Emma y llenni ar ei hôl a dechreuodd agor botymau ei thop. Roedd gan Clare bwynt ynglŷn â'r ffrog newydd roedd Emma yn ystyried ei phrynu; os byddai'n ei ffitio, yna dylai llygaid Meirion – a phob dyn arall hefyd – fod fel llygaid penwaig heno. Nid ei bod hi'n bwriadu treulio llawer o amser yng nghwmni Meirion: lifft i lawr i'r dafarn ganddo yn y BMW, ac yna allan i fwynhau'i hun gyda'r merched. 'Ymarfer gwisg' ar gyfer nosweithiau tanbaid ar Ibiza, yn ôl Meinir, a byddai'n rhaid i Meirion fodloni ar snog fach gyflym a fflach sydyn o glun wrth iddi ddringo i mewn ac allan o'r car.

Trodd o glywed sŵn rhywun yn taro pared y cuddugl drws nesaf.

'Meinir . . . ? Clare, ti sy 'na?'

Ni chafodd ateb. Wps, na – rhywun arall, meddyliodd Emma. Yna daeth ergyd arall ar y pared pren, ac un arall. Sŵn digon annifyr ydoedd, rhyw sŵn *sgweltshi* fel petai rhywun yn taro'r pren gyda bag plastig yn llawn o ddŵr.

Yna daeth sŵn plentyn ifanc yn giglan yn ddireidus. Edrychodd Emma i lawr. Roedd bwlch rhwng gwaelod y cuddugl a'r llawr, a gallai weld dwy droed fechan mewn pâr o *trainers* yn y bwlch, eu blaenau'n pwyntio tuag ati hi. Daeth ergyd wlyb arall ar y pared. Gwyrodd Emma yn gyflym gan godi'i bag oddi ar y llawr: hawdd iawn fyddai i blentyn drwg ymestyn drwy'r blwch, cipio'r bag a rhedeg o'r siop.

Chwarddodd y plentyn eto, a sylweddolodd Emma nad direidi oedd yn y chwerthiniad wedi'r cwbl, ond malais. Dechreuodd deimlo'n anghyfforddus yn y cuddugl. Sylweddolodd hefyd fod rhywun wedi troi'r sain i lawr ar system stereo'r siop: prin y gallai glywed y Stereophonics bellach; roedd fel petai rhywbeth yn chwarae *drosto* . . .

. . . a theimlodd Emma'r cnoi mwya rhyfedd yn ei chylla wrth iddi adnabod y gerddoriaeth. Hen gân oedd hi, cân bop blentynnaidd a nàff a oedd yn y siartiau union bum mlynedd yn ôl.

Cân yr oedd y chwech ohonyn nhw'n arfer ei chanu.

Y Nhw.

Y Criw.

Cân na allai'r un ohonyn nhw ddioddef ei chlywed ers . . . ers . . .

Cân a oedd yr eiliad honno'n chwarae *dros* y Sterephonics! Yna dechreuodd y plentyn yn y cuddugl drws nesaf guro'r pared eto a chreu'r hen sŵn gwlyb anghynnes hwnnw ar yr un pryd â giglan yn uwch ac yn uwch â mwy o falais oer yn ei llais. Sylweddolodd Emma fod y *trainers* a welai rhwng y llawr a gwaelod pared y cuddugl yn faw ac yn fwd i gyd ac yn wlyb socian gyda dŵr brown brwnt yn llifo ohonynt . . .

Rhwygodd Emma y llenni ar agor a baglu allan o'r cuddugl ac i mewn i'r siop. Trodd Clare a Meinir i edrych arni.

'Ble ma'r ffrog, 'te?'

Roedd y Stereophonics yn eu holau, mor uchel ag erioed. Trodd Emma yn ddryslyd. Gwelodd fod llenni'r cuddugl drws nesaf ar gau. Gafaelodd ynddynt a'u llusgo ar agor.

Roedd y cuddugl yn wag.

'Emma? Emma, be sy'n bod?'

Gan deimlo'r chwd sur yn bygwth byrlymu i fyny drwy'i chorff nes ffrwydro allan o'i cheg, rhuthrodd Emma o'r siop.

Pennod 4

(i)

Nid oedd Seren wedi bwriadu mynd adref. Gwyddai y byddai Enfys yn aros amdani yn y siop, ar bigau'r drain, fel ag y byddai Lloerfaen yn ei weithdy. Ond roedd hi wedi cerdded o'r ysgol heb hyd yn oed feddwl am ei rhieni nes iddi sylweddoli bod y pentref dros hanner milltir y tu ôl iddi.

Tybed a oedd Meic a Jos wedi gweld yr hyn welodd hi? Oedden nhw hyd yn oed wedi *edrych* ar y lluniau? Nag oedden, fwy na thebyg.

Doedd hi ei hun ddim yn credu'r hyn a welodd. Dyna pam roedd hi'n brysio am adref, lle'r oedd copi o'r llun ganddi mewn albwm yn y cwpwrdd. Fwy na thebyg, byddai ei chopi hi'n berffaith, gyda phawb o'r Criw mor solet ac amlwg ynddo â gweddill y dosbarth.

Ond os na fyddai . . .

Odw i ishe gwbod? Odw – mae'n rhaid *i mi gael gwybod!*

Tri hen fwthyn wedi'u hadnewyddu a'u troi yn un tŷ sylweddol dros gyfnod o flynyddoedd oedd cartref Seren, gyda gerddi prysur, gwyllt, Beatrix Potter-aidd o'i amgylch. Gerddi a ddylai, mewn byd delfrydol, fod yn gartref ac yn hafan i'r Tylwyth Teg, yn ôl Lloerfaen. Treuliodd Seren oriau lawer yn y gerddi hyn yn blentyn, gan aros yn llonydd fel cerflun yn y gobaith y byddai'n clywed y dail yn symud ac yn troi'i phen yn araf i weld myrdd o wynebau bychain yn syllu arni'n chwilfrydig.

Heddiw, fodd bynnag, wrth iddi gerdded i fyny'r llwybr at y drws, cafodd y teimlad rhyfeddaf *fod* llygaid yn ei gwylio o'r tu ôl i'r dail – nid llygaid chwilfrydig, diniwed ac addfwyn, ond rhai llawn mileindra a chasineb.

Ac wrth iddi wthio'i hallwedd i dwll y clo, cafodd y

teimlad gwaeth fod *rhywun* yn gwrando arni o'r ochr arall i'r drws. Teimlai fel y Teithiwr hwnnw yng ngherdd enwog Walter de la Mare, hwnnw a safai y tu allan i hen, hen dŷ yng nghanol y goedwig, ei reswm yn dweud wrtho fod y tŷ yn wag ond ei enaid yn sgrechen arno fod llu o wrandawyr ysbrydol yn aros iddo ddringo'n ôl ar gefn ei geffyl a charlamu i ffwrdd am ei fywyd.

Agorodd Seren y drws, yn hanner disgwyl gweld cysgodion yn ffoi am y corneli, ond yr unig beth a symudai yng nghyntedd y tŷ oedd ambell ddarn o lwch yn yr heulwen a lifai i mewn drwy'r ffenestr ar landing y grisiau, a'r unig sŵn a glywai oedd canu grwndi'r ffrij drwy ddrws agored y gegin.

Er ei bod wedi brysio adref o'r ysgol yn unswydd er mwyn edrych ar ei chopi hi o'r llun, teimlai Seren ryw gyndynrwydd rhyfedd i edrych arno'n awr. Pam, pam, pam oedd yn rhaid iddi oedi yn yr ysgol a thrwy hynny weld y blydi llun hwnnw o gwbl? Fel arall, buasai erbyn hyn yn siop ei mam gyda dim byd mwy ar ei meddwl na'i harholiad ond, yn lle hynny, dyma hi ar ei gliniau o flaen y cwpwrdd yn yr ystafell fyw, â chwys oer yn byrlymu o'i chorff a'r arholiad fel rhywbeth a ddigwyddodd i berson arall mewn oes arall.

Roedd yr albwm lluniau ganddi yn ei dwylo. Seren – paid â bod yn *dwp*! fe'i ceryddodd ei hun.

Agorodd yr albwm . . .

(ii)

Ffrwydrodd Emma Christie allan o'r siop ddillad, fwy neu lai reit o dan ei thrwyn. Rhewodd, gan godi'i llaw i fyny'n gyflym i guddio'i hwyneb, yna sylweddolodd nad oedd sylw Emma arni hi o gwbl. Yn wir, anodd iawn oedd dweud ble yn union yr *oedd* sylw'r ferch; yn sicr, nid oedd ar ei diogelwch ei hun, oherwydd bu o fewn dim i gael ei tharo gan gar wrth

35

iddi frysio'n ddall ar draws y ffordd. Sylwodd Emma ddim ar y car, chwaith; nid edrychodd i'w gyfeiriad un waith, er bod y gyrrwr wedi canu'i gorn arni'n biwis a bloeddio, '*Stupid little bitch!*' drwy ei ffenestr.

Beth ar wyneb y ddaear oedd yn bod arni? Roedd hi wedi gwibio allan o'r siop fel petai haid o Gŵn Annwn ar ei hôl. Dyna'r argraff a roes, fodd bynnag, sef ei bod yn *ffoi* oddi wrth rywun neu rywbeth, gyda'i hwyneb claerwyn a'i llygaid anferth.

Gwyliodd hi'n diflannu i mewn i'r caffi dros y ffordd, yna trodd i edrych ar y siop. Siop ddillad ddigon cyffredin oedd hi, os ychydig yn ddrud, gyda'r Stereophonics yn taranu allan drwy'i drws agored.

(iii)

'Wyt ti'n *siŵr* dy fod di'n o'reit?'

'Odw, odw. Fe fydda i nawr . . . wy'n teimlo'n well yn barod.'

'Ond beth yn gwmws ddigwyddodd i ti?'

'Dim byd. Jest . . . y siop yna. Ro'dd hi'n dwym ofnadw 'na, a phan es i miwn i'r ciwbicyl 'na i newid . . . wel, 'na'th y lle ddechre troi, 'na i gyd.'

Edrychodd yr efeilliaid ar ei gilydd. Eisteddent ochr yn ochr yn wynebu Emma dros y bwrdd, gan wneud iddi deimlo fel petai'n cael ei holi yn swyddfa'r heddlu.

'O't ti'n meddwl fod y siop 'na'n dwym?'

'Nag o'n i. *Au contraire* – wy'n cofio meddwl fod yr *air conditioning* sy 'da nhw'n fendigedig.'

'A finne 'fyd. Hmmm . . . odyn ni'n neud peth doeth, gwed, yn mynd â hon 'da ni i le twym fel Ibiza?'

'Yn gwmws. Os taw dim ond llewygu ma' hi'n mynd i neud, man a man i ni feddwl am rywle arall. Fel Reykjavik.'

'Yn y gaeaf.'

'Wrth gwrs, yn y gaeaf.'

'A ma' hi'n sôn am fynd bant i Corfu 'da Meirion a'i deulu.'

'Ha! Wneiff hi ddim para fwy na phum muned yn Corfu. Bydd hi'n treulio'r gwylie yn gorwedd mewn bloc o iâ.'

'Fel y fe, Austin Powers.'

'Grwfi . . .'

'Ie, *o'reit*! Sa i'n deall pam y'ch chi'n neud shwt ffys. Mae'n ddigon syml – do'dd yr *air conditioning* ddim yn gweithio'n dda y tu fiwn i'r ciwbicyl 'na, fe ddechreues i deimlo'n dost, es i mas i ga'l awyr iach, a nawr wy'n teimlo lot yn well. Neu fe fydda i, unwaith y bydda i wedi cwpla'r *cappuccino* 'ma. Iawn? Pam y'ch chi'n mynnu neud drama fowr mas o bopeth?'

Edrychodd yr efeilliaid ar ei gilydd eto.

'A phidiwch â *neud* 'nna drw'r amser! Ma' fe'n blydi *irritating*!'

'Beth . . . ?' gofynnodd Meinir.

'Edrych ar 'ych gilydd fel yna . . .'

'Pwy – ni?' meddai Clare.

Edrychodd y ddwy ar ei gilydd eto, a dechreuodd Emma chwerthin.

'O, sa i'n gwbod . . . y chi'ch dwy . . .'

Trodd ac edrych allan drwy ffenestr y caffi. Roedd hi *yn* teimlo'n well, yn gorfforol o leiaf. Gwyddai na allai fyth sôn wrth Clare a Meinir am yr hyn welodd hi yn y siop ddillad, na chwaith am yr ofn aruthrol a setlodd amdani fel cynfas afiach. Beth yffarn *ddigwyddodd* i fi? meddyliodd. Doedd yna neb yn y cuddugl drws nesaf, rwy'n gwybod, ond ar y pryd . . .

Yna sylwodd Emma fod merch yn sefyll yr ochr arall i'r stryd yn syllu ar y caffi. Merch tua'r un oed â hi, merch dal, luniaidd, gyda chap *baseball* ar ei phen a phâr o sbectols haul anferth ar ei thrwyn. Trodd y ferch yn sydyn a cherdded i ffwrdd i lawr y stryd, a chafodd Emma gipolwg ar wallt coch golau o dan y cap.

Twrist arall oedd hi, siŵr o fod. Ond eto, roedd rhywbeth amdani oedd wedi denu sylw Emma. Rhywbeth cyfarwydd . . .

(iv)

Teimlai'r haul yn anarferol o boeth ar ei war. Roedd y gwres fel petai'n gwneud ei orau glas i sugno pob diferyn o nerth o'i gorff: teimlai ei goesau'n drwm ac yn lletchwith, ac am ryw reswm roedd cerdded ar draws y glaswellt sych fel bustachu trwy driog.

Ddylwn i ddim fod yma ar fy mhen fy hun, meddyliodd Meic: dylai fod rhywun arall gyda fi, yn gwneud hyn. Ond pwy? Chwerthin am ei ben fyddai pob un o'i ffrindiau'n ei wneud. Os ffrindiau hefyd. Doedd ganddo ddim un ffrind arbennig, ddim ers i'r Criw chwalu, bum mlynedd yn ôl.

Ac am weddill y Criw . . .

Wel, roedd Jos yn sicr wedi gweld y llun: roedd Meic wedi penderfynu hynny eisoes. Cofiai fel roedd wyneb Jos wedi cau, rywsut, a'r ffordd y brysiodd am y *Land Rover* y tu allan i'r ysgol. Wrth i Meic ddechrau rhedeg ar ei ôl, cafodd gip ar lygaid Jos yn ei wylio yn y drych wrth i'r cerbyd yrru i ffwrdd.

Yn amlwg, doedd Jos ddim eisiau gwybod, diolch yn fawr. Wel, *dwi* ddim eisiau gwybod chwaith, meddyliodd Meic. Dduw Mawr, dyma'r peth olaf dwi 'i eisiau yn fy mywyd, ond does gen i ddim dewis!

Roedd Seren hefyd wedi diflannu erbyn i Meic ddod allan o'r ysgol. A fyddai hi wedi cytuno i ddod yma gydag ef? Doedd dim amheuaeth o gwbl ei bod hi wedi gweld y llun, ac wedi cael ei dychryn ganddo: roedd hynny i'w weld yn glir ar ei hwyneb. Ond ni allai Meic ei weld ei hun yn gofyn iddi. Na chwaith i Rol. Ac yn sicr, nid i Emma. Y drafferth oedd, roedd y pump ohonyn nhw wedi llwyddo'n rhy dda i anwybyddu'i gilydd am bum mlynedd gyfan. Er eu bod yn gweld ei gilydd bron bob dydd, roedden nhw wedi colli adnabod ar ei gilydd yn llwyr.

Dyna beth y cytunon nhw.

Bum mlynedd yn ôl.

Ac felly y bu.

Tan heddiw.

O, damo fe! Oedd yn rhaid i hyn ddigwydd *nawr*? Ymhen ychydig wythnosau, bydden nhw i gyd wedi gwahanu, fwy na thebyg am byth. Gallai'r gyfrinach aros yn ddiogel, dan haen drwchus o lwch yng nghorneli tywyll eu meddyliau.

Roedd wedi cyrraedd canol y cae mawr uwchben y pentref: dyma lle'r arferai ddod am sigarét slei ers talwm, ac yma y deuai'n aml pan fyddai'n teimlo'r awydd i ffoi o'r tŷ i fod ar ei ben ei hun, i orwedd ar ei gefn yn y glaswellt a gwylio'r cymylau'n nofio ar draws yr awyr. Yma y deuai gyda'i bornograffi, weithiau, ond gyda dim ond ei ffantasïau gan amla, gan adael ei had yn y pridd.

Yma hefyd, un noson, ar ôl meddwi ar gynnwys un o boteli fodca ei dad, y gwnaeth dwll yn y ddaear gyda'i ddwylo. Fel barbwr y Brenin Meidas, gorweddodd ar ei fol a sibrwd ei gyfrinach i mewn i'r twll. Cofiai rowlio drosodd yn ôl ar ei gefn a gwylio'r cymylau'n sgubo dros wyneb y lloer. Dihunodd oriau'n ddiweddarach dan awyr wen a boerai law mân drosto, ac wrth iddo igam-ogamu am adref teimlai'n siŵr fod y glaswellt yn sibrwd ei gyfrinach i'r gwynt.

Mor braf fyddai cael gorwedd yma, cau'i lygaid, a chysgu'r eiliad hon. Ond feiddiai e ddim. Teimlai'n siŵr y byddai'r haul didrugaredd wedi ei grasu yn y fan, fel morgrugyn dan chwyddwydr.

Penliniodd, gan dynnu'r llun allan o'i fag.

Roedd yn gyndyn o ddod yn rhydd o'r ffrâm. Yn y diwedd, cydiodd Meic mewn carreg a thorri'r gwydr. Wrth iddo wneud, diflannodd yr haul y tu ôl i gwmwl, a theimlai'r chwys ar ei gorff yn troi'n anghynnes o oer, fel petai rhyw dafod afiach, anferth, wedi'i lyfu drosto.

Tynnodd ei leitar sigaréts o'i boced, ond gwrthodai hwnnw â thanio. Edrychodd arno – un rhad o blastig clir, piws, â mwy na digon o hylif ar ôl ynddo. Ymdrechodd eto, a throi'n sydyn gan feddwl iddo glywed llais plentyn yn giglan yn rhywle, ond doedd neb i'w weld. Gwyrodd eto dros y llun, a'r tro hwn llwyddodd i roi ei gornel ar dân. Ceisiodd warchod y fflam rhag rhyw awel oer oedd wedi dod o unman yn sydyn, yr un pryd â rhyw deimlad ofnadwy fod rhywun yn sefyll yn union y tu ôl iddo drwy'r amser, yn ei wylio'n chwilfrydig.

Cydiodd y tân yn y llun. Wrth i'w gorneli gyrlio, cododd arogl rhyfedd ohono; llanwyd ffroenau ac ysgyfaint Meic â'r drewdod mwyaf ffiaidd a berai i'w stumog droi. Roedd yn union fel petai wedi codi caead hen fin ysbwriel ar brynhawn chwilboeth o haf, a chanfod y bin yn llawn o ddarnau cig pydredig, gyda chynrhon yn berwi drostynt.

Yna sylweddolodd nad o'r llun y deuai'r arogl.

O Dduw Mawr na, mae e'n dod O'R TU ôl i fi!

Gwyddai fod rhywbeth yno, y tu ôl iddo ac uwch ei ben, rhywbeth aflan a anadlai'r drewdod drosto. Rhywbeth hen, nage, rhywbeth *hynafol*, yn llawn malais a chasineb. Rhywbeth oedd ond yn disgwyl iddo droi . . .

Alla i ddim gwneud hynny. Os gwna i droi, yna mewn cartref y bydda i am weddill fy oes, yn sgrechen a chrefu am gael peidio â chysgu achos 'mod i'n gwybod, bob tro y bydda i'n cau fy llygaid, y bydd beth-bynnag-yw-e yno yn aros amdanaf, felly wy ddim am droi, na, plîs, paid â gadel i fi droi . . .

Ond er gwaetha'i hun gallai deimlo'i ben a'i wddf yn dechrau troi. Cafodd gipolwg sydyn ar fraich fechan mewn cot law blastig, felen, braich plentyn . . .

. . . a llwyddodd, dyn a ŵyr sut, i gael digon o nerth i droi'i ben i ffwrdd ac i'w daflu'i hun ar ei wyneb i'r glaswellt. Clywodd lais plentyn yn ebychu 'Ooooo – !' yn siomedig, yna'r sŵn giglan diawledig hwnnw eto. Gwthiodd Meic ei wyneb i mewn i'r pridd.

'Plîs . . .' meddai, drosodd a throsodd a throsodd. 'Plîs . . .'

A chododd e mo'i ben nes bod y llun wedi llosgi'n ulw, nes bod yr awel wedi gwasgaru'r lludw dros y cae, a nes bod yr haul allan unwaith eto a'r cwmwl wedi diflannu'n llwyr o'r awyr las.

Pennod 5

(i)

Bu hi wrthi trwy'r dydd yn paratoi, a bellach roedd popeth yn barod. Dim ond y bobol oedd ar ôl.

Safai yn y cysgodion yng ngheg y stryd gefn, ei llygaid ar y car BMW a chwyrnai'n amyneddgar y tu allan i ddrws y dafarn. Yma, nid oedd hi'n fawr mwy na chysgod ei hun; petai un ohonyn Nhw yn digwydd craffu i'w chyfeiriad, efallai y buasai ef neu hi'n sylweddoli fod *rhywun* yn stelcian yma, ond roedd hi'n hyderus na fyddai'r un ohonyn nhw'n ei hadnabod.

Wedi'r cwbl, doedden Nhw ddim yn gwybod ei bod wedi dychwelyd.

Ddim eto.

Roedd un ohonyn Nhw eisoes wedi mynd i mewn i'r dafarn – Meic Gruffydd, oedd wedi sefyll yn bryfoclyd o agos a'i gefn ati funudau'n ôl, mor agos nes iddi orfod brwydro'r demtasiwn i estyn ei llaw a rhoi fflic boenus i'w glust dde gyda'i bys a'i bawd. Gwylio drysau'r dafarn roedd yntau hefyd, fel petai'n aros am rywun; edrychai i bob cyfeiriad heblaw'r tu ôl iddo, a phetai ganddi gyllell . . .

Ond na, buasai hynny wedi bod yn rhy hawdd. Roedd hi eisiau iddyn Nhw i gyd ddioddef, fel y gwnaethon Nhw iddi *hi* ddioddef, a hynny am bum mlynedd hir.

Yna, roedd un arall ohonyn Nhw yn y car yr ochr arall i'r stryd: Emma fach berffaith, a'i llaw chwith yn anwesu gwallt gyrrwr y car wrth i hwnnw wneud ei orau glas i wthio'i dafod i lawr ei gwddf. Gwyliodd arddwrn Emma yn troi ryw fymryn wrth iddi edrych yn slei ar ei horiawr . . .

. . . a gwthiodd Emma Meirion oddi wrthi, ond roedd ei fraich yn dal am ei hysgwydd, ei law wedi'i gwthio o dan ei chesail, a blaenau'i fysedd yn ymdrechu i gyffwrdd â'i bron. Ochneidiodd.

'Meirion . . .'

Yn gyndyn, symudodd Meirion ei fysedd, ei law a'i fraich. 'Diolch.'

Edrychodd Emma arni'i hun yn y drych bychan. Roedd ei cholur bron yn cuddio'r archoll fechan ar ei boch – bron.

'Ti'n benderfynol o fynd i'r ddawns 'ma, 'te?' gofynnodd Meirion.

'Odw.'

Teimlodd law Meirion yn anwesu'i chlun noeth. Ers iddo alw amdani, roedd wedi ymddwyn yn fwy fel octopws na bod dynol. Trodd Emma gan syllu arno'n oeraidd, a chydag ebychiad ddiamynedd tynnodd ei law oddi ar ei choes.

'O's *raid* i ti?'

'Nag o's. Does dim *rhaid*,' atebodd Emma. 'Ond wy'n moyn mynd. Fel wy 'di gweud wrthot ti sawl gwaith, ma'r efeilliaid a fi 'di trefnu heno ers cyn dechre'r arholiade. O'reit?'

Roedd yn amlwg fod y peth yn bell o fod yn 'o'reit' gyda Meirion. Gwgodd ar y prysurdeb y tu allan i ddrysau'r dafarn.

''Sen i'n meddwl y bydde'n well 'da ti fod 'da *fi* heno. Ti'n gweld Clare a Meinir bob dydd fel ma' hi. A ti'n mynd bant i Ibiza 'da nhw ymhen pythefnos.'

'Odw – a wedyn, wy'n mynd bant i Corfu, 'da *ti*,' meddai Emma. Ac ar ôl hynny, meddyliodd, bydda i'n . . . beth? Gyda lwc, mynd i ffwrdd i'r brifysgol yn Llundain . . . Ond wrth iddi feddwl am hynny, teimlai'r hen bigyn poenus 'na'n crafu'r tu mewn i'w stumog unwaith eto. Er ei bod allan heno'n dathlu diwedd ei harholiadau, gwyddai'n iawn nad dathlu y dylai hi'i wneud, ond galaru: doedd hi ddim wedi gweithio fel y dylai ar eu cyfer. Haws o lawer oedd ildio i'r demtasiwn i ddarllen nofelau neu i wylio DVDs, gan anwybyddu'r pentwr llyfrau a arhosai amdani ar ei desg.

Ond eto, meddyliodd, ches i ddim trafferth gyda'r arholiadau: ysgrifennais i am dair awr solet bob tro. Digwyddodd yr un peth gyda'i harholiadau TGAU hefyd: bron dim paratoi, ond hwylio trwyddyn nhw heb damaid o drafferth a chael 'A' ym mhob un, er gwaetha'r holl ofidio di-werth wnaeth hi rhwng eu cwblhau a diwrnod y canlyniadau.

Efallai'n wir mai'r un fyddai'r stori eleni hefyd. Dyna a obeithiai. Yn sicr, ni allai hyd yn oed feddwl am ddychwelyd i'r ysgol er mwyn ailsefyll ei harholiadau – er y buasai Meirion wrth ei fodd petai hynny'n digwydd. Gwyddai Emma nad oedd ar Meirion eisiau iddi fynd i unman – heblaw am Corfu gydag ef a'i deulu. Meirion druan! Oni bai am y *villa* yn Corfu fe fyddai Emma wedi gorffen gydag e ers tro. Ond gallai hynny aros tan ddiwedd yr haf, bellach – rhyw ddeuddydd ar ôl dychwelyd o'r gwyliau, tybiai Emma. Fel roedd Wiliam, ei brawd tair ar ddeg oed, yn hoff o bwysleisio drwy ddylyfu gên yn uchel bob tro y clywai ei enw, y gwir amdani oedd mai creadur digon *boring* oedd Meirion, bedair blynedd yn hŷn nag Emma ac etifedd cadwyn o siopau hen bethau.

Gwenodd wrth iddi gofio geiriau Wiliam yn gynharach heno.

'Be sy'n bod?' holodd Meirion.

'Be . . . ?'

'Pam ti'n gwenu?'

'O . . . dim byd, meddwl am rywbeth wnes i.'

'Am beth?'

'Meirion, dim byd, 'achan!' Gwyrodd ymlaen a phlannu cusan ysgafn ar ei wefus. Wrth iddi wneud cafodd gip ar rywun yr ochr arall i'r stryd, rhywun a gamodd yn ôl yn sydyn i'r cysgodion yng ngheg un o'r strydoedd a arweiniai i lawr at yr afon.

'Ma' rhywun yn ein gwylio ni.'

'Be? Ble . . . ?' Trodd Meirion a chraffu i'r un cyfeiriad. 'Wela i neb.'

Edrychodd Emma eilwaith.

'Na . . . na finne chwaith, nawr.'

Yna neidiodd wrth i rywun guro'i ffenestr. Trodd a gweld Meinir a Clare yn sefyll yno, yn gwenu fel dwy *Cheshire Cat*.

'Ocê, wela i di . . .' Plannodd gusan frysiog arall ar geg Meirion a sgrialu am handlen y drws yr un pryd.

'Grinda . . . os wyt ti'n newid dy feddwl ymbutu heno . . .'

'Ie, ocê – ma'r mobeil 'da fi. Ta-ra . . .'

Llithrodd o'r car a chau'r drws ar ei hôl. Taflodd olwg frysiog dros y to i gyfeiriad y stryd gefn, ond ni allai weld a oedd rhywun yno neu beidio. Efallai mai dychmygu wnes i wedi'r cyfan, meddyliodd . . .

'Be sy'n bod arno fe, 'te?' gofynnodd Clare, wrth i Meirion yrru i ffwrdd heb hyd yn oed edrych arnynt.

'Ffaelu ca'l digon ohono i,' atebodd Emma. 'All neb ga'l digon o beth da, all e?'

. . . a gwyliodd y bitsh fach berffaith yn orchest i gyd yn gwthio'i bronnau allan ac yn taflu'i phen melyn yn ôl fel rhywun mewn hysbyseb shampŵ, cyn chwerthin dros y stryd a brasgamu i mewn drwy ddrysau'r dafarn fraich ym mraich gyda Tweedledee a Tweedledum . . .

. . . eiliadau cyn i Meilir Joseff Tomos ymddangos yng nghanol rhyw fintai haerllug ddi-droi'n-ôl o ffermwyr ifainc. Golwg surbwch iawn oedd ar wyneb Jos, fel petai wedi cael ei lusgo allan. Aeth i mewn i'r dafarn gyda'i griw, ond fe ddaeth allan eto eiliadau'n ddiweddarach ar ei ben ei hun. Safai'n edrych i fyny ac i lawr y stryd fel petai yntau hefyd yn chwilio am rywun.

Doedden Nhw ddim wedi newid rhyw lawer, meddyliodd, yr un ohonyn nhw: hawdd iawn oedd eu hadnabod, hyd yn oed ar ôl pum mlynedd. Y hi oedd wedi newid fwyaf, doedd dim amheuaeth am hynny, a go brin y buasai'r un ohonyn nhw'n cysylltu'r ferch dal, luniaidd, mewn du â'r ferch fach dew, blorog, ddihyder a ddiflannodd o'r ardal flynyddoedd yn ôl. Heblaw, efallai, am ei gwallt – ei hunig rinwedd, teimlai, a hwnnw nawr yn harddach nag erioed.

Yna gwelodd Jos yn ymsythu drwyddo ac yn gwgu i lawr y stryd ar rywun oedd y tu hwnt i'w golwg hi. Mentrodd gamu o'i chysgodion, a thaflu golwg sydyn i'r un cyfeiriad â Jos.

Rol Benjamin oedd yno – yr un tawel, a'r un y credai hi oedd yn ffrind iddi, nes iddo ddangos nad oedd damaid yn well na'r lleill. Ef a'i rhwystrodd rhag mynd allan o'r ysgubor ar ôl Siân y diwrnod hwnnw, gan sefyll rhyngddi a'r drws, yr hen wên slei, faleisus honno ar ei wyneb. Roedd yn gwenu'n awr, wrth wrando ar barablu'r ferch a afaelai'n dynn yn ei fraich . . .

. . . a diflannodd y wên oddi ar ei wyneb pan welodd Jos yn sefyll y tu allan i'r dafarn. Petrusodd am eiliad, ond roedd yn rhy hwyr iddo feddwl am droi'n ei ôl – roedd Jos yn amlwg wedi'u gweld.

'Beth . . . ?' dechreuodd Ffion ofyn, yna gwelodd hithau Jos yn gwgu i'w cyfeiriad. Gwenodd, cyn troi a lapio'i breichiau'n dynn am wddf Rol a gwthio'i gwefusau yn erbyn ei rai ef. Teimlodd Rol ei thafod yn dawnsio'n ysgafn dros ei ddannedd a'i dafod yntau, a'i chorff yn rhwbio'n bryfoclyd yn ei erbyn, a gwthiodd hi oddi wrtho. Trodd Ffion gan syllu'n herfeiddiol i gyfeiriad Jos, nes bod hwnnw'n teimlo fel martsio tuag ati a'i hysgwyd yn iawn. Yn hytrach, trodd ar ei sawdl a cherdded i ffwrdd i gyfeiriad y ganolfan hamdden.

Chwarddodd Ffion, ond sobrodd wrth droi a gweld yr wg ar wyneb Rol.

'Beth yffarn ti'n meddwl ti'n *neud*, Ffion?' Yna atebodd Rol ei gwestiwn ei hun. 'Neud 'nna er mwyn pryfoco Jos o't ti, ontefe?'

'O, dere, Rol – 'bach o sbort, 'na i gyd.'

'Sbort?'

Cydiodd Ffion yn ei fraich. 'O'n i'n moyn neud 'nna, ta beth.'

'Welest ti 'i wyneb e? Welest ti fe?'

'Naddo. O'n i'n rhy fishi'n dy snogio di.'

'O'n i'n meddwl 'i fod e'n mynd i mwrw i.'

'Wel, nath e ddim! Do fe? A hei – paid â gweud na nest ti fwynhau. Wy'n gwbod nest ti.' Safodd Ffion ar flaenau'i thraed a gwthio blaen ei thafod yn chwareus i mewn i glust Rol.

'Blydi hel, Ffion – tyfa lan, nei di!' . . .

. . . ac am yr ail waith ymhen llai na munud, gwelodd hi Rol yn gwthio'r ferch oddi wrtho. Y tro hwn cerddodd i ffwrdd oddi wrthi ac i mewn i'r dafarn. Dilynodd y ferch ef drwy'r drysau ar ôl eiliad neu ddwy o betruso.

Pedwar, meddyliodd – pedwar allan o bump. Meic, Emma, Jos a Rol. Oedd hynny'n ddigon? Yn ddelfrydol, dylai'r pump fod yno heno, ond hwyrach y byddai Seren yn y ddawns. Os na fyddai – wel, doedd dim llawer y gallai hi 'i wneud ynglŷn â hynny. Yn sicr, doedd yr un bwriad ganddi i ohirio'r cwbl tan rywbryd eto – ddim a hithau wedi treulio'r diwrnod cyfan yn paratoi.

Crafodd ei braich yn ffyrnig. Roedd y corynnod yn cael hwyl heno. Ond ei thro hi fyddai cael hwyl cyn diwedd y noson. Yn wir, roedd y sbort ar fin dechrau.

Camodd o'r cysgodion a chroesi'r ffordd i'r dafarn. Gwyddai ei bod yn mentro; er ei bod wedi newid cryn dipyn yn ystod y bum mlynedd diwethaf, ni allai ddweud yn bendant na fyddai un ohonyn Nhw yn ei hadnabod petaent yn dod wyneb-yn-wyneb â hi.

Ond roedd y dafarn dan ei sang – ac wedi'r cwbl, meddyliodd wrth ymwthio trwy'r drysau, does dim cyffro heb fentro.

''Wedodd e *beth* ?' sgrechiodd Clare.

'Dim gair o gelwydd,' meddai Emma.

'Be sy'n *bod* ar y bachan 'na?' holodd Meinir.

Wiliam, brawd tair ar ddeg oed Emma, oedd testun eu sgwrs, ac roedd cwestiwn Meinir yn un a ofynnwyd sawl gwaith o'r blaen gan y tair merch, dan chwerthin fel arfer. Ddwy flynedd yn ôl, wrth browla yn atig y tŷ, daeth Wiliam o hyd i un o hen lyfrau ei dad mewn bocs carbord llychlyd. Enw'r nofel oedd *In Praise Of Older Women*, a byth ers hynny roedd Wiliam wedi colli pob diddordeb mewn merched o'r un oed ag ef, gan ffantaseiddio'n nosweithiol (hyd y gwyddai Emma) am gael perthynas nwydus â dynes aeddfed, ddeniadol.

Heno, er enghraifft, tra oedd Emma'n ymbaratoi i fynd allan, roedd Wiliam wedi crefu ar Emma i gofio mynd â chamera gyda hi i Corfu er mwyn tynnu ambell lun slei o fam Meirion – naill ai mewn bicini neu, gwell fyth, yn fronnoeth.

Tyfodd y cinc rhyfedd hwn yng nghymeriad ei brawd bach yn jôc anferth rhyngddi hi a'r efeilliaid, yn enwedig ar ôl i Emma sylwi fod Linda, ei mam, yn cael cryn drafferth i gael gwared ar Wiliam bob tro y byddai un neu ddwy o'i ffrindiau hi'n galw i'w gweld.

'Wy 'di bod yn meddwl lot am hyn, ti'n gwbod,' meddai Clare. Rhaid oedd iddi fwy neu lai weiddi yng nghlust Emma oherwydd y gerddoriaeth uchel a fytheiriai dros y dafarn. 'Odi e'n golygu y bydd Wiliam, pan fydd e'n ddeugain, yn loetran tu fas i gartrefi hen bobol?'

'Paid!'

Troes Emma i ffwrdd mewn ffug-fraw, a gweld y crîp Meic Gruffydd yn rhythu arni o'r bar. Edrychai'n feddw'n barod. Mae hwn, meddyliodd, yn brysur yn mynd yr un ffordd â'i dad. Gadawodd Emma i'r holl ddirmyg a deimlai ddangos yn glir ar ei hwyneb, ond daliai Meic i rythu arni – nid ar ei choesau a'i bronnau, fel bron pob bachgen arall yn y dafarn, ond i fyw ei llygaid, fel . . . fel . . .

. . . fel petai Meic yn ceisio dweud rhywbeth wrthi. Fel petai'n ymdrechu i gyfleu rhyw neges bwysig. Ond beth? A pam heno – a ninnau wedi gwneud ein gorau i beidio â hyd yn oed edrych ar ein gilydd ers blynyddoedd?

Doedd bosib ei fod yntau hefyd wedi . . . ?

Er gwaetha'i chwerthin a'i sirioldeb cyffredinol heno, nid oedd Emma wedi gallu peidio â meddwl am yr hyn ddigwyddodd yng nghuddugl y siop ddillad yn gynharach heddiw. Parhâi i glywed yr hen sŵn afiach, *sgweltshi* yna'n dod o'r pared, a llais maleisus y plentyn hwnnw . . .

. . . honno – ? . . .

. . . yn giglan yn uchel yn ei phen, ac yr oedd beth bynnag a lechai yn llygaid ofnus Meic – *ie, ofn sydd yno, wy'n 'i weld e'n glir, wy'n 'i 'nabod e* – wedi dod â'r holl brofiad erchyll yn ei ôl iddi.

Yna diflannodd Meic wrth i rywun wthio at y bar, rhyngddo ef ac Emma, a throdd Emma'n ôl at yr efeilliaid. Curodd Clare ei gwydryn gwag yn erbyn un Emma.

'Dere, ti'n araf iawn heno.' Yna craffodd Clare arni. 'Ti'n o'reit? Ti'n dishgwl yn welw ofnadw.'

'Odw, wy'n iawn.' Cododd Emma ei gwydryn at ei cheg, ond fe'i teimlodd yn clecian yn erbyn ei dannedd gwaelod wrth i rywun ei phwnio'n galed wrth ymwthio heibio iddi. 'Damo!'

Trodd, ond amhosib oedd dweud pwy'n union oedd wedi taro'n ei herbyn; roedd y dafarn bron yn anghyfreithlon o lawn, gyda mwy a mwy o bobol ifainc yn ymwasgu drwy'r drysau a phob un yn anelu'n syth am y bar.

Ni sylwodd fod y sawl a'i pwniodd hefyd wedi cymryd ei ffôn symudol o'i bag. Gwenodd honno wrth iddi wasgu'i ffordd allan i'r stryd. Dim ond rhywun twp fel Emma Christie fyddai'n sefyll mewn tafarn orlawn gyda cheg ei bag yn llydan agored. Buasai'n hawdd iawn iddi fod wedi cymryd ei phwrs yn ogystal â'r ffôn, ac yn wir roedd yn hanner-difaru peidio â gwneud hynny. Doethach oedd peidio, fodd bynnag; mae'n siŵr y buasai Emma'n sylweddoli fod ei harian wedi mynd cyn fod angen defnyddio'r ffôn arni.

Cerddodd yn ddigon pell oddi wrth y dafarn cyn astudio'r ffôn – un gweddol newydd, ac un da hefyd. Dim ond y gorau i Emma Christie, wrth gwrs. Ond doedd dim sticer bach gyda'r rhif arno.

A, wel . . . Tynnodd ei ffôn ei hun o'i bag a deialu'r rhif hwnnw gyda ffôn Emma. Pan ymddangosodd y rhif dieithr yn ffenestr ei ffôn hi, storiodd ef yn y cof. Ni wyddai beth yn union roedd hi am ei wneud gyda'r rhif, ond teimlai'n hyderus y gallai ei ddefnyddio cyn diwedd y noson.

Pennod 6

(i)

Wrth i Seren ac Elin nesáu at y ganolfan hamdden, gwelsant Meic Gruffydd yn igam-ogamu am y fynedfa.

Arafodd Seren. 'Aros am un funud, Elin, nei di?'

'Beth?'

'Sa i'n moyn i hwnna'n gweld ni a dechre clebran. Ti'n gwbod shwt ma' fe.'

'Wel . . . fel mae'n digwydd, nagw,' meddai Elin. 'Sa i'n credu 'i fod e 'di torri gair 'da fi ers i fi ddechre'n yr ysgol.'

'Ti'n lwcus, cred ti fi.' Gan mai ond y llynedd y daeth teulu Elin i fyw i'r ardal, nid oedd ganddi unrhyw syniad fod Meic a Seren yn arfer bod yn ffrindiau bum mlynedd yn ôl. 'Wy'n gwbod o brofiad shwt un yw e ar ôl bolied o gwrw.'

'O, *aye*?' Chwarddodd Elin. 'Wy wastad 'di credu 'i fod e'n eitha ciwt.'

'Wel, croeso i ti redeg ar 'i ôl e – os ti'n ffeindio fe'n *turn-on* i ga'l Meic Gruffydd yn trio lluo dy donsils di . . . yn gwynto o lager a chreision caws-a-winwns . . .'

'Falle ddim . . .'

'. . . a baco, a *falle'i* fod e wedi hwdu unwaith yn barod 'fyd –'

'Seren! O'reit! Plîs – !'

Arhosodd y ddwy nes bod Meic wedi diflannu'n ddiogel i mewn i'r ganolfan hamdden cyn ailddechrau cerdded. Petaen nhw ond wedi edrych y tu ôl iddyn nhw yn lle canolbwyntio ar gerddediad Meic, hwyrach y bydden nhw wedi sylweddoli eu bod nhwythau hefyd yn cael eu gwylio, gan ferch dal a phengoch mewn dillad duon: rhywun oedd yn falch iawn o weld fod Seren hefyd wedi penderfynu dod i'r ddawns.

Roedd Rol hefyd yn rhy brysur i sylwi ar y ferch, er ei fod ef a Ffion wedi dod i mewn i'r cyntedd eiliadau yn unig ar ei hôl. Ar Jos yr oedd ei feddwl ef, ac ofnai i hwnnw neidio o ryw gornel dywyll unrhyw funud. Gwyddai Ffion fod Rol yn benwan grac gyda hi, ond eisteddai rhyw ddiafol bach direidus ar ei hysgwydd yn ei hannog i wneud pethau'n waeth; pan ysgydwodd Rol ei llaw i ffwrdd oddi ar ei fraich, rhoes Ffion binsiad fach boenus i foch ei ben-ôl gan beri i Rol neidio fel gwiwer, gyda bloedd uchel a barodd i'r bownser ei lygadu'n amheus.

'Wnei di roi'r gore iddi?'

'Pam? Mae'n sbort.' Chwythodd Ffion gusan i'w gyfeiriad.

'Jest tyfa lan, nei di.'

Dyma'r ail waith i Rol ddweud hyn wrthi, a phenderfynodd Ffion mai digon oedd digon.

'Fe wna i, â chroeso – cyn gynted ag y byddi di'n rhoi'r gore i 'nhrin i fel plentyn. Dim ond dwy flynedd sy rhynton ni, Rol – llai na 'nny.'

Gwgai'r ddau ar ei gilydd, yna troes Rol at y cownter talu.

'Un, plîs.'

'Rol!'

Talodd Rol, derbyniodd stamp ar gefn ei law, a cherddodd i mewn heibio i'r bownser boliog oedd yn dal i'w lygadu'n ansicr.

Fel y digwyddai, roedd Jos yn llechu mewn cornel dywyll, ond fod yna olau porffor llachar yn crwydro dros ei wyneb bob deg eiliad. Cododd ei galon pan welodd Rol yn dod drwy'r drws ar ei ben ei hun, ond suddodd eiliadau'n ddiweddarach pan frysiodd Ffion i mewn ar ei ôl. Gwyliodd Jos hi'n rhuthro am Rol a lapio'i breichiau am ei wddf. Edrychodd Rol o'i amgylch yn nerfus . . .

. . . *be afraid, be very afraid,* meddyliodd Jos . . .

. . . ond hyd y gwelai, nid oedd yna unrhyw olwg o Jos yn y neuadd. Edrychodd i lawr ar Ffion.

'Sori . . .' meddai Ffion.

Ysgydwodd Rol ei ben. 'Be wna i 'da ti, gwed?'

'O, galla i feddwl am un ne' ddou o bethe.' Cusanodd ef, a'r tro hwn teimlodd Rol yn ei chusanu'n ôl, ac yn ei gornel rhegodd Jos yn uchel. Roedd hyn yn annioddefol. Ymwthiodd o'r neuadd gan anelu am y bar. Brathodd ei ben heibio i'r drws.

Eisteddai Meic mewn cornel ar ei ben ei hun, yn syllu i mewn i'w wydryn plastig a'i wyneb yn wyn fel y galchen. Edrychai'n rhy feddw i siarad â neb, diolch byth, a chododd e mo'i ben wrth i Jos ymuno â'r dorf swnllyd wrth y bar. Yn wir, edrychai'n ffigur trist iawn; doedd neb yn cymryd sylw ohono, er i sawl un ei bwnio'n ddamweiniol wrth fynd a dod i'r bar. Gallai Meic deimlo bob un pwniad, ond doedd dim modd iddo symud ei gorff fwy nag ychydig fodfeddi o'r ffordd. Ni fedrai wneud dim mwy nag aros fan lle'r oedd e, yn ei gwman bron, nes bod y lle wedi llonyddu rywfaint a'r gloÿnnod byw wedi setlo'n ôl i gysgu y tu mewn i'w stumog.

Gwyddai ei fod wedi cael llawer gormod i'w yfed – a hynny'n llawer rhy fuan; deallodd hynny eiliadau ar ôl camu allan o'r dafarn a chychwyn cerdded am y ganolfan hamdden. Er bod y noson yn un boeth, cafodd yr awyr iach effaith andwyol arno a daeth o fewn dim i faglu ar ei hyd sawl gwaith. Er hynny, llwyddodd i wneud ymdrech ardderchog i ymddangos yn weddol sobor wrth dalu a cherdded i mewn heibio i'r bownser. Diolch byth fod neb wedi ceisio siarad ag ef: ofnai mai ton o chwd drewllyd fyddai wedi ffrwydro o'i geg yn hytrach na geiriau gwaraidd.

Yn raddol, teimlodd ei liw naturiol yn dychwelyd i'w ruddiau, a llonyddodd ei stumog ddigon iddo allu codi'i ben fymryn a symud hanner ei gorff o ffordd yr yfwyr wrth y bar. Serch hynny, ni allai feddwl am yfed y lagyr fflat a di-liw yn ei wydryn.

Cafodd gipolwg sydyn ar Jos, reit ym mhen pella'r bar, yn syllu i'w gyfeiriad ac yna'n troi i ffwrdd yn sydyn pan welodd fod Meic wedi sylwi arno. Ochneidiodd Meic yn ddiamynedd. *O'reit, gw'boi*! meddyliodd. *Paid â becso, sdim nerth 'da fi i ddechre cicio dy din di heno – achos 'na be ti'i angen, Jos, ti a phob un arall o'r Criw yffernol 'ma.*

Cofiodd am y ffordd roedd Emma wedi edrych arno yn y dafarn. Roedd *hi'n* gwybod fod rhywbeth o'i le, roedd hynny'n amlwg. *Roedd rhywbeth wedi'i dychryn hithau hefyd.*

Ond beth?

Damo yffarn, meddyliodd, dylen ni i gyd fod yn siarad â'n gilydd nawr! Gwyddai fod Jos a Seren wedi gweld beth oedd wedi digwydd i'r llun, ac roedd *rhywbeth* wedi digwydd i Emma hefyd.

A beth am Rol? Oedd rhywbeth wedi digwydd iddo yntau? Craffodd Meic o amgylch y bar, ond doedd dim golwg o Rol yno. Efallai'n wir nad oedd Rol yma o gwbl. Ohonyn nhw i gyd, fe oedd y tawelaf a'r un mwyaf mewnblyg, a hawdd oedd dychmygu y byddai sefyll y tu ôl i gownter siop sglodion ei dad yn apelio'n fwy ato na dod i'r ddawns yma heno.

Yfory, a' i i weld pob un ohonyn nhw, penderfynodd Meic, ac os oes rhaid i fi rhoi cic yn eu tinau nhw i gyd, fe wna i hynny hefyd. Mae'n *rhaid* i ni ddod ynghyd, a siarad – dim ots beth gytunon ni bum mlynedd yn ôl.

Gyda'r penderfyniad hwn wedi ei sobri ryw gymaint, edrychodd Meic i fyny a gweld Jos yn ymwthio am y drws gyda golwg ryfedd iawn ar ei wyneb. Eiliad wedyn, a sylweddolodd fod y sŵn undonog a ddeuai o'r neuadd ddawns wedi newid i rywbeth a swniai'n fwy fel cân gyffredin nag unrhyw beth a daranodd dros y neuadd cyn hynny.

Cân bop oedd hi. Cân oedd yn y siartiau union bum mlynedd yn ôl.

(ii)

Oedden nhw i gyd wedi sylweddoli'r un pryd, tybed? Yn sicr, doedd yr un ohonyn nhw wedi gallu aros yn y neuadd nes bod y gân wedi gorffen chwarae. Allan â nhw, un ar ôl y llall, gan adael eu partneriaid a'u ffrindiau'n sefyll fel adynnod ar gyfeiliorn yng nghanol llawr y neuadd; allan â nhw i'r coridor a redai ar hyd pared y neuadd, lle y daethon nhw wyneb yn wyneb â Meic: Emma yn gyntaf, yna Rol a Seren gyda'i gilydd, eu llygaid yn neidio oddi ar ei gilydd, pob llygad yn fawr ac yn grwn, oherwydd eu bod *i gyd* wedi clywed y gân hon ar wahanol adegau yn ystod y dydd; nid Emma oedd yr unig un . . .

. . . Clywodd Seren ei mam yn ei hymian iddi'i hun yn dawel, ond iddi wadu'r peth yn ffyrnig pan geisiodd Seren ofyn iddi pam? Pam y'ch chi'n canu'r gân 'na?; clywodd Rol hi ar ei radio gartref – a phan geisiodd symud i orsaf radio arall, yno'r oedd hi'n aros amdano, dim ots pa fotwm roedd e'n ei wasgu; clywodd Meic hi'n cael ei la-la-la-io gan blentyn ifanc reit o dan ffenestr ei lofft, a phan edrychodd allan doedd neb yno.

A Jos?

Cerdded yn ôl o'r caeau roedd Jos pan glywodd y gân yn dod o'r hen sgubor, lleisiau hanner dwsin o blant yn ei chanu, yn ei llafarganu, drosodd a throsodd a throsodd, er bod drws

y sgubor wedi'i gloi â phadloc cadarn, a safodd Jos yno yn
fwrlwm o chwys oer, ei lygaid ar y craciau ym muriau pren yr
adeilad ac yn ofni mynd yn nes a sbecian i mewn i'r sgubor . . .
rhag ofn iddo weld . . .

. . . a daeth yntau allan i'r coridor, ac aros yn stond o weld
y pedwar arall yno'n aros amdano, ac wyth llygad llawn braw
yn troi a rhythu arno'n gyhuddgar.

'Dy syniad di o jôc yw hyn, ife?' meddai Emma, a
gwyddai Jos y buasai'r ferch yn rhoi'r byd am ei glywed yn
dweud: Ie – sori. Y fi ofynnodd i'r di-jê ei chwarae hi.

Ond ysgydwodd ei ben.

'Ro'n i'n credu . . .

. . . yn gweddïo!

. . . taw un ohonoch chi oedd wedi . . .'

'Wy't ti'n *gall*, gwed – ?' Seren, yn rhythu arno ag
anghredinedd. 'Fydden ni ddim! Fyddai neb ohonon ni!'

'Ond roedd *rhywun* wedi . . .' dechreuodd Jos.

'Beth?'

'Gneud cais amdani. Dyna beth 'wedodd y di-jê, ta beth.'

'Pwy?' meddai Rol.

'Sa i'n gwbod.' Edrychodd Jos ar Seren, yna ar Emma.
'Merch. Dyna beth 'wedodd e. Fod rhyw ferch wedi gofyn
iddo fe'i 'whare hi.'

Distawrwydd. Yna meddai Rol:

'Ffliwc yw e. 'Na i gyd. Dim byd ond . . . Ffliwc . . .'

'. . . Roedd hi yn y siartie, wedi'r cwbwl.'

'O'dd,' cytunodd Meic. '*Bum mlynedd yn ôl*. Bum mlynedd
union. A dyma hi eto nawr. Pam *nawr*?'

'Wy 'di gweud, 'achan! Ffliwc . . .'

'Nage ffliwc yw e os o's rhywun wedi *gofyn* amdani,'
meddai Seren . . . a dyna pryd y clywodd Emma sŵn
cyfarwydd arall. Sŵn nodau electronig, tila yn chwarae alaw
enwog Scott Joplin, *The Entertainer* – yr unig beth y gallai ei
thad ei chwarae ar y piano, a phan brynodd y ffôn iddi rai

wythnosau'n ôl, roedd Raymond Christie fel jôc wedi dewis yr alaw yma ar gyfer y dôn-ganu.

'Ffôn . . . fy ffôn *i* yw honna – !'

Agorodd ei bag . . . ond doedd ei ffôn ddim yno. Yn hytrach, deuai nodau'r ffôn o gyfeiriad coridor arall – yr un a arweiniai at y pwll nofio.

Troes y pump a rhythu ar geg dywyll y coridor a edrychai'n awr fel ceg rhyw ogof erchyll mewn stori gan y brodyr Grimm, er gwaetha – neu efallai oherwydd – y nodau bach siriol, gwirion a ddawnsiai allan ohoni.

'O'reit, wy 'di ca'l digon ar y crap yma!'

Dechreuodd Emma ei ffordd i lawr y coridor. Cyflymodd ei chamau pan ddeallodd fod y pedwar arall yn ei dilyn, ond yn hytrach na dod yn nes, câi'r argraff fod sŵn y ffôn yn mynd yn bellach oddi wrthi – fel petai rhywun yn brysio i ffwrdd oddi wrthi ar flaenau'i draed a'r ffôn yn ei law.

Gwelsant fod y coridor yn goleuo ychydig wrth iddynt nesáu at y pwll nofio. Roedden nhw i gyd yn rhedeg nawr ag arogl y clorin yn y dŵr yn llenwi'u ffroenau. Rhaid oedd pasio drwy'r ystafelloedd newid cyn cyrraedd at y pwll ei hun, a dylai'r rheini fod dan glo cadarn heno a dawns ymlaen yn y ganolfan, ond rywsut neu'i gilydd fe wyddent na fyddai hynny'n broblem, y byddai'r drysau wedi'u gadael yn agored ar eu cyfer. Wrth redeg meddyliodd Jos: Troi'n ôl. Nawr yw'r amser i droi'n ôl. Chewn ni mo'r cyfle eto. *Fydd yna ddim* troi'n ôl ar ôl hyn. Efallai'n wir fod rhywbeth tebyg wedi gwibio drwy feddwl pob un ohonyn nhw, ond parhau i redeg a wnaethon nhw gan synnu dim pan ildiodd drws ystafell newid y merched dan ysgwydd Emma; rhedeg heibio i'r rhesi o begiau gweigion a thros wyneb llithrig y llawr gyda sŵn nodau'r ffôn i'w clywed yn uchel a chlir, sblasio drwy'r dŵr bas diheintiedig ac allan at y pwll ei hun . . .

. . . lle y safai ffôn Emma ar yr ochr fel milwr bach unig, yn seinio'i nodau ac yna'n tewi, fel petai'r ffôn ei hun wedi gweld fod rhywun wedi cyrraedd i roi sylw iddo o'r diwedd.

Camodd Emma tuag ato, yna arhosodd yn stond, ei llygaid wedi'u hoelio ar y pwll nofio a'r dychryn yn llenwi'i hwyneb.

Dim ond goleuadau'r pwll ei hun oedd ynghynn, gan greu rhyw lesni annaturiol, arallfydol bron. Amhosib felly oedd i'r un ohonynt fethu gweld y corff a nofiai wyneb-i-waered ar y dŵr.

Corff plentyn, mewn cot law fach felen, lachar.

Sgrech uchel Emma a ysgogodd Rol i'w daflu'i hun i mewn i'r pwll, ei sblasio yn adleisio'n uchel drwy'r adeilad gwag ac yn boddi ebychiadau ofnus y lleill. Gartref yn ddiweddarach, cofiai fel y bu iddo betruso am eiliad ac yntau ond modfeddi oddi wrth y corff yn y got law felen, a'i fod wedi meddwl: O Dduw mawr, beth yffarn sydd yma'n aros amdana i?

Yna roedd bysedd ei law dde yn llithro ar ddefnydd y got law, ac wrth iddo grafangu sylweddolodd fod y 'corff' yn hynod o ysgafn ac yn symud i ffwrdd oddi wrtho fel matres rwber ar donnau'r môr . . .

. . . ac wrth iddo gydio yng ngwddf y dymi a chychwyn yn ei ôl am yr ysgol fetel ar ochr y pwll, clywodd sŵn rhywun yn curo dwylo'n araf a choeglyd, pob clap yn clecian fel ergyd o ddryll.

Edrychodd i fyny a gweld merch dal mewn dillad duon yn sefyll ar ochr y pwll. Roedd y wên ar ei hwyneb mor watwarllyd â'i chymeradwyo.

'Ie, da iawn *nawr*, Rol,' meddai.

Yna trodd ac edrych ar y pedwar arall yn sefyll yno'n gegrwth.

'Hylô, bawb. Neis 'ych gweld chi 'to.'

Pennod 7

Meic oedd y cyntaf i'w hadnabod, er mor feddw oedd e: y fe oedd y cyntaf i weld rhywbeth cyfarwydd yn wyneb y ferch a safai'n hyderus o'u blaen.

'*Branwen . . . ?*'

Gwyliodd eu hwynebau – pob un ond Rol, oedd i'w glywed yn sblasian rhywle'r tu ôl iddi. Gwyliodd fesul un wrth iddyn nhw sylweddoli fod Meic yn llygad ei le – eu hanghredinedd, eu dryswch, eu sylweddoliad.

Eu braw.

Am hwnnw y bu'n aros ers pum mlynedd: am gael gweld eu dychryn, eu hofn. Dawnsiai ei llygaid o un wyneb syfrdan i'r llall a theimlai awydd chwerthin yn uchel gyda'r pleser o'i weld yn hagru'u hieuenctid. Sylweddolodd fod sblasian Rol wedi peidio, a throdd i'w weld yn hongian fel mwnci gwlyb oddi ar ysgol y pwll, gyda'r dymi'n llac a llipa dan ei gesail.

'Wel?' meddai. 'Sdim byd 'da chi i'w 'weud wrth 'ych hen ffrind?'

Roedd ei llais fel petai wedi chwalu rhyw swyn rhyfedd. Edrych i ffwrdd oddi wrthi a wnaeth Meic a Seren, a dim ond Jos a barhaodd i rythu arni; gallai glywed sŵn Rol yn gorffen dringo o'r pwll y tu ôl iddi.

Ond roedd Emma Christie'n camu tuag ati – un cam petrusgar i ddechrau, cyn canfod yr hyder i orffen ei thaith. Safai'n agos iawn ati, bron wyneb yn wyneb, a pharhaodd Branwen i wenu'n ddiog, ond roedd ei llygaid, gwelai Emma, cyn oered â thalpiau o rew.

Cododd Emma ei llaw dde, gyda'r bwriad o roi slap iawn i Branwen ar draws ei hwyneb, petai ond er mwyn erlid y wên ddilornus oddi arni, ond trodd y llygaid oerion rheini'n oerach nag erioed wrth iddynt dreiddio i mewn i rai Emma.

Rhoes ei llaw yn ôl i lawr.

'Bitsh!' meddai, ond swniai'i llais yn wan a chrynedig hyd yn oed iddi hi'i hun. Tyfai'r wên ar wyneb Branwen Phillips yn fwy dilornus fyth, ond arhosai'r llygaid cyn oered ag erioed. Yn wir, roedd eu hoerni'n brifo.

Edrychodd Emma i ffwrdd oddi wrthynt, gan gredu'n sydyn fod y pwll nofio wedi troi'n dŷ gwydr anferth a phoeth; roedd yn anodd anadlu, gydag arogl cryf y clorin yn gwasgu amdani. Ymhen eiliadau, gwyddai y byddai'n llewygu.

Gan ei ffieiddio'i hun am wneud, trodd Emma a brysio allan.

Chwarddodd Branwen – un chwerthiniad fach dawel. Trodd ac edrych ar Jos a Meic, gan ddal llygaid Jos yn crwydro i fyny ac i lawr ei chorff. Taflodd ei gwallt yn ôl a gwthio'i bronnau allan tuag ato.

'Be sy'n bod, Jos?'

Llyncodd Jos, ond nid edrychodd i ffwrdd.

'Ti 'di newid, Branwen.'

'Odw i? Wel, alla i ddim gweud yr un peth amdanoch chi'ch pump. Ond 'na fe, ma'n amlwg 'ych bod chi i gyd wedi ca'l pum mlynedd fach rwydd, neis. Do'dd dim dewis 'da fi – ro'dd *rhaid* i fi newid.'

'Be ti'n moyn, Branwen?'

Meic a ofynnodd hyn, a doedd ei lais yn fawr uwch na sibrwd ofnus. Ond cyn i Branwen fedru ateb, roedd Rol yn sefyll o'i blaen yn swp crynedig a gwlyb. Gwthiodd y dymi yn galed i'w breichiau.

'Siân o'dd hi i fod, ontefe? *Siân*?'

Edrychodd Branwen i fyw ei lygaid am rai eiliadau, yna nodiodd yn araf. 'Pwy arall, Rol?'

'Yffarn, Branwen – ma' rhwbeth yn bod arnot ti!' meddai Jos. 'Ma' rhwbeth mowr yn bod ar dy ben di.'

Adleisiodd Seren gwestiwn Meic. 'Be ti'n *moyn*?' gofynnodd. 'Pam o'dd yn rhaid i ti neud *hyn*?'

A gwaeddodd Branwen, ei llais yn adleisio o amgylch y pwll nofio fel petai hi wedi sgrechen y geiriau i feicroffon.

'Wy'n moyn i chi i gyd 'weud *y gwir*! A mi *newch* chi 'weud y gwir 'fyd – pob un ohonoch chi!'

Gwyliodd bob un ohonyn nhw'n gwingo fel petai pob gair yn fwled. Trodd Meic i ffwrdd yn gyfan gwbl gan edrych fel petai am chwydu yn y fan a'r lle. Roedd llygaid Seren wedi llenwi â dagrau, ac roedd Jos yn ysgwyd ei ben yn ôl ac ymlaen, drosodd a throsodd, tra oedd wyneb Rol wedi troi'n wynnach na gwyn.

Yna gwelodd Branwen ferch ifanc yn ymddangos yn y drws y tu ôl i Jos.

'Rol?'

Symudodd Rol oddi wrth Branwen. Cerddodd at y ferch, ei esgidiau'n gwichian yn wlyb gyda phob cam.

'Be sy'n digwydd?' holodd y ferch, ond yn hytrach na'i hateb cerddodd Rol heibio iddi ac allan. 'Rol!'

Hon oedd wedi bod yn snogio'n ffyrnig gyda Rol y tu allan i'r dafarn yn gynharach, sylweddolodd Branwen. Sylwodd hefyd ar y ffordd roedd Jos wedi troi ac edrych arni, ond ei anwybyddu a wnâi'r ferch. Taflodd un olwg gas i gyfeiriad Branwen.

'Ffion . . .' dechreuodd Jos yn llipa, ond trodd y ferch gan frysio allan ar ôl Rol. Trodd Jos yn ei ôl a gweld fod Branwen yn syllu arno, yr hen wên ddilornus honno'n ôl ar ei hwyneb unwaith eto.

'Ti'n sic,' meddai wrthi. 'Yn hollol sic.'

'Pam wyt ti wedi dod yn ôl *nawr*?' gofynnodd Meic. 'Pam nawr, Branwen?'

'Beth?'

'Y llun . . . nest ti rwbeth i'r llun?'

'Llun?'

'Y llun . . . yn yr ysgol . . .'

Ysgydwodd Branwen ei phen. Doedd dim syniad ganddi am beth roedd Meic yn sôn, ond gallai weld fod ei eiriau wedi golygu rhywbeth i Jos a Seren.

'Meic, ca' dy ben, o'reit?' gorchmynnodd Jos.

'Ond . . . so chi'n gweld? Ma' hi 'di dod 'nôl 'ma *heddi*,' mynnodd Meic yn floesg. 'Heddi! Ac fe weloch chi'r llun . . . gweld be sy 'di digwydd i'r llun. *Pum mlynedd* . . . chi'n gwbod 'nny, ma' pum mlynedd ers i ni 'whare'r gêm . . .'

'Meic!' Cydiodd Jos yn mraich Meic a dechrau'i lusgo am y drws. 'Ti'n dod?' meddai wrth Seren.

Nodiodd Seren yn araf, ond ni symudodd: roedd ei llygaid ar Branwen.

'Jos, grinda – ma' hyn yn bwysig . . .' meddai Meic, ond ag ebychiad diamynedd llusgodd Jos ef allan.

'A beth oedd 'nna i gyd?' meddai Branwen wrth Seren.

'Dim byd. Meic sy'n . . . mae e 'di ca'l lot gormod i'w yfed.'

''Wedodd e rwbeth ymbytu'r gêm 'na. So chi'n dala i 'whare honno, odych chi?' gofynnodd Branwen. 'Odych chi?'

Ysgydwodd Seren ei phen yn ddiamynedd. 'Prin y'n ni wedi *siarad* â'n gilydd ers . . . ers i ti fynd,' meddai. 'Heb sôn am 'whare unrhyw geme 'da'n gilydd. So'r Criw yn bodoli ddim mwy, Branwen. Ddim ers . . .' Edrychodd ar y dymi ym mreichiau Branwen. 'Ddim ers pum mlynedd. Branwen – pam nest ti hyn heno?'

'Wy 'di gweud.'

'Ond . . .' Tarodd Seren y dymi. '*Siân*. Dy chwaer fach di!'

'*Hanner* chwaer!'

Rhythodd Seren arni mewn anghredinedd. 'O's *ots* – ? Chwaer . . . hanner chwaer . . . so 'nna'n berthnasol! Ma' beth wnest ti heno yn . . . yn . . .'

'"Sic" wy'n credu o'dd y gair ddefnyddiodd Jos gynne fach.' Roedd Branwen wedi bod wrthi'n tynnu'r got law felen oddi ar y dymi, yn ei chwrcwd yn ymyl Seren. Cododd a sefyll nes ei bod hi'n edrych i lawr ar Seren ac i mewn i'w llygaid. 'Grinda, Seren. Falle bod hyn yn "sic", ond so fe'n dod yn agos at beth nest ti a'r pedwar arall 'na i fi bum mlynedd yn ôl. Na – paid ti â meiddio ysgwyd dy ben, ti'n gwbod yn gwmws beth nethoch chi. I fi *ac* i Siân. A'r cwbwl

60

o achos 'ych bod chi'n moyn bennu 'whare'r gêm bathetig 'na.'

'Dwyt ti ddim yn gwbod y cwbwl!'

O yffach – 'wedes i 'nna nawr? meddyliodd Seren. *Dyna'r peth ola' ro'n i'n moyn 'i 'weud – er mor wir yw e, 'dyw Branwen ddim* yn *gwbod y cwbwl, ro'dd hi wedi mynd o'r sgubor, mas i'r glaw, ar ôl Siân. Welodd hi ddim beth ddigwyddodd wedyn, dim ond y ni'n pump sy'n gwbod . . .*

'Wy'n gwbod digon,' meddai Branwen. 'Bydde Siân yn dala'n fyw 'se chi ddim wedi'm rhwystro i rhag mynd mas gyda hi. A 'sen i ddim wedi bod yn byw bywyd o uffern am bum mlynedd tasech chi i gyd wedi gweud y gwir . . .'

'Naaaaa – !'

Trodd Seren a dechrau rhedeg i ffwrdd oddi wrthi – oddi wrth ei geiriau a'r gwenwyn oer a lifai o'i genau. Dilynodd llais Branwen hi allan o'r pwll a thrwy'r stafell newid ac allan i'r coridor.

'Ma'n *rhaid* i chi 'weud y gwir, Seren! Wyt ti'n dyall? Y pump ohonoch chi! *Ma'n rhaid i chi 'weud y gwir!*'

Pennod 8

(i)

Brith gof yn unig oedd gan Emma o ruthro o'r pwll nofio, ar hyd y coridorau, drwy neuadd y ddawns ac allan o'r ganolfan hamdden. Dim ond argraff chwim oedd ganddi o law naill ai Clare neu Meinir ar ei braich, eu hwynebau'n llawn consýrn, ac o brotestiadau'r holl bobol y tarodd yn eu herbyn wrth frwydro'i ffordd i'r awyr iach.

Crynai drwyddi fel petai'r ffliw arni. Diolch byth fod rhif ffôn Meirion ganddi yng nghof ei ffôn – fuasai hi byth wedi gallu llonyddu digon ar ei bysedd i wasgu pob rhif unigol. Erbyn meddwl, fuasai hi ddim wedi gallu *cofio* rhif Meirion, hyd yn oed, a lle yffarn *oedd* hwnnw? Roedd yn siŵr fod *oriau* wedi mynd heibio ers iddi glywed ei lais yn dweud 'O'reit, wy'n cychwyn nawr', er y gwyddai mai ond eiliadau oedd wedi mynd heibio mewn gwirionedd. Ac ofnai unrhyw funud weld Branwen Phillips yn dod allan o'r ganolfan hamdden ar ei hôl. Pe digwyddai hynny, gwyddai Emma nad oedd dim byd y gallai ei wneud ond llithro i'r ddaear i ganol y stwmpiau sigaréts a'r llwch a Duw-a-ŵyr-beth-arall, ffrog newydd neu beidio, a'i rhowlio'i hun i fyny'n belen fel draenoges ofnus, gan wichian ei gweddi y byddai Branwen yn mynd yn ôl i ble-bynnag-y-daeth-hi-ohono a gadael llonydd iddyn nhw i gyd – ond yn bennaf iddi hi.

Yna roedd Meirion wrth ei hochr, yn gafael yn ei braich ac yn gofyn rhywbeth iddi. Pan welodd Emma fod ei gar y tu ôl iddo rhwygodd ei braich yn rhydd o'i afael a rhuthro am y car, dringo i mewn a chau'r drws yn dynn ar ei hôl. Roedd Meinir a Clare yno hefyd. Gwelodd y tri ohonyn nhw'n rhythu arni fel petai hi'n anifail rhyfedd mewn caets gwydr mewn sw, rhyw greadures od nad oedden nhw'n ei deall o gwbl.

'Ond beth ddigwyddodd iddi?'

'Meirion, sa i'n gwbod! Ma' hi 'di bod yn ymddwyn yn eitha *bizarre* drw'r dydd, on'd yw hi, Meinir?'

'Fe ddiflannodd hi'n glou i rwle – paid â gofyn i fi ble – a'r tro nesa i ni 'i gweld hi . . .'

'. . . o'dd hi'n barjo drw' bawb yn y neuadd, fel 'se rhyw seico ar 'i hôl hi 'da chyllell ne' rwbeth.'

Trodd Meirion a syllu ar ddrws y ganolfan, fel petai'n digwyl gweld Hannibal Lecter, Jason Voorhees, Freddy Krueger a Michael Myers i gyd yn dod allan ato gan lafoerio.

'Shgwl, bydde'n well i ti fynd â hi gartre,' meddai Clare wrtho. 'Falle y cei di rywfaint o synnwyr 'da hi wedyn.'

Nodiodd Meirion. 'A chi'n siŵr fod neb wedi . . . chi'n gwbod . . . *trial* unrhwbeth . . . ?'

Edrychodd yr efeilliaid ar ei gilydd. 'Nadyn,' atebodd Meinir. 'So'n ni'n gwbod *beth* ddigwyddodd iddi.'

Nid oedd gan Branwen unrhyw fwriad o fynd allan a chwilio am Emma Christie; roedd hi wedi gweld hen ddigon ar honno am un diwrnod, diolch yn fawr iawn – wedi gweld digon arnyn Nhw i *gyd* petai'n dod i hynny. Roedd cyffro'r oriau diwethaf wedi dihuno'r corynnod dan ei chroen a gwyddai fod noson anodd iawn o'i blaen eto heno. Pinsiodd ei chnawd drwy ddefnydd ei chot, ond doedd dim llonyddu ar y corynnod; roedden nhw wrthi'n brysur yn rhincian eu dannedd ac yn rhwbio'u hen goesau meinion, blewog yn erbyn ei gilydd.

'Dy'ch chi ddim yn bodoli!' gwaeddodd, ei llais unwaith eto'n adleisio dros ddŵr llonydd y pwll nofio. Roedd rhywbeth atyniadol iawn ynglŷn â'i lonyddwch glân, glas: rhywbeth gwahoddgar. Mor hawdd fyddai camu i mewn i'w gofleidiad nes bod ei dillad yn tyfu'n rhy drwm i'w chadw ar yr wyneb, a suddo i lawr, yn is ac yn is, dan deimlo'r corynnod yn boddi fesul un . . .

Na! Petai hi'n ildio i'r hen, hen demtasiwn hon, yna y Nhw fuasai wedi ennill. Buasen nhw wrth eu boddau, a'u bywydau bach braf yn ddiogel unwaith eto.

Cefnodd ar y pwll, gan ei phinsio'i hun yn ffyrnig yn ei breichiau, ei chluniau, ei bol, ei bronnau, ei gwddf a'i hysgwyddau, gan ddod yn beryglus o agos unwaith eto at wthio'i hewinedd yn ddwfn i mewn i'w chnawd a sgubo'r corynnod i gyd o'i gwythiennau. Yn ei dwbwl, bron, baglodd allan o ardal y pwll ac i'r ystafell newid, gan adael y dymi a'r got law felen ar y llawr. Roedd symud yn helpu rhywfaint; gallai ymsythu cyn iddi gamu i'r coridorau, a phan gyrhaeddodd tu allan i fynedfa'r ganolfan, daliodd ei hwyneb i fyny a gadael i awyr iach y nos lyfu'r chwys oer oddi ar ei chroen.

Teimlodd y corynnod yn llonyddu rhywfaint, ond gwyddai o brofiad mai dim ond rhywbeth dros dro fyddai hyn. Roedd heno, iddi hi, ond yn ddechrau; wrth iddi gerdded am y gwesty, gwyddai y byddai ar ddihun tan doriad gwawr o leiaf, yn gorwedd yn ei gwely, gyda'r dillad wedi'u lapio amdani fel amdo tyn, a'r corynnod yn dawnsio'n wyllt drwy'i gwythiennau nes iddyn nhwythau hefyd, o'r diwedd, flino fesul un a gorwedd i lawr i gysgu.

(iii)

A beth am y pedwar arall?

Aeth yr un ohonyn nhw'n ôl i'r ddawns. Wrth i Seren geisio sleifio allan, cafodd ei dal gan Elin, oedd yn digwydd dod allan o'r tŷ bach rhwng y neuadd a'r cyntedd.

'Ble ma' fe, 'te?'

Rhythodd Seren arni'n dwp. 'Pwy?'

'Pwy bynnag a'th â dy sylw di mor glou gynne fach.'

'O . . . y fi o'dd yn timlo'n dost, 'na i gyd.'

'Ti'n o'reit nawr?' Nodiodd Seren, ond roedd Elin yn craffu arni'n bryderus. 'So ti'n dishgwl yn o'reit, Seren – o bell ffordd. Ti'n wyn fel y galchen. Be sy'n bod – bola tost, ife?'

Nodiodd Seren eto, a chydiodd Elin yn ei braich. 'Reit 'te – ewn ni gartre.'

'Na . . . wy'n o'reit. Shgwl – sdim rhaid i ti ddod 'da fi.'

'A shwt ei di gartre 'te?'

'O . . . tacsi, siŵr o fod.'

'Tacsi o fan hyn – adeg 'ma o'r nos? Sa i'n credu.'

'Faint o'r gloch yw hi?'

'Seren, ma' hi wedi un ar ddeg. Chei di byth dacsi. Grinda, 'weda i wrthot ti beth. Wy 'di ca'l llond bola ar y ddawns 'ma. Ewn ni gartre i'n tŷ ni. Ma'n haws ca'l tacsi i ddod i gyfeiriad preifat, on'd yw e? Yn enwedig os alla i berswadio

64

Mam i ffonio am un. Ac erbyn iddo fe ddod, falle y byddi di'n timlo'n well . . .'

Roedd y syniad o eistedd ym mharlwr Elin yn ceisio cynnal sgwrs fanesol, waraidd gyda'i rhieni, bron yn ddigon i wneud i Seren sgrechen.

'Sa i'n credu y galla i neud 'nny, Elin.'

'Be? Pam?'

Achos wy'n twmlo fel rhwygo fy nillad i gyd bant, mynd lawr ar fy mhedwar ac udo dros y lle fel rhywun gwallgof! meddyliodd Seren. *Naill ai hynny, neu wneud twll i fi'n hunan yn y ddaear, gorwedd i lawr ynddo fe a thynnu pob un twlpyn o bridd a glaswellt 'nôl nes fod y cwbwl yn fy nghwato oddi wrth y byd.*

Anadlodd yn ddwfn cyn ateb. 'Achos sa i'n trysto'n hunan,' meddai. 'Ma' rhwbeth yn dala i fod y tu fiwn i fi, ac wy'n *gwbod* y bydd e'n mynnu dod mas yn hwyr ne'n hwyrach. Naill ai mas o 'ngheg i, neu'r pen arall. A dim ots shwt daw e, sa i'n moyn iddo fe ddigwydd yn dy fathrwm di.'

Gallai weld fod Elin ar fin dweud na fyddai ots ganddi hi na'i rhieni, felly brysiodd i achub y blaen arni.

'Dyna pam ma'n well 'da fi gerdded. Diolch 'run peth, ond, wel . . . ti'n gwbod.'

'Ond alli di ddim *cerdded* yr holl ffordd 'na.'

''Dim ond milltir yw e, Elin. Os 'nny.'

'Ond ma' hi'n dywyll!'

'Wy 'di'i neud e ganwaith – bydda i'n o'reit!

Syllodd Elin arni, yna ochneidiodd. 'Ti'n benderfynol, on'd wyt ti?'

'Ma'n well 'da fi gerdded. Wir, nawr.'

A dyna sut y bu i Seren, ddeng munud yn ddiweddarach, adael golau oren diwethaf y pentref y tu ôl iddi a dechrau ar hyd y twnnel tywyll a fyddai ymhen rhyw ddeng munud i chwarter awr arall yn ei harwain at ei chartref.

Ar yr un pryd roedd Meic yn brysur yn padlo nerth ei draed wysg ei gefn mewn ymdrech i beidio â syrthio ar ei hyd ar y llawr wrth i Jos gydio yn ei wddf a'i ysgwyd, fel ci yn ysgwyd llygoden ffyrnig.

'Sa i'n gweud wthot ti 'to!' chwyrnodd Jos yn ei wyneb. 'Weles i ddim byd! Wyt ti'n dyall? Dim byd o gwbwl! Welodd Seren ddim byd chwaith, ac os wyt *ti'n* credu dy fod wedi gweld rhywbeth, wel dy broblem di yw 'nny. Wedi 'nny ca' dy ben, Meic, ti'n clywed? Jest ca' dy ben!'

Ceisiodd Meic ateb drwy ddweud wrth gwrs ei fod yn clywed, onid oedd Jos yn siarad reit yn ei wyneb? Ond y cwbwl allai e 'i wneud oedd crawcian fel hen frân oedd ar fin taro'r gnec olaf.

Nodiodd yn wyllt, a thrwy drugaredd teimlodd law fawr, galed, amaethyddol Jos yn ei ollwng.

'Wy'n 'i feddwl e, Meic. Sa i'n moyn clywed ymbytu'r ffycin llun yna 'to, o'reit? Sa i'n moyn *gwbod*!'

Gwyliodd ffigur tal Jos yn brasgamu ar hyd y maes parcio ac yn dringo i mewn i'r *Land Rover*. Golchodd y goleuadau drosto wrth i Jos yrru allan, i'r chwith ac i ffwrdd am adref, gyda'i oleuadau ôl fel dwy lygad goch yn siarsio Meic i gofio'i eiriau, neu Duw a'i helpo.

Na, Jos. Duw a'n helpo ni. Sa i'n gwbod beth yffach sy'n digwydd. Ond wy yn gwbod fod rhywbeth yn digwydd, gw'boi – dim ots faint o wadu y g'nei di a'r lleill. Ac y'ch chi i gyd yn gwbod fod union bum mlynedd ers i ni 'whare'r gêm yna, ac ma' pawb ohonon ni'n gwbod beth ddigwyddodd pan wnaethon ni hynny.

Pawb – ond Branwen Phillips. Ie, sylweddolodd, doedd Branwen ddim yn y sgubor pan orffennon nhw chwarae'r gêm; roedd hi eisoes wedi brysio allan i chwilio am ei chwaer fach, felly welodd hi ddim byd, na chlywed dim byd chwaith ond sŵn y glaw a'r afon a'i llais hi'i hun yn galw 'Siân! Siân!' yn ofer dros y caeau.

Ond roedd Branwen wedi dod yn ôl – heddiw, o bob un diwrnod. Pam? Pam *heddiw*?

Ac wedi dod 'nôl er mwyn dial roedd hi. I ddial ar y pump ohonyn nhw, am . . .

Am ddweud celwydd, Meic. A beth oedd y celwydd hwnnw?
Gadawodd Branwen gyda Siân.

Dyna fe, dyna'r cwbl. Pedwar gair syml, ond un celwydd anferth. Ac o'i herwydd cafodd Branwen Phillips ei hanfon i ffwrdd i rywle oedd yn ddigon pell o'r ardal, ond nawr roedd hi wedi dod 'nôl ac yn mynnu bod y pump ohonyn nhw'n dweud *y gwir* wrth bwy bynnag fyddai'n barod i wrando arnyn nhw.

Ond allwn ni ddim gweud y gwir – allwn ni ddim! Achos ma'r hyn ddigwyddodd yn y sgubor, ar ôl i Branwen fynd . . . allwn ni ddim sôn am hynny wrth neb!

Bu Meic (a'r pedwar arall hefyd, mentrai gredu, er nad oeddynt wedi cyfaddef hynny wrth ei gilydd) am flynyddoedd yn ceisio'i berswadio'i hun na fyddai neb yn fodlon eu credu, beth bynnag, hyd yn oed petaen nhw i gyd yn dweud mewn llys barn beth ddigwyddodd, wedi tyngu llw ar lond llyfrgell o Feiblau. Roedd yr holl beth mor anhygoel, mor wallgof – fel rhywbeth mewn nofel gan Stephen King. Fyddai neb yn credu'r gwir . . .

Meic – mae'r gwir yn ddigon syml. Y ti – a Jos a Seren ac Emma a Rol, y chi'ch pump – oedd yn gyfrifol am yr hyn a ddigwyddodd i Siân. Dyna *yw'r gwir. Doedd dim bai ar Branwen o gwbl. Gwnaeth hi ei gorau i fynd allan o'r sgubor, ond fe droioch chi i gyd yn ei herbyn, yn fwy nag erioed, gan ei rhwystro a'i gorfodi i eistedd yn ôl i lawr a gorffen chwarae'r gêm yffernol honno.*

'Ond alla i ddim gweud y gwir. Alla i ddim,' sibrydodd a'r dagrau'n cronni'n ei lygaid.

Teimlai fel rhedeg ar ras i mewn i'r wal agosaf, a'i daflu'i hun â'i holl nerth yn erbyn ei chaledi, drosodd a throsodd. Ni fyddai'r wal honno'n caniatáu iddo faglu drwyddi i ryw fyd o hud a lledrith fel y wal ar blatfform naw-a-thri-chwarter yn y llyfrau Harry Potter – o, na; byddai'r wal yma'n aros yn gadarn nes y byddai pen Meic fel hen domato oedd wedi'i sathru dan esgid drom, a hyd yn oed wedyn doedd dim sicrwydd y byddai'r holl hunllefau drosodd am byth, doedd dim sicrwydd y byddai ef na neb arall chwaith yn peidio â bodoli unwaith yr oedd y corff yn marw – *oherwydd weithiau fe fydden nhw'n dod yn ôl.*

Fel y dywedodd Stephen King.

Ac anodd iawn oedd peidio â meddwl am hwnnw a'i holl greadigaethau, sylweddolodd Seren, a gerddai hyd lôn wledig, dywyll gyda'r coed yn sibrwd yn slei uwch ei phen, a synau traed, ewinedd a dannedd bach diwyd yn dod o'r gwrychoedd bob ochr iddi.

Nid oedd hi erioed wedi darllen un o'i lyfrau, a threuliodd y bum mlynedd ddiwethaf yn gwneud ei gorau glas i osgoi llenyddiaeth a ffilmiau arswyd . . .

. . . *oherwydd bod gormod o wirionedd ynddynt* . . .

. . . ond roedd ei rhieni wrth eu boddau gyda'r anesboniadwy a'r goruwchnaturiol, ac roedd Lloerfaen yn arbennig yn ddilynydd brwd iawn o nofelau King. Er mai pwrpas eu gwyliau hir yn America oedd ymweld â lleoedd â chysylltiadau cerddorol enwog – lleoedd fel Memphis, New Jersey, Nashville a'r Haight-Ashbury yn San Francisco – roedd Lloerfaen wedi pwysleisio ei fod am dreulio ychydig o ddyddiau yn nhalaith Maine, er mwyn cael gweld y gwahanol leoliadau y soniai King amdanynt yn ei lyfrau.

Bu'r tri ohonyn nhw'n cynllunio'r gwyliau yma ers bron i flwyddyn. Y bwriad oedd dechrau'n syth ar ôl i Seren dderbyn ei chanlyniadau Lefel A, hedfan i Efrog Newydd ac oddi yno teithio'n hamddenol drwy'r Unol Daleithiau gan orffen ar arfordir y gorllewin. Edrychai Seren ymlaen yn fawr iawn at gael mynd – yn fwy felly ar ôl beth ddigwyddodd heddiw, a rhoddai'r byd am gael cyrraedd adref, pacio'i bagiau, neidio i mewn i'r fan a gyrru i lawr i Heathrow.

Roedd hyd yn oed coedwigoedd tywyll Maine a sawl

disgrifiad o ffrwyth dychymyg Stephen King yn fwy apelgar na'r lôn wledig Gymreig hon ar y foment.

Er iddi wneud ei gorau i'w anwybyddu, roedd gan Seren hen deimlad rhyfedd yn ei gwar: y teimlad hwnnw fod rhywun nid yn unig yn eich dilyn, ond yn gwneud hynny reit y tu ôl i chi, ac mewn modd sbeitlyd iawn hefyd, gan ddynwared eich camau'n watwarus. Doedd dim lloer heno, a diolchai am hynny: buasai gweld cysgod arall yn dawnsio ar wyneb y ffordd y tu ôl i'w chysgod hi yn ddigon i'w hanfon ar ei phen i ysbyty meddwl.

Mygodd y demtasiwn i droi'n sydyn. Gwyddai nad oedd neb yno mewn gwirionedd, a buasai troi a gweld hynny'n siŵr o dawelu rhywfaint ar ei nerfau.

Ond oedd hi'n *siŵr* fod neb yno?

Oedd, wrth gwrs ei bod hi. Dyna pam y gwrthodai droi. Buasai'n teimlo'n ffŵl, a hithau, fel y dywedodd wrth Elin yn gynharach, wedi cerdded adref ar hyd y ffordd yma ganwaith.

Does neb yno.

Efallai bod neb *yno . . . ond ar y llaw arall, efallai bod* rhywbeth *yno . . .*

Gan riddfan yn uchel, trodd Seren yn sydyn.

Ac wrth gwrs, doedd neb yno – neb na dim. Roedd y ffordd yn wag, a phopeth yn dawel . . .

Yn dawel?

Doedd popeth ddim yn dawel pan dechreuodd gerdded, cofiai. Beth am sŵn yr awel yn nail y coed, a'r synnau bach swil a ddeuai o'r gwrychoedd? Lle oedd y rheini wedi mynd?

O'reit, meddyliodd Seren, falle 'mod i'n dwp, ond mae'n teimlo i fi fel petai'r nos yn dal ei hanadl, yn union fel bydd merch fach ddireidus yn ei wneud cyn chwarae tric a chael ei dal.

Pam 'merch', Seren? A pam wnest ti feddwl am blentyn yn y lle cynta?

Roedd hynny'n hawdd: achos Branwen. Branwen Phillips a'r dymi yn y got law felen . . .

Dyna pam y meddyliais i am blentyn; dyna pam fy mod i wedi credu fod plentyn bach benywaidd yn fy nilyn.

Dyna pam yr o'n i'n barod i daeru 'mod i'n gallu clywed sŵn cot law blastig yn gwichian y tu ôl i fi.

Ond doedd neb na dim byd yno.

Cerddodd wysg ei chefn am ychydig gamau, ond roedd methu gweld ble'r oedd hi'n mynd yn waeth na'r syniad fod rhywun . . .

. . . rhywbeth . . .

. . . yn ei dilyn. Trodd, a cherdded yn ei blaen, ychydig yn gyflymach y tro hwn. Cofiodd am bennill o gerdd enwog Coleridge, *The Rime of the Ancient Mariner*, cerdd y bu'n ei hastudio ar gyfer ei Lefel A Saesneg – a phennill oedd yn anhygoel o addas o dan yr amgylchiadau:

> *Like one, that on a lonesome road,*
> *Doth walk in fear and dread,*
> *And having once turned round walks on,*
> *And turns no more his head;*
> *Because he knows, a frightful fiend*
> *Doth close behind him tread.*

Fe'i synnodd ei hun drwy adrodd y pennill yn uchel. Teimlai'n well ar ôl gwneud hynny, ac adroddodd ef yr eilwaith. Ac eto, a'r tro hwn canodd y geiriau i dôn ddychmygol, gan gyrraedd ryw gresendo ffug-operatig wrth iddi floeddio'r llinell olaf dros y wlad.

Seren, meddyliodd, petai rhywun yn dy weld a dy glywed di'n awr, buasen nhw'n meddwl yn siŵr dy fod ti naill ai wedi meddwi, wedi bod yn smygu rhywbeth amheus, neu wedi drysu.

Chwarddodd. Hawdd oedd gwneud hynny'n awr, oherwydd gallai weld golau ei thŷ rhyw ddau ganllath i ffwrdd.

Ffiw, meddyliodd. Wy gartre.

Yna teimlodd rywun yn chwythu ar ei gwar.

'Ond pwy *yw* hi, Rol?'

'Dwyt ti ddim yn 'i nabod hi – reit?'

'Wy'n gwbod 'nny. 'Na pam wy'n gofyn pwy yw hi.'

'Neb. Neb o bwys.'

'So ti'n disgwl i fi gredu 'nna, gobitho? A nage 'na'r unig dro ti 'di cwato'r gwir. Sa i'n credu taw cwympo miwn i'r pwll nofio 'na nest ti 'whaith.'

Teimlodd Rol ei dymer yn chwyddo tu mewn iddo. Roedd ar frys i gyrraedd adref er mwyn cael tynnu'i ddillad gwlybion a neidio i fàth neu gawod boeth. Roedd ei holl emosiynau a'i feddyliau yn troi'n wyllt fel dillad mewn peiriant golchi gwallgof, a'r peth olaf roedd arno 'i angen oedd Ffion yn ei fyddaru â'i holl gwestiynau.

Ond chwarae teg i'r ferch, onid oedd hynny'n ddigon naturiol? Wedi'r cwbl, diflannodd Rol yn ddisymwth o'r ddawns heb air o eglurhad, a'r tro nesaf i Ffion ei weld, roedd yn wlyb at ei groen ac yn sefyll wyneb-yn-wyneb â merch ddieithr, ddeniadol. Wrth gwrs bod cwestiynau ganddi – a doedd dim pwrpas iddo golli'i dymer gyda hi. Nid ar Ffion roedd y bai.

Ochneidiodd. 'Falle dy fod di'n rhy ifanc i'w chofio hi,' meddai, 'ond roedd hi'n arfer bod yn yr ysgol yr un pryd â fi – yn yr un dosbarth. A'th hi bant i rywle bum mlynedd yn ôl.'

'A nawr ma' hi'n ôl. Beth yw 'i henw hi?'

'Branwen. Branwen Phillips.'

'Be sy mor arbennig ymbytu hi, 'te?'

'Sori?'

'Ethoch chi i gyd i gwrdd â hi, on'do fe? Yn y pwll nofio . . . a pam fan 'na? Roedd e i fod ar gau – ma' fe ar gau bob tro ma' dawns ymla'n.'

'Odi . . . wel, do'dd e ddim heno, am ryw reswm.'

71

'Nag o'dd. A ma' lot o bethe 'di digwydd heno – *am ryw reswm*, on'd o's e? Ti 'di bod ar bige'r drain drw'r dydd – *am ryw reswm*. Est ti mas o'r ddawns fel cath i gythrel – *am ryw reswm*. Fe benderfynest ti fynd i nofio yn dy ddillad, *am ryw reswm . . .*'

'Ie, *o'reit*, Ffion!'

'Beth yffach sy'n *digwydd*, Rol?'

Cwestiwn da, meddyliodd yntau – a chwestiwn oedd yn amhosib ei ateb. Doedd ganddo ddim syniad beth oedd yn digwydd, dim syniad o gwbl. Ond roedd Ffion yn mynnu cael ateb o ryw fath.

'Grinda – mae'n ddigon syml,' meddai'n gelwyddog. 'Weles i Meic yn galw arna i ar bwys y drws. Dyna pam es i mas – ro'n i'n meddwl dy fod ti 'di'i weld e 'fyd. Pan es i mas, 'wedodd e bod sypreis 'da fe i fi. Ethon ni at y pwll, a Branwen Phillips o'dd 'i syniad e o sypreis. 'Wedes i rhwbeth fel "*Big deal*", troi i fynd, a dyna pryd gwympes i miwn i'r pwll. Ro'dd y llawr yn llithrig yffernol. O'reit?'

'Do'dd hi ddim yn arfer bod yn gariad i ti, o'dd hi?'

'Pwy? Branwen Phillips?'

'Achos pan gyrhaeddes i, ro't ti'n dishgwl fel 'se ti ar fin 'i chusanu hi.'

'Ond tair ar ddeg oed o'n i pan a'th hi bant!'

'Wel? Ro'dd cariad 'da fi pan o'n *i'n* dair ar ddeg.'

'Ffion, do'n i ddim hyd yn o'd yn leico'r ferch. A'r peth dwethe'r o'n i am neud gynne fach o'dd 'i chusanu hi. Ro'n i'n grac 'da hi, 'na i gyd, achos 'nath hi 'wherthin fel *hyena* pan gwmpes i miwn i'r dŵr. Ar fin gweud wrthi hi ble i fynd o'n i pan gyrhaeddest ti.'

Roedd ei frawddeg olaf, o leiaf, yn wir, meddyliodd. Roedd Rol wedi dringo allan o'r pwll gyda'r bwriad o ymosod ar Branwen Phillips â geiriau, os nad ei ddyrnau, am iddi chwarae tric mor ffiaidd arnyn nhw i gyd, ond roedd yr oerni a welodd yn ei llygaid wedi ei syfrdanu.

'Ti'n siŵr nawr?' gofynnodd Ffion.

'Wrth gwrs 'mod i'n siŵr. Wy ddim wedi gweld y ferch ers pum mlynedd, a 'se fe ddim yn 'y mecso i o gwbwl os na 'sen i'n 'i gweld hi 'to am weddill fy oes.' Ac roedd hynny *yn* wir, bob gair.

A sôn am ddweud y gwir, Rol . . .

Gwthiodd y peth o'i feddwl. Efallai mai ond wedi galw am ychydig o ddyddiau roedd Branwen; digon hawdd fyddai iddo 'i hosgoi nes y byddai hi wedi mynd unwaith eto . . .

. . . os na ddeuai Branwen i'r siop a chreu cynnwrf yno, yng ngŵydd ei rieni. O, damo hi! Damo, *damo* hi! Oedd yn rhaid iddi hi ymddangos *nawr*? Ymhen ychydig o wythnosau, gyda lwc, byddai Rol wedi gadael y pentref ac wedi dechrau yn y coleg, ef a phawb arall o'r hen Griw – heblaw, efallai, am Meic Gruffydd.

Wrth iddo gyrraedd y tu allan i'r siop sglodion, gwelodd fod pob un ystafell yn dywyll a bod ei fam a'i dad wedi noswylio, diolch byth. O leia fyddai dim rhaid iddo orfod wynebu eu cwestiynau nhw hefyd, meddyliodd. Trodd i ddweud nos da wrth Ffion, ond doedd Ffion ddim wedi gorffen eto.

'Branwen Phillips . . .' meddai. 'Nage hi na'th ladd 'i 'wha'r fach slawer dydd?'

'Na . . . wel, sa i'n credu. Chafodd 'nny erio'd mo'i brofi.'

'Dyna be ma' pawb yn 'i 'weud, ta beth,' mynnodd Ffion. ''I bod hi wedi boddi'i 'wha'r fach yn yr afon achos 'i bod hi'n genfigennus ohoni, a bod 'i thad a'i mam wedi'i hala hi bant i'r Borstal.'

'Ma 'i thad wedi marw ers blynydde,' meddai Rol, yn bennaf oherwydd ni wyddai beth arall y gallai ei ddweud.

''I llys-dad hi 'te – ti'n gwbod beth wy'n feddwl. Ond odi 'nna'n wir, Rol?'

'Shwt yffarn ti'n disgwl i fi wbod? Shgwl – plîs ga i fynd miwn? Cyn i fi ddala annwyd?'

Funudau'n ddiweddarach, gyda dŵr poeth y gawod yn dileu'r oerni oedd wedi dechrau setlo ar ei gorff a'i esgyrn, ategodd weddi fechan mai yma am ddiwrnod neu ddau yn unig roedd Branwen Phillips. Digon hawdd oedd perswadio Ffion na wyddai unrhyw beth am farwolaeth Siân bum mlynedd yn ôl, ond gwyddai, pe bai Branwen yn aros yn llawer hirach, y byddai rhagor o gwestiynau'n siŵr o gael eu gofyn.

A'r atebion i'r rheini oedd yn codi'r ofn mwyaf ofnadwy arno, ofn a dreiddiai drwy stêm poeth y gawod gan anadlu ar ei gorff . . .

. . . fel yr anadl oer a llaith hwnnw a deimlodd Seren yn anwesu'i gwar, gan achosi iddi aros yn stond, ychydig lathenni'n unig o ddrws ffrynt ei chartref. Ni allai symud yr un fodfedd ymhellach . . . nes y digwyddodd rhywbeth arall iddi, rhywbeth a ddatglôdd gyhyrau ei choesau ddigon iddi fedru rhuthro am y drws a baglu i mewn i'r tŷ dros y rhiniog a chau'r drws ar ei hôl a'i gloi a'i folltio . . .

Ond pa iws yw hynny? meddyliodd. Fe allan nhw ddod i mewn, gallan nhw ddod *drwy* ddrysau a waliau. Ac ar ôl mwmblan rhywbeth wrth Lloerfaen ac Enfys i'r perwyl ei bod wedi blino ac am fynd yn syth i'w gwely – yn y gobaith y bydden nhw'n meddwl mai wedi cael gormod i'w yfed roedd hi – gwnaeth yr un peth gyda drws ei hystafell wely, a chyda'r ffenestr er ei bod yn noson boeth, cyn tynnu ei dillad a dringo i'w gwely. Yna gorweddodd drwy'r nos heb ddiffodd y golau, yn gwneud ei gorau glas i'w pherswadio'i hun mai ei dychymyg oedd yn gyfrifol am y cyfan, ac nad oedd dim ond ei dychymyg twp hi ei hun yn gyfrifol am y llaw fach oer a gwlyb a deimlodd yn llithro i mewn i'w llaw hi.

Emma, yn y car ar ei ffordd adref, oedd yr unig un ohonyn nhw i *weld* rhywbeth y noson honno.

Roedd hi wedi mynnu fod Meirion yn mynd â hi adre'n syth, a hynny cyn gyflymed â phosib, plîs, heb egluro wrtho beth ddigwyddodd yn y ddawns. Ond roedd Meirion, wrth reswm pawb, yn poeni amdani. Gwyddai o brofiad fod hwyliau Emma'n gallu newid fel y gwynt, ond ni allai gofio ei gweld fel hyn erioed o'r blaen. Roedd yn amlwg iddo fod Clare a Meinir yn bryderus amdani hefyd, a'u pryder hwy, yn fwy na dim, yn bwydo'i bryder ef. Gan amlaf, pan fyddai Emma mewn 'strop' am rywbeth neu'i gilydd, rhyw agwedd ddigon o-gad-iddi-fod-bydd-hi'n-gwenu-ar-bawb-a-phopeth-yfory-eto oedd gan yr efeilliaid, ond roedd heno'n wahanol.

Arhosodd nes eu bod ar gyrion y pentref cyn dweud, 'Wel? Ti'n mynd i 'weud wrtho i, 'te?'

'Beth?'

Ochneidiodd. 'Ti'n gwbod beth, Emma. Ma' rhwbeth wedi digwydd i dy ypseto di heno, a wy'n moyn ca'l gwbod beth.'

'O, dim byd,' oedd ei hateb diamynedd. 'Jest cer â fi gartre, nei di?'

Nid am y tro cyntaf, teimlai Meirion awydd stopio'r car a gwneud iddi gerdded adref. Beth ydw i'n 'i neud gyda rhyw asten fach haerllug fel hon, sy wedi cael ei difetha'n llwyr? holodd ei hun. Ond meiriolodd tuag ati pan edrychodd arni a gweld bod ei hwyneb yn wyn a'i llygaid yn anferth yn ei phen, a'i bod hefyd yn *crynu* ychydig . . .?

'Grinda – wy ond yn mynd i ofyn hyn unwaith,' meddai. 'Na'th neb drial . . . ti'n gwbod . . . drial *ymyrryd* 'da ti mewn unrhyw ffordd yn y lle 'na?'

'Beth?'

'Ti'n gwbod . . . rhyw fachan . . . yn trial hwpo'i hunan arnot ti . . .'

'O. Naddo, naddo. Dim byd fel 'nna . . . Sa i'n timlo'n dda 'na i gyd. Fel 'sen i'n dechre ca'l y ffliw ne' rwbeth.'

Edrychai Meirion fel petai wedi ei fodloni gan hynny. Ond Dduw annwyl, meddyliodd Emma, shwt ar y ddaear alla i 'weud wrtho fe beth ddigwyddodd yn y ganolfan 'na heno? Heb sôn am yr holl bethe rhyfedd sy wedi bod yn digwydd i fi drw'r dydd . . . ?

Be *sy'n* digwydd?

Pam fod Branwen Phillips wedi dod 'nôl nawr?

Ai hi oedd yn gyfrifol am yr hyn ddigwyddodd yn y siop ddillad yn gynharach?

Rywsut, teimlai Emma ym mêr ei hesgyrn mai 'na' oedd yr ateb i'r cwestiwn hwnnw.

Ond o leiaf roedd heddiw bron iawn â dirwyn i ben. Byddai adref ymhen dim, yn ei hystafell, yn ei gwely, a chyn bo hir byddai'n ddiwrnod arall, diwrnod braf o haf unwaith eto, diwrnod o wneud dim byd ond gorwedd wrth y pwll nofio yn yr ardd gefn yn perffeithio'i lliw haul ar gyfer Ibiza. A Corfu, wrth gwrs.

Teimlai ei hun yn ymlacio ychydig. Trodd, gan roi ei llaw yn ysgafn ar glun chwith Meirion.

'Sori, Mei. Bydda i'n well ymhen cwpwl o ddyddie. A gawn ni . . . neud pethe, ife?'

Gwenodd Meiron, a throdd Emma'n ôl a syllu allan drwy ffenestr flaen y car.

A gwelodd ffigur plentyn yn sefyll yng nghanol y ffordd – merch fach ifanc mewn cot law felen a sgleiniai yng ngoleuadau cryfion y car.

'*Meirion!*'

Trodd y ferch i'w hwynebu, yn union fel petai hi wedi clywed Emma'n sgrechian, a gwelodd Emma ei bod yn gwenu'n faleisus wrth i'r car ruthro amdani, ei hwyneb yn afiach o wyn a'i gwallt rhydlyd yn hongian yn gudynnau gwlybion, fel hen wymon, dros ei llygaid duon.

Cydiodd Emma yn yr olwyn lywio a'i thynnu'n wyllt tuag ati'i hun.

'Beth *yffarn* wyt ti'n neud?!'

Llwyddodd Meirion i reoli'r car, ond roedd y ferch yn dal i ruthro tuag atynt, yn tyfu'n fwy ac yn fwy nes ei bod yn crechwenu reit yn wyneb Emma. Cuddiodd Emma ei llygaid gyda'i dwylo, gan ddisgwyl teimlo'r ergyd feddal unrhyw funud wrth i'r car daro'r plentyn, ond yr unig beth a deimlodd oedd y car yn arafu, yna'n aros.

'Emma, wyt ti'n *gall*, gwed?'

Tynnodd ei dwylo i lawr. Roedd Meirion yn rhythu arni'n gegagored. Trodd yn ei sedd ac edrych allan drwy'r ffenestr ôl, ond doedd dim byd i'w weld ar wyneb y ffordd y tu ôl i'r car.

'*Welest ti* mohoni hi 'te?'

'Pwy?'

'Y plentyn 'na . . . merch fach ifanc . . .'

'Beth . . . ? Ar yr hewl? Emma, doedd neb 'na.'

'*Oedd*! Weles i hi . . . ro'dd hi reit yng nghanol yr hewl . . .'

Cythrodd am y drws a'i agor.

'Emma!'

Dringodd allan gan edrych yn wyllt i lawr y ffordd. Roedd yn dywyll, ond gwelodd oleuadau car arall yn nesáu. Camodd i'r ochr, gan syllu ar wyneb y ffordd wrth i oleuadau'r car ei oleuo'n glir.

Dim.

Aeth y car heibio, a dychwelodd y tywyllwch. Roedd Meirion wedi dod allan ati.

'Doedd neb 'na, Em,' meddai'n dawel. 'Neb. Dere, ewn ni â ti gartre, ife?'

Ond wrth adael i Meirion ei thywys yn ôl i'r car a'i gyrru weddill y ffordd adref, yr unig beth y gallai Emma ei wneud oedd dweud wrthi'i hun: Oedd, roedd rhywun yno ar ganol yr hewl. Wcles i hi.

A Siân oedd ei henw.

RHAN 2

Ers yr arholiad olaf rwy'n zombodoli
mewn limbo a'r dyddiau'n lladd
pob teimlad call, yn sbaddu pob llawenydd
a'm gyrru'n fwy gwallgo efo pob tro
beunyddiol o gwmpas y bloc; ond dyw'r
guillotine heb ddisgyn – dim eto.
                    – Elin Llwyd Morgan, 'Zombodoli'.

Out of the blue and into the black . . .
                    – Neil Young

Pennod 9

(i)

Yn ei gar yn aros i'r goleuadau traffig newid lliw roedd Peter Phillips pan deimlodd ei wyneb yn troi'n wyn.

Credai am funud ei fod am lewygu wrth yr olwyn. Dechreuodd ei galon garlamu'n wyllt, a theimlai'r chwys oer yn byrlymu o'i gorff. Canai chwiban uchel, fain yn ei ben ac roedd blas cas yn ei geg, fel petai newydd lyfu darn o fetel.

Canodd gyrrwr y car oedd y tu iddo 'i gorn yn ddiamynedd, a sylweddolodd Peter fod y goleuadau wedi newid. Rywsut, llwyddodd i yrru'r car yn ei flaen, i droi i lawr y stryd-ochr gyntaf a thrwy ryw rhyfedd wyrth ddod o hyd i le i barcio. Brysiodd allan o'r car ac yn ôl i'r stryd fawr, ond doedd dim golwg o'r ferch yn unman.

Hwyrach nad y hi oedd hi. *Nid* y hi oedd hi, do's bosib, meddai wrtho'i hun; sut ar wyneb y ddaear ges i'r syniad twp yna yn y lle cyntaf? Mae pum mlynedd ers i fi 'i gweld hi ddiwethaf, a doedd y ferch weles i gynnau ar y stryd ddim byd tebyg i'r ferch fach dew honno. Roedd hon yn dal, ac yn lluniaidd . . . roedd hon yn *hardd*.

Ond eto . . .

Na. *No way, José.*

Tynnodd ei dei a'i wthio i boced ei drowsus. Dyna welliant. Pryd oedd y tywydd braf ffiaidd yma am ddod i ben? Roedd Raymond Christie, ei gyfreithiwr a'i ffrind, wedi'i gynghori i weddïo am haf gwlyb, a bu Peter yn gwneud hynny yn y gobaith y byddai pawb wedyn yn heidio i'w ganolfan hamdden yn hytrach nag i'r traethau a'r cymoedd.

Ond deffro a wnâi bob bore i haul cryf ac awyr las a fyddai'n gweddu'n well i gerdyn post o un o'r Ynysoedd Groeg nag i Gymru, ac yn ôl y proffwydi tywydd cyfoglyd-o-siriol ar y teledu, fyddai pethau ddim yn gwella am beth amser chwaith. Fel arfer, tridiau o heulwen ac yna stormydd o fellt a tharanau oedd diffiniad pawb o'r haf Cymreig, ond roedd eleni'n wahanol iawn. Er gwaetha'r gwres a'r hen deimlad stici hwnnw, doedd dim golwg o gwmwl yn unman.

Ac roedd Peter yn dioddef – mewn sawl ffordd. Y bore hwnnw bu'n gweld ei gyfrifydd, creadur sych a dihiwmor ar y gorau, ond heddiw edrychai fel un o broffwydi mwyaf cul yr Hen Destament. Gofynnodd Peter iddo a fyddai haf gwlyb wedi'i achub.

'Wel . . . falle y bydde hynny wedi helpu ychydig,' oedd yr ateb a gafodd. 'Ond dim ond ychydig bach, Peter. Bydde gofyn cael dilyw bob dydd o'r Sulgwyn hyd Ddiolchgarwch, a hyd yn oed wedyn, wel . . .'

Ond beth alla i neud? teimlai Peter fel sgrechen. Alla i ddim gorfodi pobol i ddefnyddio'r ganolfan. Roedd yn wir fod y ddawns neithiwr wedi bod yn llwyddiant: roedd y tywydd poeth o leiaf wedi sicrhau fod digonedd o arian wedi llifo dros y bar, ac roedd presenoldeb y bownsers wedi gofalu nad oedd unrhyw drafferth a roddai esgus i bobl leol gwyno – er bod rhyw idiot wedi llwyddo i fynd i mewn at y pwll nofio a thaflu un o'r dymis achub-bywydau i mewn iddo. Ond gwyddai Peter mai ffolineb fyddai cynnal gormod o ddawnsfeydd yn y ganolfan, a bod un bob hyn a hyn yn denu mwy nag a fyddai dwy neu dair bob wythnos.

Gweithio'n rhy galed ydw i, penderfynodd wrth gerdded yn ôl at ei gar; gweithio gormod, a phoeni gormod hefyd. Mae angen gwyliau arna i – mis yn gorwedd mewn hamoc ar un o ynysoedd y Maldives, yn bell o gyrraedd pob ffôn.

Dim rhyfedd 'mod i'n dechrau gweld pethau. Ble bynnag roedd Branwen y dyddiau hyn, yn sicr doedd hi ddim *yma*. Fuasai hi ddim yn meiddio dangos ei hen wyneb yn yr ardal yma eto, penderfynodd.

Nid ar ôl yr hyn a wnaeth y bitsh fach i Siân.

(ii)

Mynwent fechan oedd hi yn edrych allan dros y môr at fryniau Gwlad yr Haf a rhosydd Dyfnaint, a oedd heddiw ond i'w gweld fel siapiau aneglur drwy'r tes. Fel arfer, chwythai awel fechan drwy ddail y coed uchel a dyfai o amgylch y beddau, ond heddiw doedd yna'r un sibrwd i'w glywed yn y gwres.

Ac yna un â didostur law
A'i chipiodd o'i chynefin draw.

Cwpled o waith I. D. Hooson, ffefryn gan ei mam, wedi ei aralleirio ychydig bach ganddi a'i roi ar garreg fedd Siân. Dyma'r tro cyntaf i Branwen weld y garreg: dim ond tomen o bridd dan bentwr mawr o flodau oedd yma'r tro diwethaf iddi ymweld â'r fynwent.

Ddiwrnod cyn iddi gael ei hanfon i ffwrdd. Diwrnod

gwahanol iawn i heddiw, cofiai'n iawn, gyda'r gwynt yn oer a'r aer yn llaith, er bod y glaw trwm a fu'n syrthio ers dyddiau wedi peidio o'r diwedd. Cofiai'r cyfan fel pe bai'n gwylio hen ffilm ddu-a-gwyn: yr awyr yn wyn ac yn wan, a bonau'r coed a cherrig y cloddiau i gyd yn ddu gan wlybaniaeth.

Heblaw, wrth gwrs, am y blodau. Roedd llawer gormod o'r rheini, cofiai feddwl ar y pryd, yn ddi-chwaeth yn eu lliwiau llachar. Cofiai hefyd fel roedd y gwynt y diwrnod hwnnw yn peri i'r papur seloffên oedd am nifer ohonynt siffrwd fel ewinedd yn crafu ar bren.

Mynwent fonocrôm, ar wahân i'r un ffrwydrad gwallgof hwnnw o liw. Cofiai hefyd fod dwy frân wedi crawcian yn uchel uwch ei phen drwy gydol yr amser y bu'n rhythu ar y bedd yn gofyn pam, pam, pam . . .

Edrychodd o'i hamgylch. Na, doedd neb yma heblaw y hi, er gwaetha'r teimlad sydyn a gafodd fod rhywun yn ei gwylio. Roedd y beddau eraill i gyd yn dwt, a nifer ohonynt gyda blodau ffres arnynt.

Pob un ond bedd Siân, a edrychai fel pe bai neb wedi dod ar ei gyfyl am bum mlynedd, gyda glaswellt a chwyn yn eu tagu'i gilydd drosto'n cwlwm cymhleth.

Ochneidiodd Branwen, gan ryfeddu bod ei mam – a hyd yn oed Peter – wedi gadael i'r bedd fynd i'r fath gyflwr. Tynnodd ei bag oddi ar ei hysgwyddau, cyn penlinio wrth y bedd a dechrau rhwygo'r chwyn oddi arni. Gwaith poeth a chwyslyd oedd hyn, ac ymhen pum munud tynnodd ei siaced hefyd: doedd neb yno i rythu ar y creithiau ar ei breichiau noethion.

Yna rhoes sgrech fechan wrth i'w bysedd gyffwrdd â rhywbeth blewog o dan y chwyn. Ofnai am eiliad iddi darfu ar nyth llygoden ffyrnig, ond doedd dim byd yn symud yno chwaith: efallai mai un farw oedd yno. Cliriodd ragor o'r chwyn yn ofalus, a phan welodd beth oedd yno, teimlodd ei llygaid yn llenwi â dagrau.

Gorweddai arth fechan yng nghanol y chwyn, dim mwy na

rhyw wyth modfedd i gyd, a chyda ruban bach coch am ei gwddf. Rhythodd Branwen arni. Ai . . . ai *Modlen* oedd hi? Na, doedd bosib – buasai Modlen druan, ar ôl pum mlynedd o fod allan ym mhob tywydd, wedi hen bydru.

Cydiodd Branwen ynddi, a'i throi drosodd – a gweld y patshyn moel ar ei chorun; cofiodd fynd i mewn i'w hystafell wely un prynhawn pan oedd yn saith oed a dal Siân yno, Siân oedd ar y pryd yn mynd trwy'r cyfnod hwnnw o gnoi popeth â'i dannedd bach newydd, gwynion, ac yno'r oedd hi'n cnoi pen Modlen, Duw a ŵyr pam, efallai oherwydd mai tedi Branwen oedd hi ac roedd Siân wedi penderfynu y dylai hi ei chael ond fod Branwen wedi gwrthod. Cofiai Siân yn sgrechen pan gipiodd Branwen yr arth oddi arni. Roedd hi'n ysu am ei chael, er bod sawl tedi ganddi'n barod, ac fel roedd Peter wedi gweld bai ar Branwen am beidio â'i rhoi iddi. A hyd yn oed wrth i Siân ddechrau tyfu, roedd hi'n dal i fod eisiau Modlen a gorfu i Branwen ei chuddio o'r golwg neu yn ystafell Siân y byddai hi. Ond roedd Branwen yn benderfynol mai ei thedi *hi* oedd Modlen ac na fyddai hi byth yn ei rhoi i Siân . . .

. . . nes y diwrnod llaith hwnnw, bum mlynedd yn ôl, pan sleifiodd yma i'r fynwent gyda Modlen dan ei chot. Gosododd hi'n ofalus ar y bedd, ei hanrheg olaf i Siân, cyn troi a rhedeg o'r fynwent gyda'r dagrau'n llifo i lawr dros ei hwyneb.

Y noson gyntaf erchyll honno oddi cartref, gwelodd yn ei meddwl ei llys-dad, Peter, yn cipio Modlen oddi ar y bedd a'i sathru i mewn i'r ddaear, ei wyneb yn llawn poen a chasineb.

Ond mae'n rhaid nad oedd Peter wedi gwneud hynny wedi'r cwbl, oherwydd dyma hi Modlen yma'n awr, yn gorwedd yn gynnes yn llaw Branwen; doedd hi ddim yn edrych fel *newydd*, nag oedd, roedd hi'n sawl blwydd oed cyn i Siân gael ei geni ond, fel arall, edrychai'n union fel yr edrychai'r diwrnod hwnnw pan adawodd Branwen hi yma ar y bedd.

Gosododd hi yno eto, ar ei heistedd â'i chefn yn erbyn y garreg, ac unwaith eto cafodd Branwen y teimlad fod rhywun yn ei gwylio. Ond tybiai fod hynny'n naturiol mewn mynwent, hyd yn oed ar fore bendigedig o haf. Casglodd y chwyn yn ei breichiau a'u gollwng mewn cornel o'r clawdd, a phan ddychwelodd at y bedd i godi'i siaced a'i bag, gwelodd fod Modlen wedi diflannu.

(iii)

Penderfynodd Peter mai ofer oedd ceisio canolbwyntio ar wneud unrhyw waith heddiw. Crafodd ei lofnod ar waelodion hanner dwsin o lythyron heb hyd yn oed drafferthu eu darllen, a gorfu iddo ymddiheuro i'w ysgrifenyddes, Caren, am fod mor swta a phiwis gyda hi.

'Wyt ti'n o'reit, Peter?' gofynnodd ar ôl derbyn ei ymddiheuriad.

'Odw, odw . . . y gwres yma, 'na i gyd. Ma fe'n neud pawb yn grac, on'd yw e?'

'Pawb sy'n gorfod gwitho yndo fe, odi,' atebodd Caren, yn y gobaith y byddai Peter yn tosturio wrthi ac yn dweud wrthi am fynd am y prynhawn, ond dim ond gwenu'n llywaeth wnaeth Peter Phillips a mynd i grwydro o amgylch ei ganolfan hamdden.

Dim ond tua hanner dwsin oedd yn y pwll nofio, a rywsut edrychai hynny'n waeth na phe buasai'r pwll yn gwbl wag. Doedd neb yn chwarae sboncen, a bu'r gampfa'n wag ers amser cinio. Ond dyna fe, dim ond masochydd llwyr fyddai'n dewis chwysu ar beiriannau a chyda phwysau trymion ar brynhawn mor boeth.

Dychwelodd i'w swyddfa, lle bu'n eistedd yn syllu allan ar y maes parcio. Arhosai'r ffôn yn fud, ac ni allai benderfynu a oedd hynny'n fendith neu'n felltith. Ar y naill law, doedd ganddo ddim amynedd i drafod busnes gyda neb, ond ar y llaw arall byddai galwadau ffôn diddiwedd yn help i fynd â'i feddwl oddi ar y ferch bengoch honno y cafodd gipolwg arni ar y stryd.

Erbyn iddo yrru'n ôl i'r ganolfan, roedd Peter fwy neu lai wedi'i berswadio'i hun nad Branwen oedd hi, ond nawr, wrth iddo gofio'r ffordd y cerddodd heibio i'w gar, nid oedd mor sicr. Er ei bod wedi newid yn aruthrol ers iddo'i gweld ddiwethaf, teimlai ym mêr ei esgyrn mai ei argraff gyntaf oedd yr un gywir, ac mai y hi oedd hi. Roedd rhywbeth ynglŷn â'i cherddediad, ynglŷn â'i holl osgo, a'i hatgoffodd yn gryf o Diane pan oedd hi'n ifanc, pan oedd hi'n wraig i John Evans ac yn gyflogwr i'r Peter ifanc, ffôl hwnnw.

Ie, ffôl yw'r gair, meddyliodd. Dylwn i fod wedi bodloni ar yr hyn oedd gen i, ond na, roedd fy chwant am fwy a mwy yn drech na fi. Ac roedd y chwant hwnnw'n cynnwys Diane . . . ond roedd Diane yn hardd y dyddiau hynny, yn hardd ac yn rhywiol, ac ro'n i *ei heisiau* yn y modd mwyaf ofnadwy, y hi a phopeth oedd ganddi . . . . heblaw am ei merch, wrth gwrs. Ond rhaid oedd ei dioddef er mwyn cadw Diane. Ac roedd fy nyhead amdani hi wedi fy nallu i bopeth, wedi fy newid yn llwyr.

Ochneidiodd a gorfod cydnabod fod Branwen yn ei hôl. Doedd dim pwrpas iddo geisio gwadu'r peth ymhellach. Y cwestiwn mawr oedd, *pam?* Pam fod y bitsh fach wedi dychwelyd? Doedd dim byd yma iddi – dim byd o gwbl.

Teimlodd ei hen gasineb yn rhuthro'n ôl ac yn llifo fel gwenwyn trwy'i gorff. Pwy ddiawl oedd hi'n meddwl roedd hi, yn cerdded yn hy drwy'r pentref fel petai ganddi bob hawl i wneud hynny?

Beth oedd hi'n ei wneud yma?

Ac i ble roedd hi'n mynd?

Neidiodd Peter i'w draed gan chwilio'n wyllt am allweddi ei gar. Cipiodd ei siaced oddi ar gefn ei gadair. Neidiodd Caren wrth iddo ffrwydro trwodd ati a heibio iddi.

'Bydda i'n ôl cyn diwedd y pnawn,' cyfarthodd a rhuthro allan.

Gwyddai'n iawn ble roedd Branwen yn mynd. Dylai fod wedi sylweddoli hynny ar y pryd, ond cafodd cymaint o fraw o'i gweld . . .

Ble arall oedd *ganddi* i fynd, heblaw am adref?

(iv)

Teimlai Branwen yn swp sâl wrth iddi nesáu at y tŷ. Roedd y digwyddiad yn y fynwent yn gynharach wedi'i hysgwyd. *Gwyddai* fod y tedi bach *yno* – gallai ei deimlo o hyd yng nghledr ei llaw, ei ffwr yn gynnes yn erbyn ei chroen, a gwyddai hefyd ei bod *wedi* ei roi i eistedd ar y bedd.

Beth oedd yn digwydd i'w meddwl hi? Oedd y corynnod wedi dechrau gwledda arno? Ynteu oedd yr holl gachu y bu hi'n ei gymryd dros y blynyddoedd yn dechrau dweud ar ei hymennydd?

Ac wrth iddi feddwl hynny, sylweddolodd nad oedd unrhyw gof ganddi o gerdded at y tŷ. Ond dyna lle roedd hi, dim ond ychydig lathenni oddi wrth y glwyd, ag allwedd y drws ffrynt yn llosgi yn ei phoced.

Pan orfodwyd hi i ymadael â'i chartref, wyddai hi ddim fod yr allwedd ganddi. Daeth o hyd iddi yn ei phwrs ddyddiau'n ddiweddarach. Nid oedd ganddi unrhyw gof o'i rhoi yno, ac am fisoedd lawer cafodd gysur o deimlo'r darn bychan hwn o fetel; credai mai ei mam oedd wedi'i sleifio i mewn i'w phwrs, ei ffordd fach dawel hi o ddweud y byddai croeso iddi ddod adref rhyw ddiwrnod.

Twp, meddyliodd yn awr. Buan iawn y cafodd y freuddwyd honno 'i chwalu. Gwrthododd Diane siarad â hi dros y ffôn, hyd yn oed, ac yn fuan ar ôl hynny cafodd y rhif ffôn ei newid, a gwrthododd staff y cartref ddweud wrthi beth oedd y rhif newydd. Gwasgodd ei llygaid ynghau. Nid oedd am feddwl am y cartref, na'r misoedd duon a dreuliodd rhwng ei furiau: dyna un ffordd sicr o ddihuno'r corynnod.

Roedd y glwyd yr agor led y pen, ond nid oedd car y tu allan i'r tŷ; edrychai'n wag ac yn llonydd. Oedd ei mam yno? Doedd ond eisiau iddi ddigwydd cerdded heibio i un o'r ffenestri ac edrych allan, a gallai weld Branwen yn glir. Efallai ei bod wedi gwneud hynny'n barod, a'i bod yn sefyll yno'n ei gwylio, ei chalon yn carlamu wrth iddi wasgu botymau'r ffôn.

Os oedd hi a Peter yn dal i fyw yma, wrth gwrs – ac roedd hynny'n *os* mawr iawn. Doedd dim sôn amdanynt yn y llyfr ffôn lleol, ddim ers iddyn nhw newid eu rhif, ac ni fyddai Branwen wedi synnu petaen nhw wedi penderfynu bod llawer gormod o atgofion poenus yn perthyn i'r tŷ, ac wedi'i werthu ers blynyddoedd.

Yr un oedd enw'r tŷ o hyd: Llys-yr-Awel. Rhedodd Branwen flaenau'i bysedd dros y llechen ar bostyn y glwyd. Alla i ddim â throi a mynd nawr, meddyliodd. Wy 'di magu digon o blwc i ddod cyn belled â hyn. Mae'n rhaid i fi *drial* siarad â hi. Ac ma'r llythyr 'da fi . . . ma'n rhaid 'i bod hi'n meddwl *rywfaint* amdana i, ne' fydde'r llythyr ddim wedi ca'l 'i anfon ata i . . .

Ma'n rhaid 'i bod hi!

Cerddodd drwy'r glwyd agored ac i fyny am y tŷ. Ni sylwodd ar y car BMW oedd wedi cyrraedd yn ddistaw tua chanllath y tu ôl iddi, na chwaith ar y gyrrwr yn ei gwylio.

(v)

Ro'n i'n iawn hefyd! meddyliodd Peter. Bitsh fach ddigywilydd, yn martsio i fyny at fy nrws i fel yna. Dylwn i ruthro ati a'i llusgo o'na gerfydd ei gwallt . . . ond na, falle y byddai hyd yn oed gyffwrdd â'r ast yn peri i fi golli rheolaeth yn llwyr a phlannu fy nwrn yn ei hwyneb, drosodd a throsodd a throsodd . . .

Sylweddolodd ei fod yn gwasgu olwyn y car â'i holl nerth,

fel pe bai ei fysedd yn gwasgu gwddf Branwen. Gollyngodd ei afael ar yr olwyn, gan anadlu'n ddwfn wrth aros i'w galon arafu ychydig. Fydd hi ddim yn hir, meddyliodd. Bydd hi'n camu'n ei hôl i'r hewl unrhyw funud, a'r unig beth fydd yn rhaid i mi ei wneud fydd ceisio fy nghadw fy hun rhag rhoi fy nhroed i lawr ar y sbardun a gyrru'r car drosti . . .

Edrychodd y tu ôl iddo. Roedd y ffordd yn wag, a doedd dim golwg o neb arall yn unman. Efallai'n wir na fyddai neb fymryn callach petai'n ildio i'r demtasiwn ac yn . . .

Na, paid â bod mor dwp, 'achan! Bydden nhw'n dy amau di'n syth – a does dim *alibi* 'da ti, bydde Caren yn tystio dy fod wedi rhuthro allan o'r swyddfa fel cath i gythrel.

Ond roedd mor fendigedig, y ddelwedd sydyn a gafodd o wyneb Branwen eiliad cyn iddi ddiflannu o dan olwynion ei gar. Yr ofn, y dychryn – yr *wybodaeth* mai ef oedd yr un i'w ddinistrio o'r diwedd.

Ble *roedd* hi? Dylai hi fod wedi hen ddychwelyd i'r ffordd erbyn hyn. Gan ei fod yn barod i guddio'i wyneb a gyrru yn ei flaen heibio iddi petai Branwen yn dod yn ôl allan, anelodd Peter flaen y BMW at y glwyd . . .

. . . mewn pryd i weld Branwen yn troi allwedd yng nghlo'r drws, gwthio'r drws ar agor a chamu i mewn i'r tŷ gan gau'r drws ar ei hôl, fel petai ganddi *bob hawl* i wneud hynny.

Teimlai Peter ei lid yn chwyddo tu mewn iddo ac yn bygwth ei dagu. Ble yffarn gafodd y bitsh afael ar allwedd? Roedd y syniad fod Branwen yn crwydro drwy'r tŷ – *drwy'i gartref ef!* – fel petai hi oedd biau'r lle, yn busnesu drwy ei bethau ef, bron â'i ddallu.

Cychwynnodd droi'r olwyn am y glwyd gyda'r bwriad o ruthro i mewn i'r tŷ, ond cafodd well syniad. Tynnodd ei ffôn symudol o'i siaced, a deialu.

'O . . . shw'ma'i . . . Grindwch, wy newydd weld rhywun yn torri i miwn i dŷ cymydog i fi . . . Llys-yr-Awel, Heol y Glannau . . . tŷ Peter Phillips. Ma' fe miwn 'na nawr.

Shgwlwch, sdim ots pwy odw i! Well i chi ddod glou, ne' bydd e 'di mynd.'

Diffoddodd y ffôn. Rhoddai'r byd am gael bod yno pan fyddai'r heddlu'n cyrraedd ac yn arestio Branwen, ond gwell fyddai iddo ddiflannu'n ôl i'r ganolfan. Rhoes y car mewn gêr a gyrru i ffwrdd a gwên fach filain ar ei wefusau.

(vi)

'Mam? Mam – chi gartre? Peter? Helô . . . ?'

Dim siw na miw, dim ond canu grwndi'r ffrij yn dod o'r gegin. Safai yng nghyntedd y tŷ, gyda'i chefn yn erbyn y drws ffrynt. Safai yno am y tro cyntaf mewn pum mlynedd, yn gwrando ar ei llais ei hun yn adleisio'n wag o bared i bared.

O ble y safai, edrychai'r tŷ yn union yr un peth. Ar y mur roedd copi bychan o *Salem* Curnow Vosper, y darlun y bu Branwen yn syllu arno am oriau dros y blynyddoedd, yn ceisio dod o hyd i wyneb y diafol ym mhlygion siôl Siân Owen Ty'n-Y-Fawnog. Methodd â'i weld bryd hynny, ond heddiw ni chafodd drafferth o gwbl; fe'i gwelai'n glir, yn gwgu'n fuddugoliaethus ar yr addolwyr y tu mewn i'r capel bychan. Yr un carped gwyrdd tywyll oedd ar y llawr a'r grisiau hefyd, ychydig yn fwy di-raen nag a gofiai, a gwelai fod haen denau o lwch yn gorwedd dros wyneb y bwrdd bychan a safai'n erbyn y mur.

Drwy ddrws agored y parlwr, gwelai fod yr ystafell yn bell o fod yn daclus, gyda chylchgronau a hen bapurau newydd ar y llawr, y soffa a'r cadeiriau. Safai set deledu anferth yn y gornel, gyda thapiau fideo a ffilmiau DVD ar draws ei gilydd ar y llawr o'i chwmpas. Safai amrywiaeth o boteli diod ar ben y cwpwrdd diodydd yn hytrach nag y tu mewn iddo, ac roedd gwydrau budron a blwch llwch yn llawn stympiau sigârs ar y bwrdd coffi. Yn wir, roedd y tŷ i gyd, sylweddolodd yn awr, yn drewi o arogl sigârs.

Be sy wedi digwydd i Mam?

Arferai Diane fod yn ffyrnig yn erbyn ysmygu; roedd hyd yn oed ymwelwyr yn gorfod mynd allan i'r ardd gefn os oedden nhw angen smôc, dim ots beth oedd y tywydd. Ac arogl lemon a arferai lenwi'r tŷ, cofiai Branwen; arogl glân a ffres, hoff arogl ei mam; roedd pob polish a hylif golchi'r llestri a hyd yn oed ei sebon yn arogli o lemon.

Nid oedd y tŷ hwn wedi gweld polish ers amser, penderfynodd; roedd llwch hefyd ar bren y grisiau, ac ambell i we corryn yn llechu mewn corneli. Cyrhaeddodd ben y grisiau a throi ac edrych yn ôl i lawr. Deuai pelydryn o heulwen i'r cyntedd o'r parlwr, ac ynddo dawnsiai'r darnau llwch yn feddw-wyllt.

'Mam?' meddai eto, er y gwyddai'n iawn nad oedd neb ond y hi yn y tŷ. Roedd drysau pob un o'r stafelloedd gwely ar agor led y pen, heblaw am un ystafell. Ystafell wely Diane a Peter oedd y fwyaf, lle nad oedd neb wedi gwneud y gwely dwbwl a gorweddai'r rhan fwyaf o'r *duvet* ar y llawr yn hytrach nag ar y gwely. Roedd blwch llwch arall – hwn hefyd yn llawn – ar y cwpwrdd ger y gwely, yn ogystal â phentwr o lyfrau clawr meddal. *Thrillers* a nofelau antur oedden nhw i gyd, gwelodd Branwen, gan awduron gwrywaidd megis Robert Ludlum, Wilbur Smith a Tom Clancy. Ger y gwely hefyd roedd set deledu arall gyda pheiriant fideo yn rhan ohoni, a phentwr o ffilmiau Americanaidd fel *Die Hard, Con Air, Under Siege, First Blood* . . .

Roedd drws y cwpwrdd dillad hefyd ar agor. Ynddo roedd siwtiau, crysau, siacedi, trowsusau; yn y droriau'r oedd siwmperi a chrysau-T, tronsiau, sanau, jîns . . .

Brysiodd Branwen o'r ystafell ac i mewn i'r ystafell sbâr. Tincian cerddorol hangeri gwag a'i croesawodd pan agorodd ddrws y cwpwrdd dillad, a doedd dim dillad ar y gwely.

Ond yn ei hen ystafell hi, doedd dim dodrefn o gwbl. Heblaw am ambell lwmpyn sych o *Blutack* ar y muriau lle roedd ei phosteri'n arfer bod, roedd yr ystafell yn hollol wag.

Beth oedd wedi digwydd i'w gwely, ei llyfrau, ei hen deganau, ei dillad, ei thapiau a'i chrynoddisgiau i gyd?

Roedd yn union fel pe na bai Branwen erioed wedi bodoli.

Fel pe na bai ei mam erioed wedi bodoli chwaith.

Troes yn wyllt. Roedd un ystafell ar ôl, yr unig un oedd â'r drws ar gau.

Ystafell Siân.

Roedd Branwen wedi hanner-disgwyl y byddai'r drws wedi'i gloi, ond agorodd yn ddidrafferth pan droes yr handlen. Gwthiodd ef ar agor.

Os oedd ei hystafell wely hi wedi'i glanhau o bob un adlais ohoni, yna roedd ystafell Siân yn edrych yn union fel yr edrychai bum mlynedd yn ôl. Roedd popeth yn ei le, y gwely wedi'i wneud, y teganau mewn un rhes dwt ar eu silff – ac roedd popeth hefyd yn *lân*, yn berffaith lân. Nid oedd yr un tamaid o lwch i'w weld yn unman, na'r mymryn lleiaf o faw.

Edrychai'n union fel petai Siân yma o hyd – fel petai'r ystafell yn aros amdani.

Ac ar lawr y cwpwrdd dillad roedd sawl bag bin mawr du. Ynddynt, gwelodd Branwen, oedd dillad Diane, i gyd wedi'u plygu'n dwt, a'u cuddio o'r golwg.

Ond be sy wedi digwydd i Mam – ?

Ymsythodd, gan gau drws y cwpwrdd. Oedd ei mam *wedi mynd*? Oedd hi a Peter wedi gwahanu?

Ond os felly, beth oedd ei dillad i gyd yn ei wneud mewn bagiau yn ystafell Siân?

Beth yffarn sy wedi digwydd yma – ?

Trodd, ac roedd ar fin camu o'r ystafell, gyda'i llaw ar handlen y drws, pan rewodd yn y fan. Roedd rhywbeth gwahanol ynglŷn â'r ystafell, rhywbeth oedd wedi newid, rhywbeth oedd wedi digwydd tra oedd hi ar ei chwrcwd o flaen y cwpwrdd dillad.

Trodd yn araf. Ar wely Siân, yn eistedd ar y gobennydd, roedd y tedi bach – Modlen.

Teimlodd Branwen ei choesau'n gwanhau. Doedd Modlen

ddim yma ddau funud yn ôl, byddai Branwen wedi sylwi arni, wrth gwrs y byddai, yn enwedig ar ôl i Modlen ddiflannu mor ddisymwth o'r fynwent. Ond nawr, dyma hi – ie, y hi oedd hi, doedd dim dwywaith am hynny, oherwydd yn ddiarwybod iddi'i hun roedd Branwen wedi baglu at y gwely a chydio ym Modlen a gweld yn glir y patshyn bach moel hwnnw ar ei chorun.

Gwthiodd Branwen hi i'w bag, ac wrth frysio allan o'r ystafell ni sylwodd fod y carped yn socian o wlyb dan ei thraed; roedd ar ormod o frys – roedd arni ormod o *fraw* – i sylwi ar bethau felly, a brysiodd ar hyd y landing ac i lawr y grisiau ac am y drws ffrynt . . .

. . . a phan agorodd ef, roedd yr heddlu'n aros amdani.

Pennod 10

Eisteddai Jos ym mhen pella'r cae yn syllu ar furiau pren a haearn rhychiog yr hen sgubor yn y pen arall.

Mae'n rhaid fy mod i wedi breuddwydio am y blydi lle yma, meddyliodd, er nad oedd unrhyw gof ganddo o wneud hynny, chwaith; yn wir, prin bod Jos wedi cysgu o gwbl. Ond wrth bendwmpian y mae rhywun yn breuddwydio fwyaf, penderfynodd, ac oherwydd popeth sy wedi bod yn digwydd yn ddiweddar – wel, buasai'n wyrth i mi *beidio* â gweld yr adeilad rhyfedd hwn yn fy mreuddwydion.

Ac yn fy hunllefau.

O, roedd y sgubor yn teyrnasu ar y rheini, fyth ers iddo ddychmygu clywed lleisiau plant yn dod ohono diwrnod noson-y-ddawns, lleisiau'n llafarganu'r hen gân bop nàff honno oedd yn y siartiau bum haf yn ôl, er bod clo cadarn ar y drws. *Doedd* yna'r un plentyn y tu mewn i'r ysgubor; ei ddychymyg direidus ef oedd yn chwarae triciau di-chwaeth arno.

Pam, felly, dwyt ti ddim wedi mentro dad-gloi'r drws a

92

mynd i mewn i edrych, Meilir Joseff? Mae'r allwedd yn dy
boced; chwiliaist ti amdani bore 'ma yn unswydd.

Sdim pwynt! Dwi'n *gwybod* nad oes yna neb y tu mewn i'r
sgubor, dwi'n gwybod na fydd yna hanner dwsin o blant yn
eistedd yno'n aros amdana i.

Neu felly rwyt ti'n gobeithio. Hwyrach eu bod nhw yno,
wedi bod yno ers blynyddoedd yn aros yn amyneddgar
amdanat ti, a phan fyddi di'n camu i mewn i hanner gwyll y
sgubor, fe weli di chwe wyneb yn troi a syllu arnat, chwe
wyneb gwyn gyda llygaid a gwefusau duon, yn gwenu'n
groesawgar gan ddangos eu dannedd pydredig ac yn estyn eu
dwylo amdanat, eu hewinedd wedi tyfu'n anhygoel o hir . . .

Ymysgydwodd. Jos, 'achan, gore po gynta yr ei di bant i'r
coleg celf, meddai wrtho'i hun; fydd dim amser 'da ti wedyn i
'whare meddylie twp.

Edrychodd ar y ddalen bapur oedd ganddo ar ei lin. Roedd
y sgets wedi dod yn anghyffredin o hawdd iddo heddiw,
gwelodd, er bod y sgubor yn edrych yn debycach nag erioed i
benglog anferth gyda'r ffenestri uchaf yn union fel dwy lygad
wag, dywyll, a'r drws bron fel ceg agored.

Agored?

Edrychodd ar y sgubor. Na, roedd y drws (diolch byth!) ar
gau. Ond pam roedd Jos wedi'i ddarlunio fel drws agored?
Yn y sgets roedd ar agor led y pen. Dim ond düwch oedd i'w
weld y tu mewn i'r drws, ond wrth i Jos graffu ar y düwch
hwn, câi'r teimlad fod siâp amwys rhyw ffigur bychan i'w
weld yn llechu yng nghefn pellaf y tywyllwch, fel pe bai
rhywun yn ymguddio yno, ac yn sbecian allan . . .

Caeodd y llyfr, ond wrth iddo godi ar ei draed gwelodd
rywbeth yn symud y tu allan i'r sgubor. Ni wyddai p'run ai
rhyddhad ynteu syrffed a deimlai o weld mai Meic Gruffydd
oedd yno, yn dringo oddi ar ei feic ac yn nesáu'n betrusgar at
y drws . . .

. . . gyda'i geg fel blawd a'i goesau fel plwm, a phan welodd y clo trwm ar y drws teimlai Meic awydd gweiddi ei ddiolch dros y fro. Does dim rhaid i fi fynd i mewn nawr, achos *alla i ddim* mynd i mewn. Nid oedd Meic erioed wedi hoffi Merfyn, tad Jos, rhyw lawer, ond petai yno'n awr buasai wedi plannu cusan anferth ar ei dalcen.

Trodd gyda'r bwriad o ddringo'n ôl ar gefn ei feic a dychwelyd adref, ond o ddod wyneb yn wyneb â Jos, bloeddiodd dros y fro . . .

Neidiodd hwnnw hefyd, a gweiddi: roedd bloedd Meic wedi'i ddychryn yntau, ac am eiliad cafodd ddarlun hurt o'r ddau ohonyn nhw'n sefyll yno am funudau hirion yn sgrechen ar ei gilydd.

'Wyt ti'n trial fy lladd i?' meddai Meic. 'Beth yffarn wyt ti'n feddwl ti'n neud, 'achan – cripad 'bytu'r lle fel rhyw ffycin Apache!'

'Sori, sori. Ond ti *yn* tresmasu.'

'Beth?'

'Ti'n lwcus taw y fi sy 'ma, a nage Beiron, ne' Dad. Beth ti'n moyn?'

Edrychodd Meic i ffwrdd am eiliad, yna syllodd i fyw llygaid Jos.

'Wy'n moyn *gweld*, Jos,' meddai'n benderfynol. 'Gweld a yw'r Gêm yn dala 'ma.'

'Y Gêm?' Nodiodd Meic. 'Wel, nadi!'

'Wyt ti'n siŵr?'

'Odw! Wrth gwrs bo fi . . .'

'Ble ma' hi, 'te?'

'Shwt yffarn wyt ti'n disgwl *i fi* wbod – ?'

''Dyw hi ddim 'da ti? Yn y tŷ?'

'Paid siarad dwli. Sa i 'di'i gweld hi ers . . . y dwarnod 'nna.'

Daliodd Meic i syllu arno am rai eiliadau, yna fe'i synnodd ei hun drwy gamu heibio i Jos a gwasgu'i wyneb yn erbyn mur yr ysgubor mewn ymdrech i sbecian i mewn drwy grac rhwng y preniau. Ie, hwn oedd ond funud ynghynt bron iawn â gwneud llond ei drowsus wrth feddwl am fynd yn agos at y sgubor. Ond gyda Jos yn gwmni iddo, teimlai'n ddewr a hyderus.

Doedd dim llawer i'w weld y tu mewn i'r sgubor, dim ond golau'r haul ar ambell i felen o wair. Yna diflannodd hyder newydd Meic pan glywodd sŵn annerbyniol iawn yn ei glust dde.

Trodd i weld Jos yn dadgloi'r clo ar y drws.

'*Be ti'n neud*?!' gwichiodd.

'Y ti sy'n moyn gweld y tu fiwn.' Tynnodd Jos y clo a gwthiodd y drws ar agor. Agorodd gyda gwich ystrydebol o sbwci, meddyliodd Meic, fel caead arch Draciwla'n codi'n araf. ''Na ti – helpa dy hunan.'

'Na, ma'n o'reit, wy 'di gweld . . .'

'Ti 'di dod 'ma, ar dy feic, yr holl ffordd o'r pentre ar ddwarnod twym, yn unswydd er mwyn 'whilo am y Gêm. Fyddi di ddim yn hapus nes bo ti'n neud 'nny.'

Yn hapus? Syniad Meic o hapusrwydd y funud honno fyddai gweld Jos yn ail-gloi'r drws a rhoi'r allwedd yn ôl yn ei boced. Meddyliodd am eiliad fod Jos am wneud hynny, ond yna sylweddolodd mai estyn ei law er mwyn agor y drws ymhellach yr oedd e.

Llyncodd Meic.

'Ddoi . . . ddoi di miwn 'da fi?'

Roedd haen denau, loyw o chwys ar ei wyneb, a theimlai Jos bigiad gas o euogrwydd; roedd yn amlwg fod Meic yn dalp o ofn. Ond ar yr un pryd yn niwsans glân, yn mynnu gofyn cwestiynau na ddylai gael eu gofyn, yn mynnu gorfodi i Jos i feddwl am bethau na fynnai feddwl amdanyn nhw o gwbl.

Ymgaledodd.

'Y ti sy'n moyn busnesu. Y ti sy'n gwrthod 'y nghredu i.'

'Na-'wedes-i-mo-hynny-'achan-wy-*yn*-dy-gredu-di . . .' parablodd Meic, ond plannodd Jos ei law yng nghanol ei gefn a'i wthio'n galed, a baglodd Meic i mewn drwy ddrws y sgubor.

Teimlai fel petai newydd faglu i ffwrn. Ers wythnosau bellach roedd yr haul wedi crasu'r haearn rhychog ar do a muriau'r ysgubor, a llanwyd ffroenau Meic â phersawr cryf a thew hen wair, ac arogl trwm llwch oedd heb gael ei aflonyddu ers dyn a ŵyr a pryd.

Gwelodd gysgod sydyn yn ymddangos ger ei gysgod ef ar y patshyn haul a orweddai dros un o'r beliau gwair. 'Ti 'di dod miwn 'fyd,' meddai, gan droi, ond doedd dim golwg o Jos y tu ôl iddo.

'Jos?'

'Beth nawr?' meddai Jos, o'r tu allan.

Edrychodd Meic ar y gwair. Na, dim ond ei gysgod ef ei hun oedd yno.

'Dim. Jest . . . jest paid â chau'r drws y tu ôl i fi, na dim byd fel 'na. O'reit?'

'Ie, o'reit.'

Hyd y cofiai Meic, edrychai'r sgubor yn union fel y gwnâi bum mlynedd yn ôl. Cofiai fel y buon nhw i gyd yn gweithio i greu rhyw dŷ gwair o'r beliau, ac roedd hwnnw, gwelodd, yn dal yno. Camodd tuag ato. Yma fydden nhw'n eistedd yn chwarae'r Gêm honno, chwech ohonyn nhw'n eistedd mewn cylch, *Truth-Dare-Kiss-Promise*, yr aer yn llawn trydan, yn llawn tensiwn, yn llawn cyffro. Rol oedd y cyntaf, cofiai'n awr, y cyntaf i gael ei gusanu, i orfod rhoi cusan, a chofiai fel oedd y giglan a'r chwerthin a'r sylwadau cwrs wedi peidio'n sydyn wrth i'r sws glec y disgwyliai pawb ei gweld droi'n gusan fawr, yn *snog*, wrth i Emma Christie blannu'i gwefusau ar wefusau Rol a'i gusanu'n union fel rhywun mewn ffilm. Yna roedd Rol wedi ei chusanu'n ôl, a chofiai'r olwg ar y ddau wedi iddyn nhw wahanu – fel petaen nhw wedi'u dychryn, fel petai rhywbeth newydd ddigwydd nad oedden nhw wedi ei ddeall o gwbl, nac wedi ei ddisgwyl chwaith.

Cyrhaeddodd Meic y beliau, ac edrychodd dros y rhai uchaf, i mewn i'r tŷ gwair.

Gwelodd chwe llygoden fawr yn edrych yn ôl i fyny arno – chwech ohonyn nhw mewn cylch, ond cylch a chwalwyd yn syth wrth i'r llygod gynhyrfu a baglu dros ei gilydd wrth ruthro am y cyntaf i ddringo i fyny'r beliau gwair ac allan . . .

. . . a neidiodd Jos eto pan glywodd Meic yn sgrechian yn uchel. Trodd am y drws wrth i Meic saethu allan o'r ysgubor.

'Cau'r drws 'na! Glou!'

'Beth . . . ?'

'Jest caea fe!' Gafaelodd yn y drws ei hun a'i dynnu ynghau gyda chlep. Roedd ei lygaid yn grwn fel dwy soser. Brysiodd Jos i ail-gloi'r drws.

'Be sy'n bod?'

Camodd Meic wysg ei gefn oddi wrth y drws. Roedd yn crynu fel deilen, a rhwbiodd ei freichiau'n ffyrnig. 'Damo nhw!'

'*Beth*, 'achan – ?'

'Llygod, ontefe! Llygod ffyrnig . . .' Gwelodd Meic yr olwg ddilornus ar wyneb Jos. 'Na! Grinda – so ti'n dyall . . .'

'Beth o't ti'n 'i ddishgwl, Meic? Hen sgubor fel hyn – wrth gwrs bo' llygod ffyrning 'ma.'

Ond roedd Meic yn ysgwyd ei ben. '*Grinda*! Ro'dd y rhain . . . ro'dd chwech ohonyn nhw, Jos. *Chwech*! Yn y tŷ gwair 'ne o'dd 'da ni. *Chwech* . . . yn gwmws ble'r o'n ni. Ti'n dyall? A pheth arall . . .'

'Be?'

Tawodd Meic. Ysgydwodd ei ben. 'Dim byd.'

Dechreuodd Jos ailagor y clo. 'Aros di fan hyn.'

'Na!'

'Blydi hel, dim ond llygod y'n nhw!'

Agorodd y drws a chamodd i mewn i'r sgubor. Rhythodd Meic ar y ddaear, fel petai'n disgwyl gweld byddin o lygod yn llifo allan o'r ysgubor fel y rheini a gafodd eu tywys o Lanfair-y-Lli gan y Pibydd Brith.

Daeth Jos allan yn ei ôl.

'Wel?'

'Weles i ddim byd.'

'*Beth*?'

'Dim yw dim. Os *o'dd* llygod 'na . . .'

'O'dd!'

'. . . wel ma' nhw wedi mynd i gwato'n rhywle nawr. Ma' nhw fwy o dy ofan di nag wyt ti 'u hofan nhw, ti'n gwbod.'

Ysgydwodd Meic ei ben. 'Na. *No way.*'

Gwyliodd Jos yn cloi'r drws eto, a daeth o fewn dim i ddweud wrtho am rywbeth arall a ddigwyddodd wrth iddo droi a ffoi o'r sgubor. Ond roedd Jos yn amlwg yn mwynhau ei weld wedi'i ddychryn. Nid oedd am roi rhagor o sbort iddo drwy ddweud ei fod wedi clywed llais plentyn yn chwerthin wrth iddo wibio am y drws, fel petai'n chwerthin am ei ben.

'O'dd hi 'na 'te?' gofynnodd Jos.

'Y?'

'Y Gêm, ontefe. 'Na pam ddest ti 'ma.'

'O. Nag o'dd. Wel, weles i mohoni, ta beth.'

'Gwd. Ti'n fodlon nawr, gobitho.'

Dringodd Meic ar gefn ei feic. 'Nagw i. Ddim nes y bydda i wedi dod o hyd iddi hi.' Edrychodd ar Jos. 'Ti'n gwbod beth? 'So ti wedi gofyn i fi unwaith *pam* wy'n moyn gwbod le ma'r Gêm 'na. 'Na beth fydde rhywun – beth yw'r gair, gwed? – rhywun *diniwed* wedi'i neud, Jos.'

'Wy 'di *gweud* wrthot ti sawl gwaith, sa i'n *gwbod* ble ma' hi. 'Dyw hi ddim 'da fi . . .'

'Na, na – nage dyna beth sy 'da fi,' meddai Meic. 'Bydde'r rhan fwya o bobol yn credu 'mod i'n ymddwyn yn od, a gweud y lleia, yn neud shwt ffŷs ymbytu rhyw hen gêm ro'n ni'n 'i 'whare flynydde'n ôl. Ond so *ti'n* gweld unrhyw beth yn od ymbytu'r peth, wyt ti?'

Ceisiodd Jos wneud jôc o hyn, drwy ddweud rhywbeth fel ei fod *wastad* wedi gweld Meic yn greadur od felly doedd yr obsesiwn 'ma ynglŷn â'r Gêm ddim yn syndod o gwbl, ond gwrthododd y geiriau ddod allan. Sylweddolodd na fedrai edrych ar Meic ag unrhyw onestrwydd; yn sicr, ni allai wadu ei eiriau.

Aeth Meic yn ei flaen. ''Na beth sy tu ôl i bopeth, ontefe? Y Gêm. Ma' popeth yn dod 'nôl at y Gêm, Jos. Ac rwyt tithe'n gwbod 'nny 'fyd. Popeth od sy 'di bod yn digwydd yn ddiweddar . . . plîs, paid â thrio gwadu dim byd,' meddai, pan welodd Jos yn dechrau ysgwyd ei ben. '*Ma*' pethe od yn digwydd – i bob un ohonon ni. A'r Gêm sy'n gyfrifol.'

Daeth Jos o hyd i'w lais. 'Nawr ti *yn* siarad dwli! Shgwl – 'dyw'r Gêm ddim 'ma. Sa i'n gwbod ble ma' hi, na beth ddigwyddodd iddi hi. Falle bod Dad ne' Beiron wedi'i thowlu hi bant, wedi'i llosgi hi gyda'r sbwriel . . .'

'Allen nhw ddim,' meddai Meic.

'Beth?'

'Allen nhw ddim. All neb ddinistro'r Gêm yna, Jos. Wy'n gwbod – wy 'di trial 'yn hunan . . .'

. . . do, bum mlynedd yn ôl, bum mlynedd union, bron, pan oedd y glaw trwm wedi arafu a throi'n law mân. Dim ond tri lliw oedd i'r byd. Roedd yr awyr yn llwyd, yr afon yn frown a phopeth arall yn wyrdd.

Ddiwrnod ar ôl iddyn nhw allu gorffen chwarae'r Gêm am y tro cyntaf. Am yr unig dro.

Ddiwrnod ar ôl iddo dyngu llw na fyddai fyth eto – byth! – yn dychwelyd i'r sgubor, aeth yn ôl yno.

Gyda thun bychan o betrol ar gyfer leitars sigaréts yn ei boced. A leitar. Un o'r pethau piws, plastig yna. Roedd y petrol a'r leitar wedi cael eu dwyn o'r siop bapur newydd lle'r oedd ei fam yn gweithio, y tro cyntaf erioed iddo ddwyn unrhyw beth.

Roedd gwaelodion coesau ei jîns yn wlyb socian, diolch i laswellt y cae, ac yn frith o hadau bychain gwynion erbyn iddo gyrraedd y sgubor.

Safai'r drws ar agor.

Roedd y glaw yn rhy ysgafn a mân i wneud llawer o sŵn ar

y to. Arhosai'r Gêm amdano yng nghanol y beliau, lle y gadawyd hi'r diwrnod cynt.

Cydiodd ynddi, a throi am y drws. Bu o fewn dim iddo'i gollwng, oherwydd teimlai am eiliad fod y Gêm wedi gwingo yn ei ddwylo, fel anifail yn ceisio llithro a dianc o'i afael.

Gofalodd fynd yn ddigon pell oddi wrth y sgubor cyn gosod y Gêm ar y ddaear. Tynnodd y petrol o'i boced, gan ei chwistrellu drosti nes bod y tun yn wag. Taniodd y leitar, gan gyffwrdd blaen tafod y fflam i'r Gêm.

Dechreuodd losgi – yna gwelodd mai'r petrol oedd yn llosgi, dim byd ond y petrol, gyda chwmwl mawr o fwg du yn codi ohono. A dechreuodd y mwg newid lliw. Dechreuodd droi'n felyn, a bu bron iddo chwydu oherwydd y drewdod a chwyddai o ganol y mwg – drewdod fel wyau wedi pydru, yn union fel y swlffwr a ogleuodd yn un o'i wersi cemeg yn yr ysgol.

Wrth gamu'n ôl oddi wrth y mwg a'r drewdod, llithrodd ar y glaswellt gwlyb a syrthio ar ei gefn i ganol y glaswellt. Gwelodd y mwg yn byrlymu ar ei ôl, nes ei fod yn hofran uwch ei ben fel anghenfil uwch ei ysglyfaeth.

Fel pe bai'n mwynhau gwylio ei ofn, ac yn gohirio'r weithred o gau amdano a'i fygu.

Roedd y mwg i gyd yn felyn erbyn hyn – heblaw am ei ganol. Düwch oedd yn ei ganol, cwmwl du a oedd yn prysur gymryd ffurf bendant.

Ceisiodd gau ei lygaid, ond roedd hynny'n amhosib, roedden nhw'n gwrthod cau, yn methu cau, fel petai rhywun â bysedd o ddur yn eu dal ar agor.

Safai rhywun – rhywbeth – yng nghanol y mwg, yng nghalon y mwg melyn, rhywun mewn du o'i gorun i'w sawdl, du bitsh i gyd, ond roedd yna gochni hefyd, dau olau coch, dau lygedyn o gochni, dwy lygad goch yn rhythu arno'n gwingo ar y glaswellt gwlyb gyda'i freichiau a'i goesau'n symud yn wyllt ond yn methu'n mynd i unman, yno ar ei gefn fel morgrugyn ar fin marw.

Agorodd ei geg i sgrechen ond llifodd y swlffwr i lawr ei gorn gwddf ac i fyny ei ffroenau, gan deimlo'n dew fel hen gwstard, fel hen fwstard, fel fflem anferth yn llithro i mewn i'w wddf ac yn ei dagu.

Dechreuodd gyfogi, ac wrth iddo wneud hynny, ciliodd y mwg oddi wrtho. Ei gael i gyfogi oedd y bwriad, efallai, pwy a ŵyr; roedd fel petai'r ffigwr du yng nghanol y mwg wedi blino ar chwarae ag ef am y tro. Ac wrth i'r mwg gilio a lleihau, diflannu hefyd wnaeth y ffigur tywyll a'r llygaid cochion, nes ymhen eiliadau doedd dim byd ar ôl ond y glaw a'r glaswellt.

A'r Gêm.

Roedd hi'n dal yno, ddim tamaid gwaeth ar ôl ei bedydd o betrol a thân, er bod y glaswellt o'i chwmpas wedi'i losgi ac yn hisian yn ddu yn y glaw mân . . .

'. . . ac ro'dd hi'n *oer*, Jos – yn hollol oer. Fel 'se hi ond newydd ddod mas o'r ffrij ne' rwbeth. Doedd hi ddim wedi llosgi o gwbwl, na'th y tân ddim gadel unrhyw farc arni. Dim o gwbwl.'

Tawodd Meic. Roedd Jos, gwelodd, yn rhythu arno'n gegrwth.

'Beth . . .' Cliriodd Jos ei wddf. 'Beth wnest ti 'da hi wedyn, 'te? . . . 'Da'r Gêm?'

Cododd Meic ei ysgwyddau. 'Dim lot. Mynd â hi'n ei hôl i'r tŷ gwair, yn gwmws ble'r o'dd hi pan adawon ni hi 'na'r dwrnod cyn 'nny. Yn gwmws ble'r oedd y chwe llygoden ffyrnig 'ne gynne fach. Ond 'dyw hi ddim 'na nawr.'

'Ble ma' hi, 'te?'

'Ie, wel – 'na'r cwestiwn mowr, ontefe. 'Dyw hi ddim 'da fi. A 'dyw hi ddim 'da ti.' Ysgydwodd Jos ei ben. 'Ma' hi 'da *rhywun*, Jos. 'Da un o'r pedwar arall.' Petrusodd am eiliad, yna meddai: 'Ond os *wyt* ti'n digwydd dod o hyd iddi, Jos, beth bynnag nei di, paid â thrial 'i llosgi hi na'i dinistrio hi nac achosi unrhyw niwed iddi o gwbwl. Os wyt ti'n gall. Dishgwl ar yr holl *shit* sy 'di digwydd i *fi* ers i fi neud 'nny.'

Pennod 11

'Be wyt ti wedi'i neud 'da Mam – ?'

Roedd Peter wedi bod yn disgwyl am y cwestiwn hwn ers iddo gael yr alwad ffôn o swyddfa'r heddlu – yn wir, ers iddo gael y cipolwg chwim hwnnw o Branwen ar y stryd.

Bu'n chwarae, am un eiliad wallgof, â'r syniad o ddweud wrth yr heddlu nad oedd unrhyw syniad ganddo pwy oedd y ferch. Ond gwyddai na fuasai hynny'n gweithio am hir iawn, ac mai'r canlyniad anochel fyddai iddo ef gael ei gosbi am wastraffu amser yr heddlu. Dyn a ŵyr, roedd y blismones ifanc a'i croesawodd yn ddigon crac yn barod. Roedd Branwen, yn amlwg, wedi chwarae'r diawl â hi am amser cyn cyfaddef pwy oedd hi.

Yn awr, safai'r ddau y tu allan i swyddfa'r heddlu yn gwgu ar ei gilydd. Roedd yn amlwg i Peter nad oedd unrhyw bwrpas mewn ceisio cynnal sgwrs resymol, waraidd gyda Branwen, ac roedd yn falch o hynny. Cael gwared arni oedd ei flaenoriaeth, nid estyn croeso adref iddi.

'Yffach, ma' 'da ti wyneb,' meddai wrthi. 'Pwy wyt ti'n feddwl wyt ti, Branwen? Pa hawl sy 'da ti i ddod 'nôl yma? Ti 'di sbwylo bywyde digon o bobol yn barod.'

'Ble ma' Mam?'

'Shgwl, gad ti lonydd i dy fam . . .'

'*Ble ma' hi?*'

Petrusodd Peter Phillips am eiliad. Roedd hi'n siŵr o gael gwybod am Diane yn hwyr neu'n hwyrach, sylweddolodd.

'Ma' hi yng nghartre Bryn Tawel,' meddai. 'Ma' hi wedi bod miwn a mas o'r lle ers . . . ers blynyddoedd.'

Rhythodd Branwen arno. Cof plentyn oedd ganddi o Fryn Tawel, ond roedd hynny'n ddigon; gwyddai ei fod yn gartref i bobol yn dioddef â phroblemau meddwl, sefydliad a fu'n destun jôcs di-chwaeth a chreulon i genedlaethau o blant yr ardal.

Ac roedd ei mam yno.

Os oedd Peter yn dweud y gwir. Oedd, wrth gwrs ei fod yn dweud y gwir; fuasai hyd yn oed Peter Phillips ddim yn dweud celwydd am rywbeth fel'na.

Gwyliodd Peter hi'n ofalus. Roedd ei eiriau'n amlwg wedi'i llorio. 'Ie, yn gwmws,' meddai. 'Aeth hi o ddrwg i waeth ar ôl colli Siân. A grinda – os o's 'da ti unrhyw feddwl ohoni, ei di ddim yn agos ati. Wyt ti'n clywed, Branwen? Dwyt ti ddim i fynd yn agos ati hi na Bryn Tawel. Y ti yw'r person ola ma' hi'n moyn 'i gweld.' Arhosodd am eiliad, yna ychwanegodd: 'Wedi'r cwbwl, 'se hi ddim 'na o gwbwl oni bai amdanot ti.'

Roedd Branwen yn syllu'n ddall ar brysurdeb y stryd o'u hamgylch, ond pan glywodd Peter yn dweud hyn, trodd ac edrych arno'n ffyrnig. Bron heb iddo sylweddoli ei fod wedi gwneud hynny, camodd Peter yn ôl oddi wrth y casineb a saethai o'i llygaid.

Yna trodd a brysio i ffwrdd oddi wrtho.

(ii)

Rwy'n nabod hon, wy'n siŵr, meddyliodd Carol Gruffydd.

Daeth y ferch dal i mewn i'r siop yn sgil mintai haerllug, ddi-droi'n ôl, o blant oedd, yn ôl pob golwg, newydd fyrlymu oddi ar fws. Meddyliodd Carol i ddechrau mai'r ferch oedd yn edrych ar eu holau, ond daeth dau oedolyn blinedig a chwyslyd yr olwg i mewn at y plant, tra safai'r ferch yn ddigon pell oddi wrthynt.

Y ffrij hufen-iâ oedd cyrchfan y plant, a safodd Carol yno'n barcudo drostynt nes eu bod i gyd, o'r diwedd, wedi cael a thalu am hanner cynnwys y ffrij. Roedd y ferch yn sefyll uwchben y barrau siocled oedd ar y cownter gyda dau *Aero* blas mint yn ei llaw.

Pwy *yw* hi?

'*Sorry about that*,' meddai Carol, gan gymryd y pisyn punt roedd y ferch yn ei gynnig iddi. '*Thanks* . . . Sori – chi'n siarad Cymra'g?' gofynnodd wrth roi ei newid iddi.

Nodiodd y ferch, a chraffodd Carol arni.

'Odw i'n ych nabod chi?'

Cododd y ferch ei hysgwyddau, ac yna sylweddolodd Carol pwy oedd hi.

'Nage – Branwen wyt ti? Branwen Phillips?'

Ochneidiodd Branwen. Roedd hi wedi anghofio mai mam Meic Gruffydd oedd yn rhedeg y siop bapur newydd hon. Yn wir, ar ôl y sgwrs a gafodd gyda Peter, doedd hi ddim wedi gallu meddwl am ddim byd arall ond am ei mam hi'i hun. Ei bwriad oedd mynd ar ei hunion i fyny i Fryn Tawel, ond cofiodd yn sydyn fod gan Diane wendid am siocledi mint, a hon oedd y siop gyntaf iddi ddod ar ei thraws.

Roedd Carol Gruffydd wedi newid cryn dipyn hefyd, gwelodd. Roedd ei gwallt hir, du nawr yn gwta ac yn frith, ac roedd y blynyddoedd diwethaf wedi caledu'i hwyneb; edrychai'n berson miniog iawn erbyn hyn, ac roedd Branwen wedi sylwi arni'n ei llygadu'n ansicr ers iddi ddilyn y plant yna i mewn i'r siop.

Yna roedd hi'n adleisio geiriau Peter funudau ynghynt.

'Yffach, ma' 'da ti wyneb!'

'Dyna ma' pawb yn 'i 'weud.' Trodd Branwen am y drws.

'Ac wyt ti'n synnu? Ar ôl beth wnest ti i dy 'wha'r fach?'

Rhewodd Branwen. Trodd yn araf, ei llygaid yn oer unwaith eto. 'A beth yn gwmws wnes i?'

'*Ti'n* gwbod!'

'Falle. Ond dy'ch *chi* ddim yn gwbod, y'ch chi?'

''Wedodd Meic wrtho i'n gwmws beth ddigwy . . .'

'Do fe?' torrodd Branwen ar ei thraws. 'A nethoch chi

'rioed ystyried fod 'ych Meic bach annwyl chi'n gweud celwydd? 'U bod nhw 'i *gyd* yn gweud celwydd?'

'Grinda . . .'

'Ar beth? Rhyw hen sarff fel chi'n poeri gwenwn i bob cyfeiriad, ife? Na, dim diolch, ma' gwell pethe 'da fi i' neud.' Agorodd y drws.

'Pam wyt ti'n ôl yma?' gwaeddodd Carol arni. 'Wedi dod i strywo bywyde bawb 'to, ife?'

Trodd Branwen eto, a'r tro hwn roedd ei llygaid yn oerach nag erioed.

'O, ie. Os y galla i – ie.'

Ac am funudau hirion ar ôl i Branwen Phillips gerdded allan drwy'r drws, bu Carol yn brwydro'n erbyn y cymhelliad cryf a rhyfedd i gau'r siop a rhedeg nerth ei thraed i'w hen gartref, lle'r oedd Meic yn byw gyda Brian, a chydio ym Meic a'i wasgu'n dynn, dynn i'w bron.

(iii)

Pan oedd yn blentyn, lle i'w osgoi ar bob cyfrif oedd Bryn Tawel i Branwen. Roedd ei dychymyg yn mynnu portreadu'r cartref fel rhyw fath o wallgofdy Fictoraidd, fel y rheini a welodd droeon mewn ffilmiau arswyd, gyda'r cleifion yn crwydro'n rhydd drwy'r coridorau, yn glafoerio ac yn mwmblan wrthyn nhw eu hunain, pan nad oedden nhw wedi'u clymu mewn siacedi caeth neu eu cloi y tu mewn i gelloedd â muriau meddal.

Ond roedd hynny flynyddoedd yn ôl – ymhell cyn fod angen lloches mewn sefydliadau tebyg arni hi'i hun. Sefydliadau a'i dysgodd sut oedd cadw rywfaint o reolaeth ar y corynnod.

Nawr, wrth gerdded i fyny'r dreif rhwng y llwyni rhododendron a'r borderi bach lliwgar, taclus, roedd geiriau olaf Peter yn dal i adleisio yn ei phen.

Faint o wirionedd oedd ynddyn nhw?

Amhosib oedd dweud 'dim'. Pe na bai hi wedi mynd i'r sgubor y diwrnod hwnnw gyda gweddill y Criw, yna fyddai Siân ddim wedi ei dilyn yno. Ni allai Branwen ddadlau yn erbyn hynny. Ond y lleill a waeddodd ar Siân i fynd i ffwrdd, a Nhw a'i rhwystrodd hi, Branwen, rhag brysio allan ar ôl Siân. Nid oedd unrhyw fai arni hi am hynny.

Yn nag oedd?

Damwain oedd yr hyn ddigwyddodd i Siân – un erchyll, ofnadwy, drasig dros ben, ond damwain oedd hi.

Ond nid felly yng ngolwg pobol y pentref, os oedd Carol Gruffydd i'w chredu. Ac yn sicr nid felly yng ngolwg Peter.

Na chwaith yng ngolwg Diane. Nid oedd Branwen eisiau meddwl am hyn – treuliodd y rhan fwyaf o'r pum mlynedd diwethaf yn brwydro'n galed yn erbyn gwneud hynny – ond gwyddai fod Diane *yn* ei beio hi am farwolaeth Siân. Ni allai anghofio tawelwch cyhuddgar ei mam, na'r boen aruthrol a welai yn ei llygaid bob tro yr edrychai arni.

A'r diwrnod yr aeth i ffwrdd o gartre, roedd Diane wedi troi'i hwyneb oddi wrthi. Wedi troi'i chefn arni.

A heddiw, dyma Peter yn dweud yn blaen mai Branwen oedd yn gyfrifol am anfon ei mam i Fryn Tawel.

Ond 'dyw hynny ddim yn wir! sgrechodd ei meddwl. *Nid fy mai i oedd e!*

A'r hyn oedd wedi ei brifo fwyaf oedd y ffaith fod ei mam wedi'i chael yn haws credu'r pump arall na'i chredu hi.

(iv)

Gwyddai Diane, petai'r breuddwydion ond yn peidio, y gallai ddechrau meddwl am fynd yn ôl adref eto.

Yn ystod y nos y deuen nhw gan amlaf. Ond yn ddiweddar roedden nhw wedi dechrau dod yn ystod y dydd hefyd, bob tro yr eisteddai yn ei chadair a dechrau pendwmpian.

Yr un oedd y freuddwyd bob tro.

Diwrnod bendigedig o haf (yn union fel dyddiau'r wythnosau diwethaf), a hithau'n cerdded drwy gae yn llawn o flodau melyn gwylltion. Dim ond un cwmwl bach gwyn, esmwyth yn yr awyr las uwch ei phen, yr haul yn gynnes ar ei hwyneb ac awel fach ysgafn yn anwesu'i hwyneb. Ym mhen pella'r cae mae'r afon, a gall glywed ei bwrlwm prysur wrth iddi agosáu ati. Mae popeth bron iawn fel golygfa o un o ffilmiau cartŵn Disney, gyda'r lliwiau'n llachar a holl greaduriaid bychain byd natur fel petaen nhw am sgwrsio a chanu caneuon doniol unrhyw funud. Mae dŵr yr afon yn glir a glân, ac mae brithyll bychain yn cosi gwadnau ei thraed wrth iddi eistedd ar y lan.

Yna mae'r cwmwl bach gwyn yn nofio dros wyneb yr haul, ac mae Walt Disney'n diflannu a daw Hieronymus Bosch yn ei le, neu hyd yn oed Goya ar ei dduaf. Mae'r awel fach fwyn yn troi'n wynt oer, yn brathu fel cyllell ac yn poeri bwledi milain o eirlaw i'w llygaid. Try'r afon yn ffrwd o ddŵr du, a thros ru y gwynt clyw Diane lais Siân yn galw arni . . .

'Mam! Ma-am!'

. . . ond does dim golwg o Siân yn unman, a swnia'i llais fel pe bai'n dod o rywle pell ac oer ac unig. Ceisia Diane godi ar ei thraed, ond mae rhywbeth o dan wyneb y dŵr yn cydio yn ei phigyrnau ac yn ei rhwystro rhag codi. Dechreua dynnu, a theimla Diane ei hun yn llithro'n nes ac yn nes at ochr y lan.

O edrych i lawr, gwêl mai Siân sydd yno, o dan y dŵr, ei hwyneb yn wyn a'i gwallt yn llawn o chwyn gwyrdd tywyll. Y hi sy'n gafael yn dynn yn nwy bigwrn Diane, ac mae'n crechwenu'n filain wrth dynnu ei mam yn nes ac yn nes at y dŵr, ati hi. Mae ei dannedd yn ddu a'i hewinedd yn hir ac yn finiog, a sgrechia Diane â phoen wrth iddi eu teimlo'n suddo i mewn i gnawd tyner ei phigyrnau. Ceisia gicio, ond mae dwylo Siân fel dwylo o ddur, a thrwy'r amser llithra'n nes ac yn nes at ddŵr yr afon . . .

A dyna pryd y bydd Diane yn deffro, diolch byth, ond bob tro mae hi ychydig yn nes at y dŵr, ac ofna nad oes llawer o freuddwydion ar ôl ganddi: cyn bo hir iawn, bydd hi *yn* cael ei thynnu'r holl ffordd i mewn i'r afon, a bydd hi gyda Siân o dan y dŵr.

Ceisiodd ei chysuro'i hun drwy ddweud, drosodd a throsodd, mai dim ond breuddwydion oedden nhw. Hen freuddwydion cas, ie, ond dim ond breuddwydion, dim byd mwy na hynny.

Yna, a hithau'n hollol effro, dechreuodd deimlo poenau ar waelodion ei choesau. Dechreuodd gael trafferth i gerdded. Tynnodd ei sanau un noson a gweld fod ei dwy bigwrn wedi'u cleisio i gyd – cleisiau duon, a edrychai'n union fel pe bai rhywun wedi eu gwasgu'n gïaidd.

Ac un bore, dringodd o'i gwely a gweld fod gwaelod ei chynfas gwely yn waed i gyd. Roedd sawl archoll yng nghnawd ei fferau: edrychent yn union fel pe bai *rhywun* wedi plannu eu hewinedd yn ei chroen.

Ac roedd y carped wrth droed ei gwely yn wlyb trwyddo.

Cha i byth fynd adre'n awr, meddyliodd; wnân nhw ddim gadael i mi fynd, ddim nes y bydda i'n peidio â breuddwydio.

Ond wnaiff hynny ddim digwydd nes y bydda i o dan y dŵr.

Gyda Siân.

Yr unig beth i'w wneud, felly, oedd peidio â chysgu. Ond roedd hynny'n amhosib. Llwyddodd, un noson, i aros ar ddihun drwy'r nos, ond drannoeth aeth i gysgu yn ei chadair a dychwelodd y freuddwyd yn syth, a'r tro hwn roedd mwy o'i chorff yn y dŵr nag oedd ar ôl ar y lan; pan ddihunodd, roedd olion ewinedd lai na modfedd o dan ei phengliniau.

A meddyliodd, ddydd a nos: *Be sy'n digwydd i mi? Ydw i yn wallgof wedi'r cwbwl – fel mae pobol y pentre'n ei amau? O, Diane fach, trueni, mae hi wedi bod trwy uffern, chwarae teg – wedi colli'i gŵr, yna'i phlentyn, a'i merch arall hefyd i bob pwrpas. Dim rhyfedd fod yr holl beth wedi mynd yn drech na hi, mae'n wyrth ei bod hi cystal, rhwng popeth . . .*

Bla, bla, bla . . .

Ond beth fydden nhw i gyd yn ei ddweud petaen nhw'n gwybod am y breuddwydion? Petaen nhw'n gwybod am y crafiadau a'r cleisiau ar ei choesau? Beth fyddai *Peter* yn ei ddweud? Roedd ei gŵr eisoes yn edrych arni gyda rhywbeth tebyg i ofn yn ei lygaid: roedd Peter yn amlwg yn teimlo'n anghyfforddus iawn yn ei chwmni – fel petai'n disgwyl iddi neidio'n rheibus am ei wddf unrhyw funud.

Pan fyddai'n trafferthu dod i ymweld â hi.

Ond alla i ddim sôn wrtho fe am y breuddwydion, meddyliodd Diane. Alla i ddim. Alla i ddim sôn amdanyn nhw wrth *neb*.

Gwisgai jîns neu drowsus bob dydd y dyddiau yma, rhag ofn i rywun o'r staff sylwi ar gyflwr ei choesau. Llwyddodd i ddwyn dwy gynfas sbâr o'r cwpwrdd dillad ar ben y grisiau, a bob nos rhoddai'r rhai brwnt a gwaedlyd ar ei gwely.

Erbyn y bore, bydden nhw'n glynu i'w chnawd oherwydd y gwaed ffres oedd wedi sychu arnynt yn ystod y nos. Ceisiai gerdded cyn lleied â phosib; roedd ei phigyrnau'n boenus, ac ofnai i rywun sylwi arni'n cloffi. Heddiw, er enghraifft, roedden nhw'n fwy poenus nag erioed, a phrin y gallai Diane gerdded o'i gwely i'w chadair heb ei bod eisiau griddfan yn uchel mewn poen.

Ond os na fyddai hi'n cerdded, eistedd a fyddai, naill ai ar ei gwely neu yn ei chadair wrth y ffenestr, ac yn hwyr neu'n hwyrach byddai'n pendwmpian.

Ac yn breuddwydio eto.

Yn ei chadair roedd hi'n awr, gyda'r ffenestr ar agor. Roedd hyd yn oed y gerddi fel petaen nhw'n pendwmpian yng ngwres yr wythnosau diwethaf hyn, y blodau i gyd yn bendrwm a difywyd.

Fel y blodau oedd ganddi mewn fâs wrth ei gwely.

Y blodau melyn.

> *A minnau'n blentyn pumlwydd,*
> *Ar erwau'r tyddyn hen*

Fe dyfai'r blodau melyn
Nes cyrraedd at fy ngên.

Na hidier; pan ddêl troeon
Y byd i gyd i ben,
Pryd hynny bydd y blodau
Yn chwifio uwch fy mhen.

Agorodd ei llygaid yn frysiog, gyda naid fechan. Dyna hi, roedd hi o fewn dim i gysgu eto, a'r unig beth a wnaeth oedd dechrau adrodd cerdd fach seml I. D. Hooson yn ei meddwl. Ond roedd y freuddwyd wedi dechrau'n wahanol y tro hwn. Am unwaith, doedd Diane ddim mewn cae yng nghanol môr o flodau melyn. Yn lle hynny, roedd hi gartref yn ei chegin, yn dodi bwnsaid o'r blodau mewn fâs ac yn adrodd y gerdd wrth'i hun wrth weithio. Yna roedd llais plentyn wedi dod o'r tu ôl iddi, yn ymuno yn yr adrodd ac yn neidio'n syth o'r pennill cyntaf i'r pedwerydd pennill, i bennill olaf y gerdd. A phan drodd Diane, nid Siân oedd y tu ôl iddi'n gwenu arni o'i chadair wrth y bwrdd, ond Branwen.

Safodd Diane yn ddryslyd. Roedd ei gruddiau'n wlyb, sylweddolodd; mae'n rhaid ei bod wedi dechrau wylo yn ei chwsg. Ond felly roedden ni ers talwm, cofiai, Branwen a fi, cyn fod pethau wedi dechrau troi'n ddrwg; roedden ni'n shwt ffrindie, ac 'Y Blodau Melyn' oedd un o'r cerddi cyntaf i mi ei dysgu iddi.

Sychodd ei llygaid â chefn ei llaw, a chrwydro draw at y ffenestr.

Ac wrth syllu allan dros y lawnt i lawr at geg y ffordd, fe'i gwelodd ei hun yn ddeunaw oed yn cerdded i fyny'r dreif.

Be sy'n digwydd i fi? sgrechiodd ei meddwl unwaith eto, ond yna sylweddolodd nad breuddwydio roedd hi. Ffigur o gig a gwaed oedd un y ferch a oedd yn nesáu tuag ati, ac adnabu Diane hi'n syth.

Roedd drws ystafell ei mam ar agor.

Cerddodd Branwen tuag ato, gyda gwadnau ei hesgidiau'n gwichian ar wyneb y llawr gloyw. Cododd ei dwrn gyda'r bwriad o guro'n ysgafn ar y drws, ond gwelodd fod Diane yn gorwedd ar ei gwely, a'i chefn ati.

Safodd Branwen yno'n syllu arni. Roedd y nyrs newydd ei rhybuddio fod Diane yn cysgu llawer y dyddiau yma, ond ei bod yn cael trafferthion yn ystod y nos: roedd sawl un wedi cwyno iddynt gael eu deffro gan sŵn Diane yn sgrechen.

Yn awr, gorweddai ar ei gwely, yn hollol llonydd ar wahân i rythm naturiol ei hysgwyddau wrth iddi anadlu. Roedd ei gwallt, gwelodd Branwen, mor hardd ag erioed, yn byrlymu'n un rhaeadr coch i lawr ei chefn, ac yn sgleinio yng ngoleuni heulwen y prynhawn. Gwisgai jîns glas a chrys-T gwyn, ac wrth syllu ar ei breichiau noethion cafodd Branwen fflach sydyn o'i phlentyndod, pan oedd yn ddigon bach i eistedd ar lin Diane yn cyfri'r smotiau o frychni haul a frithai groen ei braich.

'Mam . . . ?' Cliriodd ei gwddf: roedd lwmpyn anferth wedi chwyddo ynddo. 'Mam?'

Daeth i mewn i'r ystafell a cherdded heibio i droed y gwely. Roedd Diane yn amlwg mewn trymgwsg. Efallai bod hynny'n beth da, meddyliodd Branwen. Efallai bod Peter yn iawn, ac na ddylwn i fod yma. Yn sicr, sa i'n moyn iddi ddihuno'n sydyn, agor ei llygaid a 'ngweld i'n sefyll yma. Efallai y byddai hynny'n . . .

Sa i'n gwbod. Ond fe rown y byd am fedru gwyro i lawr, ei chusanu'n ysgafn ar ei thalcen a'i gwylio'n agor ei llygaid gwyrddion ac yna'n gwenu'n hapus o weld mai y fi sy yma.

Diflannodd Diane yn ddirybudd y tu ôl i len o niwl, a sylweddolodd Branwen fod dagrau poethion yn byrlymu o'i llygaid. Sychodd nhw'n frysiog, gan dynnu'r ddau siocled *Aero* o'i bag a'u dodi ar y cwpwrdd bychan oedd gan ei mam wrth ochr ei gwely. Gwelodd fod arno fâs o flodau melyn, i gyd wedi hen wywo, a phenderfynodd ddod â rhai ffres iddi'r tro nesaf.

Yna trodd a brysio o'r ystafell.

Arhosodd Diane yn llonydd, yn gwrando ar sŵn traed ei merch yn gwichian i ffwrdd oddi wrthi. Yna cododd oddi ar ei gwely gan frysio at y ffenestr ac edrych allan. Gwyliodd Branwen yn cerdded i ffwrdd i lawr y dreif nes iddi ddiflannu y tu ôl i'r llwyni rhododendron wrth geg y ffordd.

Yna sylweddolodd fod y boen oedd ganddi yn ei phigyrnau wedi mynd. Cododd waelodion ei jîns. Roedd y cleisiau a'r crafiadau'n dal yno, ond doedden nhw ddim mor amlwg ag yr oedden nhw'n gynharach heddiw, ddim o bell ffordd.

Ymsythodd, gan edrych o amgylch ei hystafell.

Ni ddechreuodd wylo nes i'w llygaid syrthio ar y ddau far o siocled a orweddai ar ben y cwpwrdd ger ei gwely.

Pennod 12

(i)

Roedd hi yn y stablau, unwaith eto. Digon hawdd oedd dweud na allai aros i ffarwelio â'r pentref, â'r 'twll lle' yma unwaith ac am byth, ond y broblem fawr oedd Sbeis. Sut oedd Emma am fyw yn ei chroen am fisoedd lawer – 'am byth' – heb weld Sbeis? Roedd Sbeis yn rhan o'r 'twll lle'; ni allai hyd yn oed *freuddwydio* am fynd ag ef i ffwrdd gyda hi.

Dwyt ti ddim yn *gwybod* 'mod i'n cynllunio i fynd i ffwrdd a dy adael di, Sbeis bach; petait ti'n gwybod hynny, fyddet ti ddim yn troi dy ben ac yn edrych arna i gyda'r llygaid mawr, brown, meddal 'na, a fyddet ti ddim yn rhwbio dy ben yn f'erbyn am ychydig o fwythau. Fyddet ti ddim chwaith yn sefyll yn amyneddgar tra 'mod i'n clymu'r cyfrwy amdanat, nac yn fy nilyn yn ufudd allan o'r stabl ac yn aros yn llonydd i fi gael dringo ar dy gefn di.

Rhedai hyn i gyd drwy'i meddwl wrth iddi agor drws y stabl. Disgwyliai i arogl cynnes y gwair lenwi'i ffroenau, ond nid oedd unrhyw arogl i'w glywed heddiw.

Rhyfedd.

Rhyfedd hefyd oedd y ffaith fod Sbeis yn sefyll ym mhen pella'r côr, yn wynebu'r drws, ac yn gwgu arni, rywsut, fel na bai ganddi hawl i fod yno, fel petai hi'n tresmasu. Doedd ei lygaid ddim yn frown nac yn feddal heddiw chwaith; roedden nhw'n ddu, gyda rhyw gochni anghyfforddus yn eu canol.

'Sbeis? Be sy'n bod?' gofynnodd, oherwydd *roedd* rhywbeth yn bod, gallai deimlo hynny'n gryf. Roedd pethau'n bell o fod yn iawn: doedd Sbeis ddim *i fod* i syllu arni fel hyn, fel petai Emma'n hollol ddieithr iddo, fel petai'n ei *chasáu*, a doedd hithau chwaith ddim yn hoffi'r hen gochni milain a llachar a welai'n mudlosgi yn ei lygaid. Gwneud iddi deimlo fel pe bai Sbeis wedi troi'n geffyl i un o'r marchogion duon a di-wyneb rheini yn *The Lord of the Rings*.

Nid oedd sŵn cyfarwydd ei llais wedi gwella'r sefyllfa, chwaith. Os rhywbeth, roedd wedi gwneud pethau'n waeth, oherwydd taflai Sbeis ei ben yn ôl gan weryru'n fygythiol. Yn sydyn teimlai Emma'n fach iawn yn sefyll yn ei gysgod, yn fach ac yn fregus, ac roedd y drws y tu ôl iddi wedi *diflannu* i rywle. Ni allai hi chwaith symud drwy'r gwair yn hawdd iawn; roedd hwnnw'n teimlo fel gwifrau miniog o amgylch ei phigyrnau. Roedd yn sicr fod Sbeis wedi penderfynu ei fod *yn* ei chasáu â chas perffaith erbyn hyn ac yn sefyll ar ei goesau ôl ac yn chwifio'i garnau blaen fel petai'n bocsio â'i gysgod ei hun. A thrwy'r amser roedd y gweryru ofnadwy yn chwyddo'n uwch ac yn uwch nes ei fod yn sgrechen, bron, cyn i'w lygaid cochion setlo arni o'r diwedd. Ceisiodd symud oddi wrtho ond roedd y gwifrau ar y llawr yn ei rhwystro:

syrthiodd yn ôl a gorwedd ar ei chefn gyda charnau Sbeis yn chwibanu drwy'r aer uwch ei phen.

Brathodd ei thafod pan ffrwydrodd y carn cyntaf yn erbyn ei thalcen: brathodd ef yn ddau a llanwyd ei cheg â blas ei gwaed hi'i hun. Tarodd yr ail garn hi yng nghanol ei hwyneb, gan chwalu'i thrwyn a'i dannedd, a dechreuodd dagu ar yr holl waed a darnau bychain o ddannedd a lifai i lawr ei gwddf. Drwy'r boen gwelodd fod Sbeis fwy neu lai'n *dawnsio* ar ei choesau, a sylweddolodd mai'r sŵn clecian rhyfedd a glywai oedd sŵn ei hesgyrn hi'i hun yn chwalu fel creision. Ceisiodd sgrechen, ond roedd y tu hwnt i hynny bellach, gan fod ei gwddf wedi ei fathru'n gyfan gwbl, a'r unig beth y gallai Emma ei wneud oedd gorwedd yno'n gwrando ar ei hesgyrn yn troi'n siwgr fesul un, yn siwgr coch . . .

. . . ac yna roedd hi'n eistedd i fyny yn ei gwely, yn gwichian anadlu yn nhywyllwch cyfarwydd ei hystafell gyda'i chrys-T Manic Street Preachers yn wlyb socian amdani, yn rhedeg ei bysedd dros ei hwyneb drosodd a throsodd, dros ei thrwyn cyfan, iach, ei dannedd perffaith, ei gwddf a'i hysgwyddau a'i bronnau a'i breichiau a'i bol. Arhosodd i'w chalon ddechrau arafu ac i'r adleision o weryru Sbeis ddiflannu o'r tu mewn i'w phen.

Mor real, mor real – pob manylyn o'r hunllef mor real. Hyd yn oed y boen yn ei choesau, poen nad oedd yn gwywo a phallu, a phan lwyddodd i ddod o hyd i swits y golau ger ei gwely, gwelodd, o wthio'r *duvet* i lawr oddi ar ei chluniau, fod ei choesau wedi mynd, i bob pwrpas, ac mai'r unig beth ar ôl oedd siwgr coch . . .

(ii)

'Yn gwmws fel . . . fel . . . fel Charlotte Church yn ca'l tantrym!' chwarddodd Wiliam.

'A phryd welest ti Charlotte Church yn ca'l tantrym erio'd?' holodd Linda.

'Alla i ddychmygu'r peth! A wy'n fo'lon beto y bydde hi'n swnio'n gwmws fel Emma, nithiwr.'

'Ie, o'reit, Wiliam. Do't *ti* ddim yn credu'i fod e'n ddoniol nithwr, os wy'n cofio'n iawn.' Gwgodd Raymond arno dros ei sbectol. 'Sa i'n credu fod un o' ni. Ro'n i'n siŵr fod rhywun wedi torri miwn i'w stafell hi.'

'A finne.' Estynnodd Linda ei llaw dros y bwrdd brecwast a gwasgu un Emma. 'Dim rhyfedd i ti ga'l hunllefe, cariad. Becso am y canlyniade o't ti, siŵr o fod.'

''Bach yn hwyr i ddechre becso nawr, on'd yw hi?' oedd sylw sarrug ei thad.

Rhythodd Emma arno. 'Beth?'

'Dere – rhaid i ti gyfadde na weithest ti'n galed iawn ar gyfer dy arholiade.'

'Do!' Trodd Emma am gymorth oddi wrth ei mam, ond gwrthododd Linda edrych arni; roedd yn amlwg ei bod hithau hefyd o'r un farn â Raymond. 'Shwt y'ch *chi'n* gwbod, ta beth? Dy'ch chi byth bron yn sylwi os odw i *'ma*!'

'Ond *dwyt ti* ddim *'ma*,' atebodd Raymond. ''Whare teg, Emma, ti naill ai 'di bod mas 'da'r merched neu gyda fe, Meirion, bron bob nos ers i ti ddechre ar dy gyrsie Lefel A.'

Cododd Emma ar ei thraed. 'Wel, fe fyddwch chi'n falch o glywed na fydd 'nny'n digwydd 'to,' meddai. 'Ma' Meirion wedi bennu 'da fi. O'reit? Chi'n hapus nawr, gobitho!'

Drama cwîn, 'na beth wyt ti, meddai wrthi'i hun ar ôl cyrraedd ei hystafell. Dihuno'r tŷ 'da dy sgrechen gwallgof neithiwr, a gollwng bomshel nawr 'da'r newydd am Meirion. Gallai Emma ei chicio'i hunan, oherwydd nid fel 'na roedd hi wedi bwriadu dweud am Meirion. Ei bwriad oedd rhoi'r argraff mai *y hi* oedd wedi dewis dod â'r berthynas i ben. Ond oni bai am y crîp Meic Gruffydd hwnnw, fyddai Meirion ddim wedi cwmpo mas gyda hi yn y lle cyntaf – yn enwedig ddoe, y diwrnod cyn iddi gael ei chanlyniadau Lefel A.

Clywodd rywun yn curo'n ysgafn ar ei drws, a hwpodd Raymond ei ben i mewn i'r ystafell.

'Ma'n flin 'da fi,' meddai. 'Do'n i ddim yn gwbod. Ti'n o'reit?' Nodiodd Emma. 'Siŵr?'

'Odw, sbo.'

'Beth ddigwyddodd, 'te?'

Nid oedd Emma am ddechrau ceisio egluro beth ddigwyddodd ddoe. Yn hytrach, cododd ei hysgwyddau.

'So pethe 'di bod yn iawn ers wthnose,' meddai. 'A bod yn onest, o'n i ond yn trial dala nes ar ôl i ni fod i Corfu. Ond 'na fe . . .'

'C'est la vie, ife?' Mentrodd Raymond wên fechan. 'O leia' ti'n ca'l mynd bant i Ibiza 'da'r merched. Dishgwl arno' i – wy'n styc yn y swyddfa 'co drw'r haf i gyd.' Petrusodd am funud, yna meddai: 'Grinda, Emma – beth 'wedes i gynne fach, ambytu'r arholiade . . . so fe'n ddiwedd y byd, ti'n gwbod. Gei di wastad 'u sefyll nhw 'to.'

Edrychodd Emma arno. ''Chi i gyd yn cymryd yn ganiataol 'mod i 'di methu, on'd ych chi?'

''Wedes i mo 'nny . . .'

'Do, i bob pwrpas! Diolch yn fowr iawn, Dad.'

'Grinda! Beth o'n i'n trial 'i weud o'dd, so fe'n ddiwedd y byd os wyt ti wedi ffaelu. Os . . . Ond 'da phob 'whare teg i fi, nest ti ddim lladd dy hunan ar 'u cyfer nhw, naddo fe?'

'O'reit – naddo. Ond . . .' Sut oedd esbonio hyn? 'Dad – ro'n i'n cofio'r cwbwl, chi'n gwbod. Bob tro o'n i'n mynd miwn i'r neuadd 'na, ac ishte lawr, a dechre sgrifennu – ro'n i'n cofio popeth ro'n i wedi'i ddarllen, popeth ro'n i wedi'i glywed . . . ro'dd e'n gwmws fel 'se'r llyfre 'da fi, ar agor, ar y ddesg. Ro'n i'n 'i gofio fe i gyd – bob un gair. 'Sen i wedi gallu ishte 'na trw'r dydd yn sgrifennu.

'Ac ro'dd rhwbeth tebyg yn digwydd pan ddechreues i adolygu. Do'dd dim ond ishe i fi agor unrhyw un o'r llyfre, ac ro'n i'n cofio'n gwmws beth o'dd ar y tudalen nesa – air am air, bron iawn. Ro'n i'n 'i wbod e, Dad. Do'dd dim rhaid i fi hala wthnose'n 'i ailddysgu fe'i gyd – *ro'n i'n 'i gofio fe.*'

Cododd Raymond ei aeliau, ond gallai Emma weld nad oedd yn ei chredu. 'Wel – dim ond gobitho na nest ti ishte na am deirawr yn sgrifennu nonsens, ontefe.'

'Gewn ni weld cyn hir, 'yn cewn ni?'

Syllodd Raymond arni. Ble ar y ddaear oedd hon yn cael ei hyder? Nid oedd ef na Linda fel y rhieni 'na sy'n ddall i ffaeleddau eu plant, a gwyddai fod gan Emma gryn feddwl ohoni'i hun ers pan oedd hi'n ddim o beth. Ond roedd dangos cymaint o hyder ar fore canlyniadau ei harholiadau Lefel A, yr arholiadau pwysicaf ohonynt i gyd yn ei farn ef . . .

Ysgydwodd ei ben. 'Cewn, sbo. Shgwl – ffona'r swyddfa, 'nei di? Cyn gynted ag y cei di'r cyfle.' Edrychodd arni eto. 'Oes unrhyw bwynt mewn dymuno pob lwc i rywun sy'n amlwg yn byrlymu 'da hyder?'

Gwenodd Emma wên fechan, dynn. ''Neiff e ddim drwg.'

Camodd i mewn i'r ystafell a phlannu cusan ar ei chorun. 'Pob lwc, Em. Cofia nawr – ffona.'

Yn byrlymu 'da hyder? meddyliodd Emma wedi iddo fynd. Falle'n wir fy mod i. Yn sicr, 'dyw fy stumog i ddim yn troi bob tro dwi'n meddwl am agor yr amlen sy'n aros amdana i yn yr ysgol, a falle y dylwn i fod yn becso am *hynny*, o leiaf, os nad am gynnwys yr amlen.

Ond alla i ddim.

Dwi'n becso fwy am bopeth sy wedi bod yn digwydd yn ddiweddar. Ond dyna'r union ofid a ddylai fod yn gwneud iddi boeni mwy am ganlyniadau ei harholiadau.

Oherwydd pe na bai wedi llwyddo, ni allai ddianc i ffwrdd i'r coleg ddiwedd yr haf. Byddai'n rhaid iddi aros yma – ie, yn y 'twll lle' yma – am fisoedd eto, a dyn a ŵyr beth arall fyddai'n digwydd iddi yn y cyfamser.

Cododd yn aflonydd at y ffenestr. Y methu-â-siarad hwn oedd y broblem. Efallai bod Seren – a Meic hefyd – yn iawn, ac y dylen nhw i gyd ddod at ei gilydd i drafod pethau. Roedden nhw i gyd wedi cadw'r gyfrinach am bum mlynedd hir. Dim ond nhw eu pump oedd yn gwybod am y Gêm ac am yr hyn ddigwyddodd yn y sgubor ar ôl i Branwen Phillips ruthro allan i'r glaw i chwilio am ei chwaer fach, a doedd yr un ohonyn nhw'n gallu troi at neb arall – eu teuluoedd, eu ffrindiau, neb o gwbl.

Doedden nhw ddim hyd yn oed wedi siarad *â'i gilydd* am y peth, gan obeithio, rywsut, y byddai'r holl ddigwyddiad yn diflannu o dudalennau hanes pe baen nhw'n anwybyddu'i gilydd, bron, gan esgus nad oedd wedi digwydd yn y lle cyntaf.

Ond roedd rhywbeth fel petai'n benderfynol o'u hatgoffa. Fel y dywedodd Seren a Meic, roedd gormod o bethau od – na, gwaeth na dim ond 'od', gormod o bethau brawychus, o bethau *sbwci* – wedi bod yn digwydd yn ddiweddar iddi fedru ei pherswadio'i hun mai cyd-ddigwyddiad oedd y cyfan.

Ac efallai fod Meic Gruffydd yn iawn ddoe.

Efallai *bod* y Gêm eisiau iddyn nhw ei chwarae hi eto.

(iii)

'Ma' problem 'da ti, Emma. Ti'n gwbod 'nna? Problem fowr 'fyd.'

Dyna oedd geiriau olaf Meirion wrthi cyn iddo droi a cherdded i ffwrdd, gyda siâp llaw Emma'n dal yn fflamgoch ar gnawd ei foch. Lai nag awr cyn hynny, edrychai'r diwrnod yn addawol: haul poeth eto fyth, a'r efeilliaid yn cyrraedd toc wedi deg y bore gyda'u gwisgoedd nofio. Ffoniodd Meirion 'whap wedi iddyn nhw gyrraedd, gyda'r newyddion fod diwrnod bant ganddo; cyrhaeddodd gefn tŷ Emma funudau'n ddiweddarach gyda dau o ffrindiau a ddechreuodd lafoerio fwy neu lai yn syth pan welson nhw'r merched yn eu bicinis bach.

'Gobitho fod dim gwahanieth 'da ti,' meddai Meirion wrthi'n ddistaw bach, gan amneidio i gyfeiriad ei ffrindiau. 'Fe landiodd y bois pan o'n i ar fin dringo i'r car.'

'Sa i'n credu fod Clare a Meinir yn bles iawn,' oedd barn Emma.

Edrychodd Meirion draw at ble roedd yr efeilliaid yn chwerthin ar eu gwelyau haul. 'Ma' nhw i weld yn hapus iawn i fi.'

'O, so ti'n nabod Clare a Meinir.' Roedd Emma'n hen gyfarwydd â'r ffordd roedd yr efeilliaid yn chwerthin ac yn gwenu ar y ddau fachgen, bron fel dwy gath sadistaidd yn chwarae â dwy lygoden fach naïf. Efallai eu bod yn gwenu'n llydan, ond roedd y bechgyn yn rhy brysur yn llygadrythu ar eu bronnau i sylwi fod eu hewinedd allan hefyd. Os oedd y ddau ddiniweityn yma'n credu fod diwrnod – a noson – ardderchog o'u blaenau, yna fe fydden nhw'n siomedig.

Ond ni chafodd Emma'r pleser o weld hynny. Clywodd wich y gât gefn, a phan gododd i'w heistedd gwelodd Meic Gruffydd yn nesáu at y pwll nofio.

'Parti preifat yw hwn, gw'boi,' croesawodd Meirion ef.

Arhosodd Meic ym mhen y pwll. 'Ga i air 'da ti, Emma?'

'So ti'n clywed?' dechreuodd Meirion, ond cododd Emma.

'Mae'n o'reit.' Cerddodd draw at ble roedd Meic yn gwneud ei orau i *beidio* ag edrych i gyfeiriad yr efeilliaid hanner-noeth. 'Be ti'n moyn?'

Gofalodd Meic fod ei lygaid yn aros ar wyneb Emma wrth iddo siarad â hi. Roedd ei wyneb yn goch, ac o dan amgylchiadau eraill buasai Emma wedi mwynhau ei anesmwythder amlwg. Gallai glywed yr efeilliaid yn giglan y tu ôl iddi.

'Wy'n moyn gwbod, Emma,' meddai. 'Odi'r Gêm 'da ti?'

'*Beth*?'

'Y Gêm – ti'n gwbod, Y Gêm. Odi hi 'da ti?' O ochr ei llygad gwelodd Emma fod Clare wedi codi ac yn sefyll bellach ar wefus y pwll nofio yn gwneud sioe o sythu top ei bicini. Heb droi, gwyddai Emma ei bod yn gwenu'n llydan ar y talp o chwys a safai'n ei holi. 'Y peth yw, ma' hi 'da un ohonon ni, ac ma'n bwysig bod . . .' Er gwaetha'i holl ymdrechion, llithrodd ei lygaid oddi wrthi i gyfeiriad Clare.

'Bod *be*?'

'Y?'

'Beth sy'n bwysig?'

Llwyddodd Meic i lusgo'i lygaid yn ôl ati hi. 'Wy'n credu fod y Gêm yn moyn i ni 'i 'whare hi 'to,' meddai. 'Sa i'n gwbod amdanot ti, ond ma' pethe od wedi bod yn digwydd i fi. Ac i Jos 'fyd,' ychwanegodd yn frysiog, 'nage dim ond i fi. A Seren. Ac ma' hi Branwen 'nôl 'ma 'fyd.'

'Sa i'n mynd i 'whare'r Gêm dwp 'na 'to!' meddai Emma. Chwarddodd, ond swniai'n ffug i'w chlustiau hi'i hun. '*Plant* o'n ni. Gêm i blant o'dd hi. Sa i'n gwbod am be ti'n siarad – ond wy *yn* gwbod un peth. Sa i 'di gweld y Gêm 'na ers pum mlynedd – a ti'n gwbod beth? Sa i'n moyn 'i gweld hi, 'whaith, heb sôn am 'i 'whare hi byth 'to.'

Craffodd Meic arni. 'A 'dyw hi ddim 'da ti? Ti'n siŵr, Emma?'

'Odw!'

'Emma, ma' hyn yn bwysig. O'reit, ma'n swnio'n wallgof, wy'n gwbod 'nny – fel rhwbeth mas o *Buffy* ne' rwbeth, ond mwya'n y byd wy'n meddwl ambytu'r peth . . . Ma' rhywun ishe i ni 'whare'r Gêm 'na 'to. Rhywun ne' *rwbeth*, beth sa i'n gwbod, ond mae'n bryd . . . mae'n bum mlynedd . . .'

''Na ddigon! Ti 'di clywed dy hunan? Ti'n siarad . . . ti'n siarad crap!'

'Emma – plîs! Os yw hi 'da ti . . .'

''Dyw hi ddim!'

Roedd difrifoldeb Meic wedi codi ofn arni. Roedd rhyw olwg wyllt yn ei lygaid wrth iddo siarad, a sylwodd Emma fod ei lygaid yn goch gyda'r cnawd oddi tanynt yn dywyll, fel pe na bai wedi cysgu ers nosweithiau lawer.

Yna roedd Meirion a'i ffrindiau wedi dod atynt. 'Sa i'n

gweud wrthot ti 'to,' meddai Meirion, yn ddewr i gyd. 'Ti'n gwbod y ffordd mas.'

'Emma . . .' dechreuodd Meic eto, ond rhoes Meirion hwp galed iddo yn ei fron.

'Dwyt ti ddim yn grindo, yn nag wyt ti? Ne' ddim yn clywed.' Rhoes ysgytwad arall i Meic, a'r tro hwn collodd Meic ei dymer. Rhoes hwp annisgwyl yn ôl i Meirion, nes i hwnnw lithro a bron â syrthio i'r pwll.

'Angen golchi dy glustie di mas, mae'n amlwg,' meddai. 'Falle y byddi di'n gallu clywed yn well wedyn.'

A chyn i Emma fedru dweud wrtho am beidio, roedd Meirion a'i ffrindiau wedi cydio yn Meic a'i daflu ar ei ben ac yn ei ddillad i mewn i'r pwll nofio.

'Meirion!'

'Beth? Hei, dere – gafodd e hen ddigon o rybudd.'

Dringodd Meic o'r pwll, yn wlyb at ei groen. Heb edrych ar neb, cerddodd am y gât.

'Meic . . .'

'Wps, sori, Emma – bydd rhaid i ti arllwys rhagor o ddisinffectant miwn nawr.'

Chwarddodd Meirion a'i ffrindiau'n uchel, ond doedd dim un o'r merched yn teimlo awydd chwerthin. Edrychai'r efeilliaid yn ddigon diflas, ac roedd Emma, sylweddolodd, mas o'i chof yn yfflon, er na wyddai'n iawn pam. Rhywbeth ynglŷn â geiriau Meic . . .

Trodd at Meirion gan roi slapen iawn iddo ar draws ei wyneb. Diflannodd ei wên mor gyflym nes ei bod yn ddigri, ond ar yr un pryd ofnai Emma ei fod am ei tharo'n ôl. Yn hytrach, cydiodd yn ei grys a chychwyn am y gât. Yna trodd yn ôl ati.

'Ma' problem 'da ti, Emma,' meddai. 'Ti'n gwbod 'nny, gobitho? Problem fowr yffernol 'fyd.'

Dywedodd eiriau tebyg wrthi pan ffoniodd Emma ef y noson honno, sgwrs a orffennodd gyda Meirion yn dweud nad oedd arno eisiau ei gweld eto, ac y câi anghofio bopeth am ddod i'r fila yn Corfu gydag ef a'i deulu, gorchymyn a barodd i Emma golli'i thymer ac awgrymu ei fod yn cyflawni gweithred gorfforol amhosib gyda'i 'ffycin fila a'i ffycin teulu boring', ac os oedd lle y tu mewn i'w ben-ôl i Corfu hefyd, yna gorau oll.

'Emma? Wyt ti'n barod 'te?' gwaeddodd ei mam o waelod y grisiau. Edrychodd Emma ar ei horiawr: roedd yn bryd iddi adael am yr ysgol.

Wrth gerdded i lawr y grisiau at lle'r oedd Linda'n aros amdani gyda gwên gydymdeimladol, meddyliodd Emma: Roedd Meirion yn iawn. *Ma'* problem fawr 'da fi.

Ond yn anffodus, yr unig rai all fy helpu yw'r union bobol dwi wedi treulio'r blynyddoedd diwethaf yn eu hanwybyddu.

Falle y dylwn i fod wedi cyfadde'r gwir wrth Meic ddoe, a dweud wrtho fod y Gêm wedi bod yn gorwedd yn ddiogel yng ngwaelod fy nghwpwrdd ers i fi sleifio'n ôl i'r sgubor a'i hachub bum mlynedd yn ôl.

Pennod 13

(i)

Canlyniadau Emma a setlodd y cyfan ym meddwl Meic, ac unwaith y sylweddolodd, fe syrthiodd y darnau i gyd i'w lle.

Gwawriodd y syniad arno wrth iddo gerdded adref yn wlyb socian ar ôl cael ei daflu'n ddiseremoni i'r pwll nofio yng ngardd gefn tŷ Emma. Teimlo braidd yn hunandosturiol roedd Meic; ofnai fod un peth drwg ar ôl y llall yn digwydd iddo, ac i goroni'r cyfan gwyddai na fyddai'r amlen gyda'i ganlyniadau Lefel A ynddi'n cynnwys unrhyw newydd da fore trannoeth chwaith Doedd e ddim wedi cael dim byd ond anlwc ers . . .

Ers pryd?

Ers blynyddoedd, yn sicr. Ers i'w fam a'i dad wahanu . . . na, ers i'w dad ddechrau yfed yn drwm.

A pham wnaeth Brian Gruffydd hynny?

Oherwydd iddo ddarganfod corff Siân Phillips yn yr afon –
bum mlynedd yn ôl. Yr un diwrnod – efallai, pwy a ŵyr? yr un
foment – ag yr oedd Meic yn ymdrechu i ddinistrio'r Gêm.

A byth ers hynny, roedd ef a'i deulu wedi'u melltithio ag
anlwc. Dechreuodd Brian yfed yn drwm er mwyn dileu'r
hunllefau am Siân oedd yn aflonyddu arno bob nos: cyn bo
hir, yr yfed oedd yn *achosi'r* hunllefau. Yn y diwedd bu'n
rhaid i Carol symud allan o'r tŷ i fyw yn y fflat uwchben y
siop bapur.

A fy mai i yw e i gyd, meddyliodd Meic. Ro'dd yr hyn
ddwedes i wrth Jos yn iawn: pe bawn i ddim wedi ceisio
llosgi'r Gêm yna'r diwrnod hwnnw, yna rhywun arall, ac nid
Dad, fuasai wedi darganfod corff marw Siân. Fyddai Dad
ddim yn alcoholig heddiw, a fyddai Mam yn dal yma gyda ni,
a fyddwn i . . . wel, falle y byddwn i wedi llwyddo'n well yn
yr ysgol dros y blynyddoedd.

Y GÊM OEDD WEDI'I GOSBI AM IDDO GEISIO EI
DINISTRIO.

Ac os oedd y pŵer tywyll oedd yn llechu yn y Gêm yn
cosbi'r sawl a fentrai geisio ei difa, yna efallai ei fod yn
gwobrwyo pwy bynnag a edrychai ar ei hôl.

Pwy bynnag oedd hwnnw.

Neu honno.

Neidiodd enw ac wyneb Emma i'w feddwl yn syth, cyn
iddo hyd yn oed fynd drwy'r Criw i gyd fesul un. Emma, yn
sicr, oedd yr un a gafodd ei bendithio fwyaf ohonyn nhw i
gyd: tŷ mawr, moethus; pryd a gwedd hynod ddeniadol –
credai fod mwy o fechgyn yr ysgol wedi ochneidio drosti hi
na thros Sarah Michelle Gellar, Halle Berry a Holly Valance i
gyd gyda'i gilydd; gwyliau dramor o leiaf ddwy waith y
flwyddyn; ac yna, ar ben popeth, y llwyddiant aruthrol a
gafodd gyda'i harholiadau TGAU ddwy flynedd yn ôl, a
hithau, yn ôl pob sôn, wedi gweithio fawr ddim ar eu cyfer.

Tybed . . . ? Tybed . . . ?

Heddiw, bu'n gwylio Emma'n ofalus pan agorodd hi ei hamlen yn yr ysgol. Roedd ymateb anghrediniol yr efeilliaid wedi dweud y cyfan wrtho: unwaith eto roedd Emma Christie wedi hwylio drwy'i harholiadau; roedd wedi ennill gradd A ymhob pwnc.

(ii)

Diwrnod o ddathlu oedd heddiw i fod. Pam, felly, doedd yr un ohonyn nhw'n teimlo rhyw lawer fel gwneud hynny? Ar wahân i Meic, roedden nhw i gyd wedi cael canlyniadau boddhaol iawn. Pasbort i fywyd newydd, mwy rhydd, oedd y tu mewn i'r amlenni a gawson nhw yn yr ysgol; gallen nhw'n awr ymlacio a mwynhau gweddill yr haf poeth hwn.

Pawb arall o'u blwyddyn, efallai. Ond nid y nhw ill pedwar

Cymerer Rol, er enghraifft. Doedd ganddo fe ddim owns o hyder Emma, a phetai rhyw ddewin wedi ymddangos o'i flaen a rhoi un dymuniad iddo, buasai wedi crefu am gael newid lle gyda Hanibal, y ci. Gan Hanibal, wedi'r cyfan, oedd y bywyd delfrydol: dim byd i'w wneud ond bwyta, gwneud ei fusnes a chysgu yn yr haul. Doedd dim rhaid iddo hyd yn oed boeni am wneud argraff dda ar yr ast drws nesaf ers iddo gael ei sbaddu ddwy flynedd yn ôl, druan.

Ond hyd yn oed petai ei feddwl a'i gydwybod yn hollol glir, byddai Rol wedi cael trafferth i gysgu neithiwr. Roedd y tywydd wedi troi'n annioddefol o boeth, gyda dim awel o gwbl yn dod i mewn drwy'i ffenestr agored. Bu'n troi a throsi drwy'r nos ar ben ei wely anesmwyth, a gwyddai pan ddechreuodd y dydd wawrio nad oedd unrhyw bwrpas iddo bellach feddwl am gysgu. Cododd, gwisgodd amdano ac aeth â Hanibal allan am dro.

Mynd i lawr i'r traeth a wnaent fel arfer, ond heddiw roedd Hanibal yn benderfynol o fynd i'r cyfeiriad arall, sef at yr afon, gan dynnu ar ei dennyn nes fod dim dewis gan Rol ond gadael iddo'i lusgo. Roedd y ci fel petai wedi synhwyro rhywbeth anghyffredin yn yr aer, a bod yn rhaid ei ddilyn, dim ots beth.

Sa i'n gallu cofio pryd oedd y tro diwetha i fi ddod y ffordd yma, meddyliodd Rol. Gwelodd fod yr afon, oherwydd y tywydd heulog diweddar, yn isel iawn, yn fawr mwy na ffos. Roedd wedi gobeithio y byddai ychydig mwy o awel yma dan y coed ond, os rhywbeth, teimlai bopeth yn drymach, rywsut, gan ei atgoffa o'r coedwigoedd swrth hynny a welodd droeon mewn ffilmiau am Ryfel Fietnam.

'*It's quiet, Kowalski,*' meddai wrth Hanibal mewn acen Americanaidd. '*Too goddam quiet.*'

Ond doedd Hanibal ddim yn gwrando arno, nac yn cymryd unrhyw sylw ohono. Safai ar lan yr afon yn synhwyro'r aer, ei flew yn llawn trydan ac yn chwyrnu'n isel yng ngwaelod ei wddf.

'Be sy, boi?' gofynnodd Rol.

Tyfodd sŵn chwyrnu Hanibal yn uwch. Heblaw am y chwyrnu, nid oedd unrhyw sŵn arall i'w glywed yn unman. Dylai'r coed fod yn Dyrrau Babel o ganeuon gwahanol adar yr adeg yma o'r bore, ond ni ddeuai'r un smic o'r tu ôl i'r dail.

Yna dechreuodd Hanibal gamu'n ôl oddi wrth yr afon, ond â'i lygaid wedi'u hoelio ar rywbeth yn ei chanol, rhywbeth na welai Rol mohono o gwbl. Chwyrnai'n uwch o lawer yn awr, gan ddangos ei ddannedd â'i wefus uchaf wedi'i chyrlio i fyny oddi wrthynt.

'Hanibal – *be sy*? Dere . . .' Gwyrodd Rol drosto gyda'r bwriad o roi'r tennyn 'nôl am ei goler, ond trodd Hanibal arno'n flin gan ddod yn agos iawn at gnoi Rol ar ei law – rhywbeth nad oedd erioed wedi'i wneud o'r blaen. Yna trodd a rhedeg nerth ei draed, yn ôl i gyfeiriad y pentref.

'Hanibal!' gwaeddodd Rol, cyn clywed sŵn a achosodd i'r chwys ar ei gorff droi'n groen gŵydd oer.

Sŵn plentyn ifanc yn chwerthin, reit y tu ôl iddo.

Dechreuodd droi, ond yna – a dyn a ŵyr sut – cafodd y

nerth o rywle i'w atal ei hun rhag gwneud hynny. Daeth y chwerthin eto, ychydig yn uwch y tro hwn ac yn nes ato, ond parhaodd Rol i sefyll yn y fan, er bod pob un o'i nerfau'n sgrechen arno i droi.

Nid oedd arno eisiau gweld beth oedd yno.

Gwasgodd ei lygaid ynghau a phlannodd ei draed ar y ddaear, yn crynu drwyddo fel petai yna fil o foltiau trydan yn gwibio trwy'i gorff.

Sa i'n mynd i droi! Sa i'n mynd i edrych! meddyliodd, drosodd a throsodd nes sylweddoli ei fod yn dweud hyn yn uchel.

'Gad lonydd i fi!' sgrechodd. 'Plîs! Gad lonydd i fi!'

Teimlodd rhyw lacio sydyn yn yr aer, a mentrodd agor ei lygaid. Roedd ei gyhyrau i gyd yn ymlacio fesul un, a theimlai ei gorff yn gynnes unwaith eto.

Yna gwelodd symudiad bychan o gornel ei lygad, fel petai yna bili-pala wedi setlo ar ei fraich.

Edrychodd i lawr, a gweld llaw fechan yn plycio defnydd ei lawes – llaw oedd yn wyn fel eira, ond ag ewinedd duon, hir a miniog.

Ag un floedd uchel, rhedodd Rol nerth ei draed o gyfeiriad yr afon gyda chwerthin y plentyn yn ei ddilyn drwy frigau llonydd y coed.

(iii)

A Seren – ie, beth am Seren? Nid oedd Elin yn ei deall o gwbl. Bu'n byw dan gwmwl mawr du ers iddi – meddai hi! – wneud llanast o'i harholiad pan dorrodd tant ei ffidil. Cyrhaeddodd yr ysgol heddiw yn wyn fel y galchen – ond roedden nhw i gyd yn wyn, chwarae teg, meddyliodd Elin, pawb yn ymlusgo i mewn i'r buarth fel y creaduriaid hurt hynny yn *Night Of The Living Dead*, pob un â'i stumog yn troi fel buddai. Ond edrychai Seren fel panda, bron, â'r

126

chylchoedd duon o amgylch ei llygaid; credai Elin nad oedd ei ffrind wedi cysgu ers wythnosau lawer.

Agorodd ei hamlen i weld dwy 'A', am ei Cherddoriaeth a'i Chymraeg, ac un 'B' am ei Hanes. Safodd Elin yn ei gwylio ac yn aros am y gweddnewidiad a ddylai ddigwydd unrhyw funud . . . unrhyw foment . . . ond na, ni ddaeth. Syllu'n hurt ar ei phapur a wnaeth Seren, cyn dweud, 'O . . .' yn llipa reit.

Cipiodd Enfys y papur oddi arni, edrychodd arno a rhoes sgrech o hapusrwydd cyn lapio'i breichiau am wddf Seren a'i chusanu'n frwd. Edrychodd Lloerfaen ar y papur cyn dechrau dawnsio jig yn y stryd o flaen bawb gan boeni dim am neb, ei goesau meinion yn saethu i bob cyfeiriad fel rhai fflamingo meddw. Tynnodd botel o shampên o gefn y fan, ei hysgwyd a'i hagor gyda chlec uchel a wlychodd y tair ohonynt.

Un 'A' a dwy 'B' a gafodd Elin, ond roedd yn ddigon ar gyfer sicrhau y câi ddechrau yn Aber fis Medi, diolch yn fawr, *mothers lock up your sons*, myn yffach i, a defnyddiodd ei mobeil i ffonio adref yn y fan a'r lle gyda bybls y shampên yn cosi'i ffroenau a'i gwddf a sŵn The Edwin Hawkins Singers yn canu '*Oh, Happy Days*' yn llifo allan o fan Lloerfaen, dim ots am deimladau'r llai ffodus oedd wedi cael canlyniadau siomedig ac a gerddai o'r ysgol yn edrych yn waeth nag yr edrychen nhw ar eu ffordd i mewn.

A buasai rhywun yn tybio fod Seren yn un ohonyn nhw, meddyliodd Elin, gan deimlo fel ei hysgwyd yn dda. Beth oedd yn *bod* ar y ferch? Roedd hi wedi gwneud yn ardderchog ac ar fin gadael am wyliau ffantastig yn America, ond dyma hi yn . . .

Nefoedd, roedd eisiau gras gyda rhai pobol.

Ond efallai, petai Elin wedi bod yn ystafell wely Seren neithiwr, y byddai hi'n deall . . . Buasai wedi gweld ei ffrind yn methu'n glir â chysgu, oherwydd y gwres, ie yn sicr, ond hefyd oherwydd yr holl bethau a wibiai drwy'i meddwl. Hwyrach y buasai Elin wedi gofyn iddi beth oedd yn ei phoeni, ond byddai Seren wedi methu ei hateb; roedd hithau hefyd, fel Emma, fel Meic, fel pawb o'r Criw, yn melltithio'r ffaith nad oedd yn gallu *siarad* â neb, ei bod yn methu *dweud* beth oedd yn ei phoeni.

Roedd ei ffenestr hithau ar agor led y pen hefyd, yn y gobaith ofer y byddai rhyw awel fechan yn crwydro i mewn i'r ystafell, a phe bai Elin wedi bod yno gyda hi, mae'n siŵr y buasai'r ddwy wedi eistedd ochr yn ochr yn syllu allan i'r nos. Nid oedd lleuad neithiwr, ond daeth y golau diogelwch ymlaen yn sydyn, fel y gwnâi weithiau pe bai 'na gath neu lwynog yn crwydro drwy'r ardd.

Ond nid unrhyw beth byw a ddeffrodd y golau neithiwr.

Dawnsiodd llygaid Seren dros yr ardd yn chwilio am beth bynnag a grwydrodd dan y golau: cofiai, ar un achlysur, gael cip ar fochyn daear yn diflannu i'r gwrych, wedi'i ddychryn gan y goleuni annisgwyl. Yna glaniodd ei llygaid ar y fainc bren a safai yng nghanol y lawnt.

Roedd rhywun yn eistedd arni.

Plentyn.

Merch ifanc, mewn cot law felen a sgleiniai'n wlyb yn y golau.

Eisteddai yno'n swingio'i choesau'n ôl ac ymlaen, yna peidiodd yn sydyn, fel petai newydd ddod yn ymwybodol fod Seren yn rhythu arni. Yn araf, araf, cododd ei hwyneb, ei hwyneb gwyn, a gwelodd Seren, eiliadau cyn iddi lewygu, fod ganddi chwyn gwyrddion yn hongian oddi ar ei gwallt gwlyb. Gwenodd yn faleisus ar Seren, ei dannedd yn ddu a'i thafod hefyd yn ddu, ddu ac wedi chwyddo'n anferth y tu mewn i'w cheg. Pan ddeffrodd Seren o'i llewyg a mentro edrych allan eto, roedd y fainc yn wag a dim byd yn symud y tu allan i'r ffenestr heblaw am ambell bryfyn yn dawnsio yng ngwres y golau cyn i hwnnw ddiffodd a gadael i'r tywyllwch unwaith eto deyrnasu dros ddistawrwydd yr ardd.

Ond dyna ni, doedd Elin ddim yno, felly doedd dim gobaith ganddi o ddeall beth yffach oedd yn bod ar Seren heddiw.

Gwyliodd Branwen Nhw eto, ond y tro hwn doedd dim rhaid iddi guddio. Gwyliodd Nhw'n cyrraedd fesul un, pob un, heblaw am Miss Perffaith, yn edrych yn sâl o nerfus.

Oni bai amdanoch chi, fastads, meddyliodd, buaswn innau yma'r bore 'ma hefyd, yn profi'r un cyffro, yr un nerfusrwydd – a, chyda lwc, yr un llawenydd ar ôl magu'r dewrder i agor yr amlen fach yna.

Gwyliodd Emma'n dringo allan o gar bach sborti ei mam ac yn ymuno'n syth â'r efeilliaid; gwyliodd Jos yn cyrraedd gyda chriw o fechgyn; yna rhedodd Seren allan o fan liwgar, flodeuog ei rhieni a mynd yn syth at ble roedd Elin yn aros amdani, a gwyliodd Rol yn cyrraedd gyda'r ferch fach ifanc honno'n hongian oddi arno fel y simpansî 'na oedd yn arfer hongian oddi ar gorff Tarzan.

Meic Gruffydd oedd yr unig un i gyrraedd ar ei ben ei hun, a safodd yn unig mewn cornel o'r buarth nes ei bod yn bryd iddo fynd i mewn i gwrdd â'i dynged. Ar ei ben ei hun roedd e eto pan ddaeth allan â chwmwl pendant uwch ei ben, a cherdded i ffwrdd wedyn drwy'r llawenhau a'r chwerthin a'r wylo a'r cydymdeimlo heb edrych ar neb arall.

Man a man i hwn gerdded o amgylch y lle gyda'r gair *loser* yn datŵ ar ei dalcen, meddyliodd.

Enaid hoff cytûn?

Ysgydwodd ei phen yn ffyrnig. Na! Roedd y dyddiau hynny drosodd. Roedd prawf o hynny ganddi yn ei phoced. Ni chafodd y cyfle i'w ddangos i Peter y diwrnod o'r blaen gan fod ei newyddion am ei mam wedi ei hysgwyd gormod, ond heddiw . . .

Heddiw oedd y diwrnod i wylio Peter Phillips yn gwingo ychydig.

Pennod 14

Hanner awr wedi chwech y bore, a daeth Rhian allan ato gyda mygiau o de i'r ddau ohonynt. Eisteddodd wrth ei ochr ar y clawdd y tu allan i'r tŷ.

'Sdim rhaid gofyn pam o't ti'n ffaelu cysgu nithwr.'

Gwenodd Jos yn flinedig. Roedd Rhian yn iawn ond, wrth gwrs, doedd hi ddim yn gwybod y gwir i gyd. Serch hynny, roedd cael y canlyniadau roedd eu hangen arno'n bwysicach nag erioed erbyn hyn.

'Wnest *ti* gysgu?' gofynnodd.

'Dim llawer.' Gwingodd Rhian ychydig wrth i'r te poeth losgi'i gwddf. 'Ro'dd hi'n rhy drymedd i fi neud mwy na phendwmpian. Ma' storom ar y ffordd, Jos. Gobitho, myn yffarn i. Ma'r ceffyle 'di bod yn anniddig ers dyddie.'

'Nid nhw yw'r unig rai.'

'Sori?'

Nid oedd Jos wedi bwriadu siarad yn uchel. 'Byddwn ni i gyd yn timlo'n well unwaith bydd y tywydd wedi torri,' meddai.

'Byddi di'n timlo'n well cyn diwedd y bore,' oedd sylw'i chwaer.

'Ti'n meddwl?'

'Byddi, glei. Breins y teulu? Dim problem!'

'Weithie, 'sen well 'da fi 'sen i 'di ca'l 'y ngeni'n dwp.'

Pwniodd Rhian ef yn ei ystlys. 'Paid â mynd dros ben llestri nawr. So tithe'n Einstein cofia.'

Trodd Rhian i fynd.

'Rhian – ?'

Petrusodd Jos am eiliad; ma'n rhaid i mi ddweud wrth rywun, penderfynodd.

'Grinda,' meddai. 'Paid â sôn gair wrth neb 'to, o'reit? Wy'n moyn gweld i ddechre shwt ganlyniade ga i, ond . . . wel, os y'n nhw'n o'reit, sai'n mynd i aros nes fis Medi cyn mynd bant. Wy am fynd yn syth. Y penwthnos 'ma, os galla i.'

'Beth?' Rhythodd Rhian arno. 'Ti'n jocan!' Ysgydwodd Jos ei ben, ac roedd Rhian yn hen ddigon cyfarwydd â'r olwg ystyfnig ar ei wyneb i wybod ei fod o ddifrif. 'Pam? Sdim rhaid i ti fynd mor glou, o's e?'

'O's,' atebodd Jos. 'Ma'n rhaid i fi ga'l portffolio'n barod cyn dechre yn y coleg . . .'

'O, bolocs!'

'Beth?'

'Dere, sa i'n dwp. Wy'n gwbod yn gwmws pam wyt ti'n ffaelu aros i fynd bant.'

Rhythodd Jos arni. Sut ar y ddaear . . .?

'Ffion, ontefe?' meddai Rhian.

'*Ffion*?'

'Y hi sy tu ôl i hyn. Ti 'di bod yn mynd ambytu'r lle 'da chro'n dy din ar dy dalcen ers i honno fennu 'da ti.'

Trodd Jos i ffwrdd ag ochenaid o ryddhad. Petai Rhian ond yn gwybod . . . !

'O'reit 'te, cer bant,' meddai Rhian wrtho. 'Ond paid ti byth â gweud 'to nag wyt ti'n dwp, Jos, ti'n clywed? Achos ma' rhedeg bant oherwydd bod rhyw groten fel Ffion 'di bennu 'da ti *yn* dwp. Beth yw hyn – *the great romantic hero*, ife? Fel'na ti'n gweld dy hunan?'

'Rhian, so ti'n dyall. Ma'n *rhaid* i fi ga'l popeth yn barod cyn dechre ar y cwrs.'

'Ond sdim rhaid i ti fynd bant i 'neud 'nny, o's e? Yffach, Jos, mae'n bryd i ti dyfu lan, ti'n gwbod, a rhoi'r gore i fod mor blydi hunanol. Ma' Dad yn dibynnu arnot ti dros yr wthnose nesa 'ma – ti'n gwbod allith e byth ddibynnu'n llawn ar Beiron. Sa i'n gwbod beth 'wedith e pan glywith e am hyn. 'Sen i'n ystyried y peth yn ofalus iawn cyn gweud unrhyw beth wrtho fe, 'sen i'n ti.'

Cododd Rhian a chychwyn am y tŷ.

'Paid ti â gweud dim byd wrth neb, cofia,' meddai Jos.

'Wna i ddim. Rhyngot ti a dy bethe, Jos.' Edrychodd arno am eiliad. 'Hei – pob lwc bore 'ma, ontefe? Ond plîs – meddylia am beth wy newydd 'i 'weud. Eiff Dad yn benwan.'

(ii)

Am un ar ddeg y bore, cerddai Jos i fyny at y cae gwair ble roedd ei dad a Beiron yn gweithio, gyda theimladau cymysg iawn. Fe'i synnodd ei hun drwy deimlo pigiad bach o siom pan agorodd ei amlen a darllen y cynnwys; petai wedi methu, fuasai'r broblem yma ddim ganddo. Ar y llaw arall, fyddai ganddo mo'r cyfle i ddianc oddi yno chwaith.

A dyna roedd e'n ceisio'i wneud – dianc. Ffoi. Rhedeg i ffwrdd, nerth ei draed ac am ei fywyd – neu yn sicr er mwyn ei bwyll. Roedd y sgwrs a gafodd gyda Meic rai dyddiau'n ôl wedi'i ddychryn. Digon hawdd oedd bod yn ddilornus o greadur fel Meic, ond yr hyn a gododd ofn ar Jos oedd y ffaith ei fod wedi *credu* Meic – ei fod wedi credu pob un gair o'i stori, er iddo ymdrechu i guddio hynny ar y pryd. Dyna pam y penderfynodd y noson honno mai'r peth gorau iddo fyddai mynd i ffwrdd cyn gynted ag y bo modd.

Doedd y busnes yna gyda Ffion ddim yn helpu, chwaith; ni allai wadu na theimlai ryw gnoi poenus yng ngwaelod ei stumog bob tro y meddyliai amdani hi gyda Rol. Ond er ei fod yn teimlo'n aml fel cydio yn Rol a'i daflu i mewn i saim poeth y peiriant ffrio sglodion oedd yn y siop, nid oedd hynny'n ddigon i'w anfon i ffwrdd â'i galon yn ddwy, fel rhyw *great romantic hero*, chwedl Rhian.

Teimlai ychydig yn euog nawr, hefyd, yn bennaf oherwydd ymateb ei fam pan ddangosodd ei ganlyniadau iddi.

'Gyda graddau fel hyn, bydd y coleg yna'n dy groesawu di â breichie agored!' oedd un o'r pethau a ddywedodd Mair wrtho. Roedd hi'n amlwg mor falch ohono, mor hapus drosto, a theimlai'n chwithig am na fedrai deimlo'r un hapusrwydd.

Pam oedd yn rhaid i ni 'whare'r blydi Gêm 'na? Does yna'r un ohonon ni wedi cael bywyd 'normal' ers y diwrnod hwnnw – na, ers cyn hynny, ers i ni ddod o hyd iddi hi yn yr hen dŷ 'na – nawr, a ninne o fewn dim i allu cefnu ar ein twpdra am byth, mae pethau'n mynd yn waeth o lawer.

Gwelodd ei dad a'i frawd yn rhoi'r gorau i weithio er mwyn ei wylio ef yn nesáu tuag atynt drwy'r cae. Diffoddodd Merfyn y tractor a dringo allan ohono, ei lygaid yn chwilio wyneb Jos am unrhyw awgrym o gynnwys yr amlen fach wen chwyslyd oedd ganddo yn ei boced.

'Wel . . . ?'

Estynnodd Jos yr amlen iddo. Syllodd Merfyn ar ei chynnwys am rai eiliadau, yna edrychodd i fyny.

'Bydd rhaid i ti weithio'n galetach o fis Medi ymla'n, Beiron,' meddai. Pwniodd Jos yn ei ysgwydd. 'Da iawn ti, 'achan!'

Roedd Beiron hefyd yn gwenu, er gwaetha'r newyddion drwg roedd newydd ei gael gan ei dad. ''Na fe – paid ti â becso amdana i yn 'whysu fan hyn tra byddi di'n tynnu llunie o fenywod porcyn yn y coleg 'na. Jest dere â dy waith gartre 'da ti ambell waith, o'reit?' Pwniad arall, yn ei ysgwydd arall y tro hwn. 'Llongyfarchiade, Jos.' Gafaelodd mewn belen o wair a'i thaflu i freichiau Jos nes iddo faglu'n ei ôl a bron syrthio dan ei phwysau annisgwyl. 'Ond gan dy fod 'da ni am fis arall, man a man i ti neud tipyn o waith *iawn* tra wyt ti 'ma!'

'Cyn bod y tywydd yn torri,' ategodd Merfyn, gan daflu golwg bryderus i gyfeiriad yr awyr. Roedd sawl cwmwl bygythiol yn ymgasglu uwch eu pennau, fel criw o iobs yn uno ar gornel stryd, a theimlai'r aer yn llaith gan chwys y ddaear.

Dringodd Merfyn yn ôl i mewn i'r tractor, ac meddai Beiron wrtho dan sŵn y peiriant yn tanio, 'Bastad lwcus, yn ca'l mynd o'r ffycin lle 'ma.'

Hanner awr wedi pedwar y prynhawn. Roedd Rhian yn gwrthod edrych arno, ac roedd y tri arall yn gwgu arno fel pe bai'n llofrudd yn y doc.

''Drychwch, 'sen i ddim yn mynd os na fydde raid i fi,' meddai, gan wybod fod ei dôn a'i eiriau'n swnio'n llipa.

'Sa i'n dy gredu di,' chwyrnodd Merfyn.

'Beth?'

'Dyma'r tro cynta i neb o' ni glywed am hyn.' Sylwodd Jos fod llygaid Rhian wedi'u hoelio ar ei phlat. 'Dwyt ti ddim wedi sôn gair am fynd bant o'r bla'n, ac o dy nabod di, Jos, byddet ti wedi gweud rhwbeth cyn heddi 'se gyment â 'nna o raid mynd arnot ti.'

'Ond fe *'wedes i* wthoch chi . . . !'

'*Naddo*, Joseff, nest ti ddim,' meddai Mair. 'Dy'n ni ddim yn debygol o fod wedi anghofio rhwbeth fel'na. Yn enwedig nawr, un o'r adege mwya bishi o'r flwyddyn.'

'Alli di ddim dishgwl i Dad a fi neud y gwaith i gyd,' cyfrannodd Beiron.

Edrychodd Jos arno. 'Pam?'

'Y?'

''Taset ti'n tynnu 'bach mwy ar dy bwyse, fydde 'na ddim problem o gwbwl. Fydden ni ddim yn ca'l y ddadl yma nawr.'

'Grinda'r nansi-boi yffarn . . .!'

'Beiron!' gwaeddodd Mair.

'Ma' fe'n wir, on'd yw e? Ma'n well 'da fe bonsan ambytu'r lle 'da brwsh paent yn 'i law na neud unrhyw dỳrn o waith deche.'

'Ie, o'reit, Beirion, ca' dy ben nawr.' Trodd Merfyn yn ôl at Jos. 'So ni *yn* ca'l unrhyw ddadl,' meddai, 'achos sa i'n *mynd* i ddadle 'da ti. Dwyt ti ddim yn mynd bant tan fis Medi, a 'na ddiwedd arni.'

'Odw. Wy'n mynd, reit?'

'Jos . . .' Roedd rhybudd pendant yn llais Mair, a gwelai Jos fod Merfyn yn agos iawn at golli'i dymer. Roedd ei wyneb yn goch, a'i figyrnau'n wyn wrth iddo wasgu'i gyllell a'i fforc a chanolbwyntio ar fwyta'i de yn hytrach nag edrych ar Jos a cholli arno'n gyfan gwbl.

'O, blydi *hel!*'

Gwthiodd Jos ei gadair 'nôl oddi wrth y bwrdd ac allan ag ef o'r tŷ. Teimlai'n blentynnaidd iawn am iddo wneud y fath beth, ac roedd hynny rywsut yn ychwanegu at ei dymer.

Petai ond yn gallu dweud y gwir wrthyn nhw i gyd. Ond gwyddai fod hynny allan o'r cwestiwn. Ni fuasai'r un ohonynt yn ei gredu, p'run bynnag. Yn eironig iawn, buasai'r gwir yn swnio'n fwy gwallgof, yn fwy chwerthinllyd, i bawb o'i deulu na'r esgus lipa roedd Jos wedi'i chynnig.

Felly, yr unig beth y gallai ei wneud oedd martsio i ffwrdd yn ei dymer gan fytheirio rhegfeydd i bob cyfeiriad. Beiron, gwyddai, oedd y drwg mwyaf yn y caws; pe bai hwnnw ddim mor ddiarhebol o ddiog, byddai popeth yn iawn. Ac roedd Merfyn yn rhy deit i gyflogi gwas ffarm yn lle Jos. Roedd hwnnw'n ei ffansïo'i hun fel rhyw fath o farwn tir o'r Gorllewin Gwyllt neu rywbeth, yn benderfynol mai dim ond ef a'i feibion a ffermiai'r tir. Petai Merfyn yn cael ei ffordd ei hun, gwyddai Jos na fyddai ei fab ieuengaf yn mynd i ffwrdd i'r coleg o gwbl.

Carnau ceffyl yn carlamu i ffwrdd a'i hysgydwodd o'i feddyliau chwerwon, a chafodd gipolwg sydyn ar ffigur cyfarwydd iawn yn marchogaeth drwy'r caeau cyn diflannu i mewn i'r llwyn o goed a dyfai ym mhen pella'r caeau.

Emma Christie . . .

. . . a fyddai, y foment honno, wedi rhoi'r byd petai Sbeis yn gallu tyfu adenydd fel rhai Pegasws a hedfan i ffwrdd, dros y caeau a'r coed a'r afon a'r ardal, yr holl sir, y wlad gyfan a mynd â hi ymhell, bell o'r lle uffernol hwn, dim ots ble.

Aeth i'r stablau gyda'r teimlad rhyfedd ei bod wedi meddwi, bron, teimlad a fu ganddi ers iddi agor yr amlen fach hyfryd honno ym muarth yr ysgol a gweld mewn du a gwyn y cadarnhad y byddai, ymhen ychydig o wythnosau, yn gallu cefnu ar y 'twll lle' hwn.

Roedd meddwdod tebyg iawn wedi effeithio ar bawb o'i theulu hefyd, gyda'i thad yn dweud drosodd a throsodd dros y ffôn, 'Wel myn yffarn i . . .', yn amlwg wedi cael ei syfrdanu gan ei chanlyniadau. Ond gallai Emma faddau iddo am ei ddiffyg ffydd ynddi oherwydd yn ei lais hefyd roedd tinc pendant o *arswyd*, bron, rhyw barchedig ofn – yr hyn a elwir yn Saesneg yn *awe* – fel petai ei ferch yn gallu cyflawni gwyrthiau anhygoel.

Ei mam aeth â hi i fyny i'r stablau, unwaith roedd Emma wedi llwyddo i'w chael i adael llonydd i'r teliffon am ychydig bach, a hynny am y rheswm syml bod Linda'n methu meddwl am neb arall i'w ffonio gyda'r newyddion da o lawenydd mawr. Parablodd bob cam o'r ffordd: roedd yn amlwg nad oedd Emma wedi gorfod trio'n galed iawn gyda'i harholiadau'r tro hwn, ond wedi dweud hynny ddylai hi ddim gadael i hynny fynd i'w phen, chwaith, oherwydd pwy a ŵyr? Gallai'r gwaith yn y coleg fod yn anos o lawer na'i chyrsiau Lefel A ac yn fwy o her iddi. Ond roedd Linda'n hyderus fod dyfodol disglair iawn o flaen ei merch, ac y dylai wneud yn fawr o bob cyfle gan ofalu peidio â phriodi'n ifanc fel y gwnaeth hi a gwastraffu blynyddoedd gorau ei bywyd yn magu plant mewn cornel fach fyglyd o'r byd.

Ei thad-cu, Gwilym, oedd yr unig un a edrychodd yn od arni, rywsut, er ei fod yntau hefyd yn amlwg yn falch ohoni ac yn llawenhau fel pawb arall. Ond daliodd Emma ef fwy nag unwaith yn edrych arni â golwg feddylgar iawn ar ei wyneb.

Mwy na thebyg mai Dad a Mam oedd wedi sôn wrtho eu bod yn poeni amdana i'n gwneud cyn lleied o adolygu, penderfynodd, a'i fod yntau – fel Dad – yn cael trafferth i ddeall sut y gwnes i cystal.

Ie, dyna beth oedd y rheswm, siŵr o fod.

Serch hynny, ni allai gael gwared ar y teimlad annifyr fod ei thad-cu wedi edrych arni fel petai'n ei hamau o fod wedi *twyllo* mewn rhyw ffordd neu'i gilydd.

Wel, croeso iddo fe feddwl beth bynnag mae e'n moyn, meddyliodd Emma. Wnes i ddim twyllo. O'reit – wnes i ddim gweithio rhyw lawer, falle, ond wnes i ddim *twyllo* chwaith.

Mae fy nghydwybod i'n glir, a dyma fi'n awr ar drothwy bywyd newydd, cyffrous, a gwahanol.

Fy nyfodol.

Mae'r gorffennol wedi digwydd, ac mae'n aros am gael ei gladdu.

Ac fel arwydd o hynny, roedd hi am fynd â'r hen gêm dwp honno'n ôl i'r sgubor, ei gadael yno, a chefnu arni am byth. Croeso i Meic Gruffydd ei chael hi. Nid oedd Emma am hyd yn oed *feddwl* amdani eto, heb sôn am ei gweld. Roedd hi wedi cael digon ar gael ei hatgoffa am y gorffennol bob tro yr agorai ei chwpwrdd dillad a chael cip ar y Gêm yn nythu yno fel broga anghynnes o dan y bocsys *Trivial Pursuit, Monopoly* a *Cluedo.*

Er gwaetha'i hwyliau da, fodd bynnag, ni allai beidio â theimlo fymryn bach yn nerfus wrth fynd i mewn i'r stabl at Sbeis: roedd ei hunllef yn dal mor fyw yn ei chof. Ond roedd Sbeis mor addfwyn ag erioed, er gwaetha'r tywydd llethol. Roedd amryw o'r ceffylau eraill yn aflonydd ac yn rhuslyd, yn gwybod yn iawn fod storm yn mudferwi. Ofnai Emma, petai Rhian yn dal yno, y byddai wedi ceisio'i rhwystro rhag mynd i farchogaeth nes fod y storm wedi torri a gorffen.

Ond diolch byth, roedd Rhian wedi mynd adref am ei the, gan adael Guto, un o lanciau'r pentref, yn gwarchod y stablau, ac wrth gwrs nid oedd gan Guto-aid y byd yma unrhyw siawns yn erbyn rhywun fel Emma. Anwybyddodd ei brotestiadau llipa; doedd hi ddim yn bwriadu bod allan yn hir iawn, beth bynnag, a byddai Sbeis yn ôl yn ddiogel yn ei gôr ymhell cyn i'r storm dorri.

Doedd hi ddim wedi sylweddoli pa mor ddu oedd yr awyr nes iddi gyrraedd y caeau. Roedd yr aer yn drwm ac yn anghyfforddus o boeth, fel pe bai yna gawr anferth yn anadlu drosti ar ôl bwyta llond crochan o gyrri. Er bod popeth o'i hamgylch yn annaturiol o lonydd, cafodd Emma'r teimlad rhyfedd fod rhywbeth yn ei dilyn wrth iddi farchogaeth drwy'r coed; symudai bob yn gam â hi, ond arhosai yn y cae nesaf, yr ochr arall i'r gwrych. Cafodd gip ar rywbeth tywyll yn symud drwy'r cae, a meddyliodd am eiliad fod yna gi mawr yn ei chanlyn. Arhosodd i edrych yn iawn, ond doedd dim byd i'w weld.

Cyrhaeddodd yr hen sgubor a cherdded at y drws.

Disgynnodd oddi ar gefn Sbeis a cherdded at y drws gyda'r Gêm mewn bag Tesco dan ei braich. Gwelodd glo mawr cryf ar y drws.

Damo!

Beth oedd y pethau gorau i'w wneud, nawr? Nid oedd yn mynd i fynd â'r Gêm yn ôl adref gyda hi, a hithau wedi dod â hi yma'n un swydd. Penderfynodd ei gadael ar y llawr y tu allan i'r drws. Tynnodd hi o'r bag a'i dodi'n dwt yn erbyn y drws, cyn troi a chychwyn yn ôl at Sbeis gan wthio'r bag papur gwag i mewn i'w phoced.

Clywodd rywbeth yn syrthio y tu ôl iddi. Trodd ar unwaith, a gweld fod y clo wedi syrthio oddi ar y drws a'i fod yn gorwedd yn y llwch wrth ymyl y Gêm.

Mae'n rhaid mai ond hongian yno roedd e, penderfynodd

Emma, a 'mod i heb sylwi. Cododd y clo a'r Gêm. Agorodd y bollt ar ddrws y sgubor, gan deimlo'r gwres annioddefol yn llifo allan ohoni. Roedd y lle fel ffwrn, a theimlai Emma'r chwys yn byrlymu o'i chorff wrth iddi bwyso ymlaen ddigon i ddodi'r Gêm ar ben y belen wair gyntaf a welodd.

Caeodd y drws yn ddiolchgar, ei follcio a chau'r clo gyda chlic pendant. Reit – dyna ddiwedd . . .

Yna clywodd lais plentyn yn giglan y tu ôl iddi . . .

Dylai hi fod wedi rhedeg yn syth at Sbeis, neidio ar ei gefn a charlamu i ffwrdd heb edrych 'nôl, ond roedd ei chorff wedi achub y blaen ar ei meddwl.

Trodd – doedd neb yno.

Fe ddaeth y giglan eto, o'r tu mewn i'r sgubor y tro hwn. Teimlodd Emma'r oerni'n cropian drosti. Roedd pob un o'i nerfau'n sgrechen arni i droi a rhedeg fel y gwynt, ond gwrthodai ei chorff ufuddhau.

Symudodd ei llygaid at dwll bychan crwn yn y pren wrth ochr y drws. Y peth olaf roedd hi eisiau ei wneud oedd mynd ato ac edrych trwyddo i mewn i'r sgubor, ond doedd dim dewis ganddi: roedd rhywbeth yn ei thynnu ato fel petai ynghlwm wrth raffen.

Edrychodd i mewn drwy'r twll. Gallai weld y Gêm lle y gadawodd hi ar ben y belen wair, ac yna, yn sydyn, ymddangosodd llygad arall yr ochr arall i'r twll, llygad ddu, oer a rythai'n ôl arni gyda malais pur.

Nid oedd cof ganddi o droi a rhedeg at Sbeis, nac o neidio ar ei gefn a chrefu arno i fynd â hi oddi yno nerth ei draed. Yr unig beth a gofiai oedd sŵn y taranau cyntaf yn bytheirio yn y pellter, a sŵn plentyn yn chwerthin yn sbeitlyd wrth iddi garlamu i ffwrdd dros y caeau ac i mewn i'r coed . . .

. . . fel cath i gythrel, meddyliodd Jos, a beth yffarn oedd hi'n ei wneud yno? Anghofiodd am ei dymer ddrwg wrth sylweddoli dau beth: fod yr awyr yn ddu fel bol buwch, a bod Emma wedi carlamu i ffwrdd oddi wrth y sgubor, oedd ond ychydig lathenni oddi wrtho, er nad oedd ganddo unrhyw gof o fod wedi cerdded yno, chwaith.

Clywai daran yn grwgnach rywle yn y pellter, fel arth biwis mewn ogof yn dechrau deffro o'i gaeafgwsg. Byddai'n bwrw cyn bo hir, gwyddai: eisoes roedd brigau uchaf y coed wedi dechrau dawnsio'n ôl ac ymlaen, fel petaen nhw wedi cynhyrfu wrth feddwl am y glaw oedd am olchi drostynt o'r diwedd.

Clywodd hefyd sŵn drws pren yn clepian drosodd a throsodd yn y gwynt. Drws y sgubor? Roedd hwnnw i fod wedi'i folltio a'i gloi. Meddyliodd am Emma Christie yn diflannu i mewn i gysgodion y coed. Ai hi oedd wedi agor y drws? Ond sut? Roedd yr allwedd yn ôl yn nrôr y seld: cofiai ei rhoi yno'i hun.

Roedd y clo yn gorwedd ar agor ar y ddaear. Bwriadai wthio'r drws ynghau, ei folltio a'i gloi, ond wrth iddo gydio ynddo, gwelodd y Gêm yn gorwedd ar y belen wair agosaf.

Emma?

Dyna ateb cwestiwn mawr Meic Gruffydd, o leiaf, meddyliodd. Ond pam fod Emma wedi dod â hi'n ôl i fan hyn? Camodd Jos i mewn i'r ysgubor. Ie, y Gêm oedd hi, doedd dim dwywaith am hynny . . .

Yn sydyn, symudodd y llawr o dan ei draed fel petai'n sefyll ar fwrdd llong. Edrychodd i lawr, ond nid y llawr ei hun oedd wedi symud, ond yn hytrach yr hyn oedd *ar* y llawr. Rhewodd Jos o sylweddoli ei fod yn sefyll yng nghanol môr o lygod mawr.

Roedden nhw ym mhobman, yn garped aflonydd dros y llawr, a thros y beliau gwair i gyd fel mwsog du ar greigiau. Fe'u teimlai nhw'n baglu dros ei ei sgidiau, eu cynffonnau'n chwipio'i bigyrnau, rhai ohonynt yn gywion noethion a dall, eraill cymaint â cathod bychain.

Neidiodd wrth i'r drws gau â chlep anferth – ac aros ar gau y tro hwn. Roedd yn y tywyllwch gyda'r llygod mawrion: gallai glywed eu traed yn sgathru dros y gwair, eu dannedd yn rhincian . . . Trodd yn ddall, gan daro'i law yn erbyn rhywbeth pren.

Y Gêm!

Cydiodd ynddi. Hon, y lwmpyn di-sylw yma o bren, oedd yn gyfrifol am bopeth. Cododd hi'n uchel uwch ei ben.

'*Naaaaa – !!!*' bloeddiodd, a thaflu'r Gêm a'i holl nerth yn erbyn pared y sgubor.

(vi)

Torrwyd ar y distawrwydd a adawodd Jos ar ei ôl yn y gegin gan sŵn y taranau cyntaf. Cododd Merfyn ar ei union a mynd am y drws.

'Beiron . . .'

Edrychodd Beiron yn hiraethus ar weddillion ei de, a chododd yntau ag ochenaid. Roedd Merfyn eisoes yn brasgamu ar draws y buarth tuag at y *Land Rover*, ei got law drom dan ei gesail. Cipiodd Beiron ei got yntau a brysio allan ar ei ôl. Prin bod ei ben-ôl wedi cwrdd â'r sedd cyn bod y *Land Rover* yn rhuo i ffwrdd o'r buarth.

Ni chofiai erioed weld yr awyr cyn dadued.

Gyrrodd Merfyn y cerbyd i mewn i Gae Uchaf, cyn ei daflu ei hun allan ohono a rhedeg am y tractor, y trêlar a'r beliau gwair hollbwysig. Brysiodd Beiron ar ei ôl, ond roedd y gwynt, pwysau ei got law a thrymder yr aer trydannol yn rhwystro unrhyw gyflymder. Roedd yn domen o chwys o fewn eiliadau. Arhosodd i gael ei wynt ato gan ddod o fewn dim i wyro'i ben, gan mor isel oedd yr awyr, fel nenfwd du oedd bron yn crafu'i gorun. Gwelodd fod Merfyn yn pwyso yn erbyn ochr y tractor, ei geg yn agor a chau fel un pysgodyn yn ceisio llyncu ychydig o aer; roedd ei wyneb yn biws, bron. Yna ymsythodd Merfyn a dechrau codi'r beliau gwair i gefn y trêlar gan weiddi ar Beiron i frysio.

Dringodd Beiron at y beliau gwair a dechrau eu llwytho'n drefnus, ond roedd Merfyn yn eu codi'n rhy gyflym, un ar ôl y llall, ei lygaid yn anferth yn ei ben a'i wyneb yn sgleinio o chwys.

'Dad . . .' dechreuodd Beiron, ond anwybyddodd Merfyn ef. Dringodd ar sedd y tractor a siglo draw at y clwstwr nesaf o feliau gwair cyn neidio i lawr ac ailddechrau eu casglu'n wyllt.

A theimlai Beiron ofn wrth i'r aer glecian o'i amgylch fel miloedd o seirff trydan.

(vii)

Ffrwydrodd y drws ar agor wrth i'r Gêm daro'n galed yn erbyn pared y sgubor. Clywodd Jos ru gyntefig, ddofn, fel pe bai hen, hen anghenfil wedi'i ddeffro, ac yn y golau gwan gwelodd y llygod mawr i gyd yn llifo allan drwy'r drws fel afon ddu, afiach.

Llanwyd y sgubor â goleuni melyn, tew a ddaeth o unman, a theimlodd Jos ei stumog yn troi wrth i'r drewdod mwyaf ffiaidd a aroglodd erioed ruthro drwy'i ffroenau ac i lawr ei wddf. Credai am eiliad iddo weld rhywun yng nghanol y golau melyn hwn – ffigur tal, main mewn dilliad duon, carpiog, a'i lygaid yn goch – yna trodd a baglu allan o'r sgubor.

Syrthiodd ar ei bedwar ar y llawr a dechrau cropian fel babi oddi wrth y sgubor, cyn mentro codi ar ei draed. Doedd

dim golwg o'r llygod yn unman, ond roedd y gwynt yn gryf
erbyn hyn. Trodd y byd yn llachar am eiliad wrth i fellten
fawr oleuo popeth, ac eiliad yn ddiweddarach ffrwydrodd
taran uwch ei ben, taran a swniai fel craig yn hollti'n ddwy.

Eiliad o dawelwch trwm, yna dechreuodd y glaw, ond
roedd Jos eisoes wedi dechrau rhedeg. Prin y sylwai ar y glaw
a syrthiai drosto fel rhaeadr drwchus; yn ystod fflach y
fellten, roedd wedi gweld ei dad yn gorwedd mewn gwely
gyda phob mathau o wifrau'n tyfu ohono.

'*Dad!*' gwaeddodd, ond roedd y tywydd ffyrnig yn cipio ac
yn boddi pob sŵn. Rhedodd drwy'r caeau, drwy'r gwynt,
drwy'r glaw, am Gae Uchaf . . .

(viii)

. . . lle roedd Merfyn unwaith eto wedi neidio i fyny i sedd y
tractor. Y tro hwn gyrrai'n fwy gwyllt nag erioed, a bu bron i
Beiron syrthio i lawr o gefn y trelyr ac o dan yr olwynion.
Llwyddodd i gydio yn rhai o'r beliau gwair, pob un yn wlyb
socian erbyn hyn, ac i'w lusgo'i hun yn ei ôl i fyny at flaen y
trêlar.

Beth ddiawl oedd ei dad yn ei wneud?

'Dad!' gwaeddodd, yna gwelodd fod pen Merfyn yn
hongian yn llac ar ei wddf, a bod ei law yn mynd am ei fron.
Wrth i Beiron wylio, syrthiodd llaw ei dad yn llipa ar ei lin, a
dechreuodd y tractor igam-ogamu yn waeth nag erioed ar
draws y cae.

'*Dad*!'

Llithrodd eto wrth geisio dringo o'r trêlar i mewn i'r
tractor, ond unwaith eto llwyddodd i'w achub ei hun, y tro
hwn drwy gydio – Duw a ŵyr sut – yn un o'r barrau metel a
luniai ffrâm y tractor. Dringodd fwy neu lai ar ben Merfyn a
diffodd y peiriant, ond roedd y tractor yn anelu'n syth am un

o gloddiau'r cae. Tarodd yn ei erbyn ag ergyd a daflodd Beiron allan o'r tractor ac i lawr i'r ddaear.

Roedd Merfyn yn hanner-eistedd, hanner-gorwedd uwchben yr olwyn, yn un sypyn swrth a diymadferth. Cododd Beiron a llamu ato. Clywodd lais yn gweiddi y tu ôl iddo a throes i weld Jos yn rhedeg amdanynt.

'Cer i ffonio am ambiwlans!' sgrechiodd Beiron arno dros ru y gwynt. Safodd Jos yno'n rhythu ar ei dad, ei wyneb yn wyn fel y galchen. *'Nawr!'*

Trodd Beiron yn ôl at ei dad. Roedd llygaid Merfyn ynghau, a'i wefusau, gwelodd Beiron gyda braw, yn hollol las.

Trodd eto i weld Jos yn diflannu'n ôl ar draws y cae. Yna trwy'r llen o law cafodd gip ar rywun arall, rhywun a safai yr ochr arall i'r clawdd yn syllu i'w gyfeiriad, ffigur tal, main mewn dillad duon, carpiog, a'i wyneb yn wynnach na blawd.

Yna diflannodd hwnnw hefyd wrth i'r glaw syrthio'n drymach nag erioed dros y fro.

RHAN 3

Ym mwstwr y gwynt y mae straen ac nid ystwr;
A rhyndod nad yw o'r byd hwn yn oeri'r dŵr.
                                    – T. H. Parry-Williams

I meddled in things that man must leave alone.
                – Claude Rains yn *The Invisible Man* (1933)

Pennod 15

Roedd ei dad yn cysgu erbyn hyn.

O'r diwedd.

A diolch byth.

Gorweddai Brian Gruffydd yn ei gadair. Meddyliodd Meic ei fod yn edrych bron fel bachgen ifanc gyda'i lygaid ynghau a'i wyneb yn weddol ddi-grych. Roedd ei ddillad yn rhy fawr iddo hefyd, ei siwmper lac a'i drowsus bagi – yr unig ddillad glân oedd ganddo ar ôl; roedd pentwr o'r lleill wrthi'n troi'n hamddenol y tu mewn i'r peiriant golchi yn y gegin.

Ddoe . . . roedd ddoe yn uffernol. A bore 'ma, hefyd. Dim byd newydd, efallai, dim byd gwahanol iawn, ond uffernol yr un peth.

'Fydd e'n o'reit?'

Pedair awr ar hugain – dyna oedd hyd arferol y dyddiau mwy-uffernol-na'i-gilydd hyn. Dylai pethau setlo ychydig nawr. Tan y storm nesaf, y glaw trwm nesaf.

'Meic?'

Trodd at lle safai Seren yn nrws y gegin. 'Yn o'reit?' Doedd ganddo mo'r nerth i chwerthin. Haws oedd ochneidio. 'Bydd, sbo. Cysgu fydd e nawr. Tan fory, gyda lwc.'

'Yn y gader 'na?'

'Falle yr eiff e lan i'r gwely, os wneiff e hanner-dihuno.' Gwyddai fod Seren wedi ymdrechu i beidio ag edrych o'i hamgylch ar yr annibendod yn y tŷ. Dyna un rheswm pam roedd yn casáu i rywun alw: roedd yn amhosib peidio â gweld y lle drwy eu llygaid nhw am ychydig.

A gweld ei dad hefyd drwy eu llygaid nhw.

'Dere, 'te,' meddai'n swta. 'Ewn ni, ife?'

Dilynodd Seren allan i awyr iach yr ardd gefn. Roedd y storm fawr ddoe wedi gwneud lles i'r tywydd, o leiaf, os nad iddo ef a'i dad. Chwythai awel fechan heddiw, ac er bod yr haul allan eto, roedd yn ddiwrnod braf a chynnes yn hytrach nag annioddefol o boeth.

'Aros i fi roi hwn i gadw yn y sièd.'

'Ti'n o'reit?'

'Odw, odw – wy 'di arfer. Ma'r nàc 'da fi nawr.'

Gwthiodd y beic-modur *Silver Shadow* i mewn i'r sièd. Wrthi'n potshian ag ef roedd Meic pan alwodd Seren. Heb ddweud gair, tynnodd Seren amlen fawr o'i bag a'i rhoi i Meic. Yn yr amlen roedd copi o'r llun ysgol a losgodd Meic.

Yn hwn hefyd roedd chwe wyneb wedi cilio.

'Pryd sylwest ti ar hwn?' Roedd Seren wedi gwrthod ateb. 'Ti'n gwbod ers y diwrnod 'nna, on'd wyt ti? Pan fennodd yr arholiade?'

Nodiodd Seren.

Gwylltiodd Meic. 'Pam yffarn na 'set ti 'di *gweud* – ?'

'Do'n i . . . do'n i jest ddim *ishe*, Meic.'

'*Beth?* Pam?'

'Do'n i ddim yn moyn cyfadde 'i fod e'n digwydd! Ro'n i 'di dechre meddwl y bydde popeth yn o'reit, y bydden ni i gyd yn mynd bant ddiwedd yr haf a cha'l anghofio ambytu'r cwbwl.'

'A 'ngadel i 'ma i wynebu'r shit i gyd 'yn hunan, ife?'

'Beth?'

'Alla *i* ddim mynd bant i unrhyw goleg, Seren. Wy'n stỳc 'ma!'

'Nage 'mai i yw 'nna! Na bai neb arall 'whaith. Dylet ti fod wedi trio'n galetach yn yr arholiade . . .'

'O, sa i'n sôn ambytu'r ffycin arholiade, odw i!' Pwyntiodd Meic at y tŷ. 'Alla i ddim mynd bant i *unman*, Seren – achos alla i ddim gadael Dad! Ti'n dyall?' Gwelodd nad oedd Seren yn deall yn llawn. ''*Y mai i yw e, Seren!* 'Y mai i yw e fod Dad fel y ma' fe.'

Tro Seren oedd hi i golli'i thymer.

'Paid!' gwaeddodd arno. 'Paid â gweud 'nna! Ma' bai arnon ni i *gyd* 'te, on'd o's e? Y pump ohonon ni.'

'Beth?'

'Y ni'n pump 'na'th rwystro Branwen rhag mynd mas ar ôl Siân! 'Se ni ddim wedi neud 'nny, fydde Branwen wedi mynd mas gyda hi, a 'se Siân ddim wedi cwympo i'r afon a boddi! 'Se dy dad wedyn ddim wedi dod o hyd iddi a 'se fe ddim . . . ddim fel y ma' fe heddi.'

Ond roedd Meic eisoes yn ysgwyd ei ben yn rhwystredig: doedd Seren yn dal ddim yn deall.

'Nage sôn ambytu 'na odw i! O'reit – ni i gyd ar fai am beth ddigwyddodd i Siân, ond ambytu Dad . . . grinda.' Esboniodd wrthi am ei ymgais i ddifa'r Gêm, yn union fel ag y gwnaeth wrth Jos ddyddiau ynghynt. Gwrandawodd Seren arno'n gegrwth. 'Wyt ti'n gweld nawr?' gorffennodd. 'Ma' Dad fel ma' fe achos mod i wedi trial 'neud niwed i'r Gêm! 'Na pam alla i ddim hyd yn o'd meddwl am fynd bant i unman, Seren. A 'na pam es i ddim i fyw gyda Mam, a'i adel e 'ma i'w yfed ei hunan i'r bedd. Wy'n ca'l 'y *nghosbi* – am drial dinistrio'r Gêm! Ma'n *rhaid* i fi aros yma 'da fe – wyt ti'n deall? *Ma'n rhaid i fi!*'

Disgynnodd llygaid Seren i lawr at y llun yn nwylo Meic. Gwyddai Meic yn union beth oedd yn gwibio drwy'i meddwl: roedd hi'n difaru dod â'r llun draw, a chlywed yr hyn roedd e newydd ei ddweud wrthi.

147

'Ma'n swnio'n boncyrs, wy'n gwbod,' meddai. 'Ond ma' fe'n wir, Seren. 'Na beth sy wedi digwydd. Ac ma'r llun yma, a phopeth arall sy 'di bod yn digwydd yn ddiweddar . . .' Sylwodd ar y cysgod sydyn a dywyllodd wyneb Seren am eiliad. Craffodd arni. 'Ma' rhwbeth arall wedi digwydd, on'd o's e? I ti? Pam wnest ti benderfynu ddod â hwn draw 'ma heddi? Pam nawr, Seren?'

Roedd Seren yn dal i syllu ar y llun yn nwylo Meic.

'Wy 'di gweld hi, Meic.' sibrydodd.

'Pwy?'

'Siân.' Llwyddodd i dynnu'i llygaid oddi ar y llun a'u llusgo i fyny at lygaid Meic. 'Wy 'di gweld Siân.'

Dywedodd y cyfan wrtho – am ei thaith adref ar ôl y ddawns pan deimlodd law fach laith yn llithro i mewn i'w llaw hi; am y ddrychiolaeth a welodd yn eistedd ar y fainc yn yr ardd; am y sicrwydd a deimlai fod Emma Christie hefyd wedi profi rhywbeth ac, os felly, Jos a Rol hefyd, fwy na thebyg. A beth amdano ef – beth am Meic?

'Sa i 'di gweld dim byd fel 'na,' meddai, 'ond wy 'di gweld pethe eraill.'

Dywedodd wrthi am y chwe llygoden fawr a welodd yn y sgubor; ac am y llais plentyn a glywai'n aml . . .

'Yn chwerthin?' gofynnodd Seren yn obeithiol.

. . . ie, yn chwerthin; ac am y cipolwg a gafodd wrth iddo losgi'r llun o ffigur bychan mewn cot law felen yn diflannu o'r golwg.

'Ti *wedi'i* gweld hi 'te,' meddai Seren. 'Y hi oedd hi. 'Na beth oedd hi'n wisgo'r diwrnod 'na – ti'n cofio? A 'na beth mae'n ei wisgo nawr. Cot law felen.'

Ie – y got law felen. Y got honno a welodd ei dad, Brian druan, bum mlynedd yn ôl, yn nŵr yr afon. Er na allai fyth brofi'r peth, gwyddai Meic fod hynny wedi digwydd yr un pryd ag yr oedd ef yn ceisio llosgi'r Gêm.

Dyna pam roedd Brian, ddoe, wedi mynd i lawr at yr afon yng nghanol y storm. Gwnâi hynny bob tro roedd hi'n bwrw'n drwm. Dyna ble cafodd Meic hyd iddo unwaith eto, ar ei liniau ar lan yr afon, yn wlyb at ei groen, a ffosydd duon o fwd yn llifo i lawr ei wyneb.

Gweithio i'r Bwrdd Dŵr oedd Brian, bum mlynedd yn ôl, a cheisiodd Meic ei gysuro'i hun i gychwyn drwy ddweud wrtho'i hun mai digon naturiol oedd hi i Brian, o bawb, ddod o hyd i gorff Siân. Ond y gwir oedd fod y pentref i gyd, bron, allan yn chwilio am y ferch fach goll erbyn hynny, a nifer o'r chwilwyr eisoes wedi bod yn yr union fan honno. Brian oedd *i fod* i ddod o hyd iddi, oherwydd ei fod ef, Meic, wedi ceisio dinistrio'r Gêm.

Ddoe, fel bob un tro arall cyn hynny, gadawodd Brian i'w fab ei dywys yn ôl adref drwy'r glaw, ond unwaith y cyrhaeddodd y tŷ, dechreuodd weiddi a sgrechen a chrio a cheisio cuddio mewn corneli, a dim ond rhagor o fodca oedd yn cadw pa ellyllon bynnag a welai rhag neidio arno a'i fwyta'n fyw. Dim ond ar ôl iddo ymdawelu y llwyddodd Meic i'w gael i orwedd yn y bàth, gyda'r botel fodca o fewn cyrraedd rhag ofn iddo chwysu gormod o'r alcohol allan o'i gorff: unwaith y digwyddai hynny, dyna pryd y dychwelai'r cythreuliaid. Roedd ei ddillad yn swp o law a mwd a chwd a phiso a chachu, ond o leiaf roedd Brian gartref. Doedd o ddim wedi gadael iddo'i hun lithro i mewn i'r afon i gofleidiad beth bynnag oedd yn aros amdano o dan y dŵr.

Gwrthododd ymlacio nes bod y wawr wedi torri. Dyna pryd y cododd o'r bàth a gadael i Meic ei arwain i'w ystafell a'i roi yn ei wely. Gorweddodd yno'n syllu ar ei boster mawr o'r ffilm *Easy Rider* ar y mur gyferbyn, ac eisteddodd Meic gydag ef yn gwrando unwaith eto ar ei freuddwydion o fynd ryw ddydd i deithio priffyrdd Arizona, New Mexico a Chaliffornia ar feic Harley Davidson, gyda'r gwynt yn ei wallt a chaneuon Jimi Hendrix a Steppenwolf yn ei ben.

A Carol yn eistedd ar y beic y tu ôl iddo gyda'i breichiau wedi'u lapio'n dynn amdano.

Cyrhaeddodd Carol tra oedd Meic yn llwytho'r peiriant

golchi – eisiau gwybod sut hwyl a gafodd gyda'i arholiadau. Dywedodd wrthi mai'r unig un y llwyddodd i'w phasio oedd Hanes Celfyddyd, a hynny ond o drwch blewyn.

'O leia ma' un 'da ti,' meddai Carol. 'Un yn fwy na sy 'da fi. A dy dad. Pam na ddest ti i'r siop i 'weud wrtha i?'

'Ches i mo'r cyfle.' Edrychodd Meic ar ei fam. 'Y storom, Mam. Y glaw. 'Na pam nad ydych chi wedi bod 'ma cyn hyn i ofyn i fi, ontefe?'

Edrychodd Carol yn euog. 'Ie. Allen i ddim . . . ddo'. Ti'n gwbod 'nny, on'd wyt ti? A'th e . . . a'th e lawr at yr afon?'

Nodiodd Meic.

'Odi e'n o'reit?'

'Pam – chi'n becso?'

Gwelodd y boen yn saethu drwy lygaid ei fam, ond erbyn hynny roedd Meic wedi blino gormod i ddifaru'i eiriau.

'Wrth gwrs 'mod i'n becso, Meic,' meddai wrtho'n dawel. 'Ble mae e nawr?'

'Lan sta'r, yn cysgu. Chi'n moyn mynd i'w weld e?'

Gwyddai Meic nad oedd unrhyw obaith o hynny. Yn wir, petai Carol drwy ryw wyrth wedi cytuno, buasai Meic wedi ei rhwystro. Y tro diwethaf iddi wneud hynny, bron i ddwy flynedd yn ôl bellach, roedd Brian wedi cynhyrfu'n lân, gan gredu fod Carol wedi dod yn ôl ato. Pan ddeallodd nad oedd hynny'n wir, torrodd ei galon a daeth yn agos at ei yfed ei hun i farwolaeth dros y dyddiau dilynol.

Cyn i Carol adael, meddai wrth Meic: 'O, ie – bron i fi anghofio. Ti'n gwbod pwy o'dd yn y siop pwy ddwarnod? Y Branwen Phillips honno.'

'Y? *Branwen*?'

'Ie. Ma' hi 'di newid, ond fe nabyddes i hi'n syth, fwy neu lai. So ti wedi dod ar 'i thraws hi, wyt ti?'

Ysgydwodd Meic ei ben. 'Chi'n siŵr taw y hi o'dd hi?'

Yn fuan wedi iddi adael, roedd Brian wedi dod i lawr y grisiau. Rywsut neu'i gilydd, roedd wedi clywed ei llais.

'Ro'dd hi '*ma* – ? Carol? Pam yffarn na 'se ti wedi dod i 'weud wrtho i?'

'Ond am eiliad o'dd hi yma.'

Edrychodd Brian o amgylch y gegin. 'Ro'dd hi 'ma'n ddigon hir i lanhau a neud y golch.'

'*Y fi* sy 'di neud 'nny.'

'Dylet ti fod wedi gweud wrtho i . . .' – fel hyn, drosodd a throsodd, nes o'r diwedd collodd y Meic blinedig ei amynedd.

'Do'dd hi ddim *yn moyn* 'ych gweld chi, Dad!'

Mwy o lefen a rhegi ar ôl hynny, ond roedd Brian hefyd wedi blino; roedd ddoe wedi ei lorio, ac o'r diwedd syrthiodd i'w gadair a chysgu eto.

Daeth Meic allan o'r sièd i weld Seren yn syllu'n ôl ar y tŷ.

'Paid â becso,' meddai wrthi. 'Bydd e'n o'reit, ti'n gwbod.'

'Wyt *ti*'n o'reit?' gofynnodd Seren.

Dechreuodd Meic nodio, ond roedd Seren yn rhythu arno â'i llygaid brown, mawr. Ysgydwodd ei ben.

'Wyt ti?'

'Nac ydw. Ond wy'n timlo 'bach yn well nawr 'yn bod ni 'di dechre siarad â'n gilydd. O'r diwedd. Meic? Wyt ti'n meddwl y gallwn ni . . . ddatrys pethe?'

Edrychodd Meic arni, yna trodd i ffwrdd gan godi'i ysgwyddau. Brathodd ei dafod rhag dweud wrthi beth oedd ei ofn mwyaf, sef mai ond megis dechrau roedd popeth a'u bod am fynd yn waeth o lawer cyn i'r haf uffernol hwn ddirwyn i ben.

Pennod 16

Doedd dim rhaid i Jos weld ei dad i wybod sut y byddai'n edrych. Serch hynny, roedd wedi teimlo'i goesau'n bygwth rhoi oddi tano pan welodd ef yn gorwedd yn y gwely gyda'r holl wifrau a thiwbiau'n dod ohono.

Wy 'di gweld hyn o'r bla'n! meddyliodd. *Dyma'n gwmws beth weles i pan fagles i mas o'r sgubor.*

Ar ôl i fi daflu'r Gêm yn erbyn y pared. Ar ôl i fi drial achosi niwed iddi hi.

Fel y gwna'th Meic . . .

Eisteddodd Mair wrth wely Merfyn, ei llaw yn cydio yn ei law ddiymadferth ef.

''Dyw e ddim i *fod* fel hyn,' meddai. 'Mor llonydd. So Merfyn byth yn llonydd. Hyd yn o'd pan mae e'n cysgu. Wastad yn troi a throsi yn ei gwsg, wastad mor aflonydd.'

Yn ddiweddarach, daeth allan i'r ystafell aros, lle'r oedd Jos a Rhian yn yfed paned ddiflas o goffi o beiriant.

'Rhybudd o'dd e, yn ôl y meddygon 'ma,' meddai Mair. 'Bydd e'n o'reit – *os* y gwneiff e fel ma' nhw'n 'weud.'

'Bydd rhaid iddo fe, 'yn bydd e?' meddai Rhian.

Nodiodd Mair, a gwelodd Jos hi'n edrych yn arwyddocaol ar Rhian. Nodiodd hithau, a mynd i mewn i'r ystafell at ei thad.

Eisteddodd Mair wrth ochr ei mab.

'Jos . . .' dechreuodd.

'Ie?' Roedd hi'n syllu ar y cwpan papur oedd gan Jos rhwng ei ddwylo. 'Sori – chi'n moyn i fi hôl coffi i chi?'

'Na, na – wy'n o'reit. Grinda . . .' Gafaelodd Mair yn ei fraich. 'Ambytu'r coleg . . .'

'Pidwch â becso, sa i'n bwriadu mynd nawr tan fis Medi.'

'Wel, 'na'r . . .'

'Beth?'

Ochneidiodd Mair. 'Bydd dy dad gartre 'to ymhen 'chydig o ddyddie. Ond fydd e ddim yn ca'l gwitho – ti'n dyall 'nny, on'd wyt ti?'

'Odw . . .'

'Fydd e ddim yn ca'l gwitho am sbel. Cheiff e byth witho 'to fel o'dd e'n arfer neud. Fel 'wedes i gynne fach, rhybudd yw hyn. Ond ti'n gwbod shwt un yw dy dad. All e ddim aros yn llonydd yn hir iawn – yn enwedig os yw e'n credu fod gwaith i'w neud. Ac er 'mod i'n caru Beiron cyment ag wy'n dy garu di a Rhian . . . wel, *fe fydd* 'na waith i'w neud os bydd raid i ni ddibynnu arno fe . . .'

Teimlodd Jos ei galon yn suddo. Gwyddai beth oedd yn dod.

'Ond os fyddet ti gartre 'da ni o hyd . . .'

'Mam . . .'

'Plîs, Jos,' torrodd Mair ar ei draws. 'Plîs creda fi, 'sen i ddim yn breuddwydio gofyn i ti os na fydde rhaid i fi. Sa i'n disgwl i ti bidio mynd i'r coleg o gwbwl. Ond 'se ti'n . . . gohirio mynd, am flwyddyn . . . wel, ymhen blwyddyn bydd dy dad gyment yn well, a bydden ni wedi ca'l cyfle i 'whilo am rywun arall, rhywun y gallen ni ddibynnu arno fe . . . 'Nei di? Plîs?'

Roedd Rhian wedi dod allan atynt wrth i Mair orffen siarad. Roedd ei llygaid yn llaith, ac ofnai Jos fod ei dad wedi . . .

'Mae e 'di dihuno,' meddai Rhian. 'Ac yn gofyn ble yffarn ma'i wraig e pan bod e 'i hishe hi.'

'O . . .!' Dechreuodd Mair wylo, a chododd ar ei thraed. 'Plîs, Jos?' meddai, cyn troi a mynd i mewn at Merfyn.

Roedd yr arswyd wir wedi cael gafael ynddo wrth iddo yrru adref o'r ysbyty, fel petai un o'r llygod ffyrnig a welodd yn yr ysgubor yn cnoi ei ffordd allan o'i stumog.

'Rhybudd yw hyn.'

Dyna oedd geiriau ei fam, ond roedd Mair yn dweud fwy o wir nag yr oedd hi'n ei sylweddoli. Ie, rhybudd yw e, meddyliodd Jos – *ond rhybudd i mi, am drial niweidio'r Gêm.*

A phwy sy'n talu'r pris? Dad.

A nawr, roedd yn methu mynd i ffwrdd i'r coleg. Roedd yn gorfod rhoi ei freuddwyd o'r neilltu am flwyddyn gyfan.

Am *o leiaf* blwyddyn. Efallai . . . efallai am byth.

Roedd y Gêm wedi ei gaethiwo yma.

Dduw mawr. Oedd hynny am ddigwydd i *bob un* ohonyn nhw? Yn ôl Meic – *pam ddiawl na wnes i wrando ar Meic!* – roedd wedi digwydd iddo ef yn barod. Ceisiodd ef ddifa'r Gêm bum mlynedd yn ôl, a theg oedd dweud fod bywyd Meic wedi bod yn eitha uffernol ers hynny. Ni wyddai Jos sut hwyl a gafodd Meic ar ei arholiadau, ond gallai fentro nad oedd ei ganlyniadau'n ddigon da iddo fynd i ffwrdd i goleg. Roedd yn amhosib iddo adolygu llawer tra oedd e'n byw 'da thad alcoholig . . .

A nawr, roedd tad Jos yn gorwedd mewn gwely ysbyty – dyn mawr mewn corff cyhyrog a chanddo galon wan. Fel roedd tad Meic yn ei rwystro ef rhag mynd i ffwrdd, yn yr un modd roedd tad Jos yn ei rwystro yntau.

Oedd rhywbeth tebyg am ddigwydd i Colin, tad Rol? Ac i'r hipi Lloerfaen hwnnw? A beth am Raymond Christie?

Oedd y Gêm am eu cadw i gyd yma drwy wneud rhywbeth ofnadwy i'w tadau nhw? *I'w rhieni?*

I unrhyw un oedd yn annwyl iddyn nhw?

Ond un funud. Roedd Meic a Jos wedi ceisio achosi niwed i'r Gêm. Efallai y byddai'r tri arall yn ddiogel . . .

Yna cofiodd am Emma yn marchogaeth i ffwrdd o'r sgubor. Roedd hi wedi dod â'r Gêm yn ei hôl, ar ôl blynyddoedd o'i chadw'n ddiogel. Roedd Emma wedi diarddel y Gêm – wedi cefnu arni. Oedd hithau hefyd mewn perygl?

Pam *nawr* – ar ôl yr holl flynyddoedd?

Tarodd y sylweddoliad ef fel ergyd.

Oherwydd eu bod i gyd (ar wahân i Meic) yn bwriadu mynd i ffwrdd. Dyna *pam nawr, Meilir Joseff. Ry'ch i gyd yn methu'n glir ag aros i gael ffoi o'ch cynefin. Ond chewch chi ddim. Mae rhywun – rhywbeth – yn benderfynol o'ch cadw chi yma, bob un ohonoch chi.*

Y chwech *ohonoch chi, fel mae'n digwydd, oherwydd mae'r chweched wedi dychwelyd yma'n awr. Branwen Phillips, wedi 'digwydd' galw'n ôl yma, ar ôl pum mlynedd o fod i ffwrdd yn Duw-a-ŵyr-ble.*

Efallai na chafodd unrhyw drafferth i ddychwelyd yma, ond rwy'n fodlon betio ffortiwn na fydd hi'n gallu ymadael eto.

Na, mae'n rhaid i bawb aros yma. Dyna'r gosb am chwarae'r Gêm bum mlynedd yn ôl. Am achosi marwolaeth Siân. Wyt ti'n deall, Jos?

Carchar.

Carchar am oes. Dyna'r ddedfryd sy'n aros pob llofrudd, yntê?

'Ond dim ond 'whare gêm nethon ni . . . !'

Sylweddolodd Jos ei fod wedi gweiddi'r geiriau'n uchel, wedi eu sgrechen dros sŵn injan y *Land Rover* wrth yrru drwy'r pentef. Beth petasai rhywun wedi ei glywed? Bydden nhw'n meddwl ei fod yn drysu'n llwyr. Ac efallai ei fod *yn* drysu'n llwyr, meddyliodd. Fis yn ôl buasai hyd yn oed meddwl am y fath bethau wedi achosi iddo edrych arno'i hun yn ofalus yn y drych. Ond nawr . . .

Cofiodd eto am ei dad yn gorwedd yn llonydd yn ei wely ysbyty, a chwyddodd yr euogrwydd y tu mewn iddo.

'Dduw mawr – beth odw i wedi'i *neud*?' meddai.

Teimlodd y pwys yn codi yn ei stumog. Dim ond tynnu i mewn pryd wnaeth e cyn gwyro uwchben y ffos i gyfogi'n boenus. Uwch ei ben hedfanodd haid o ehediaid y nos, eu cyrff yn un clwstwr trwchus, du yn erbyn gwaed y machlud hardd.

Pennod 17

Taniodd Peter Phillips sigarét arall. Tynnodd ystumiau'n syth. Roedd ei blas yn troi arno, ond Duw a'i helpo, roedd arno angen y nicotîn a deimlai'n ymlusgo drwy'i gorff.

Faint o'r rhain oedd e wedi'u hysmygu heddiw? Gormod o lawer, roedd hynny'n sicr. Prynodd baced ar ei ffordd i'r gwaith, a dim ond tair oedd ganddo ar ôl, dwy ar bymtheg, felly, ar ben gweddillion y paced a brynodd brynhawn ddoe. Petai wedi ysmygu cymaint â hynny o'i sigârs bach arferol, fe fyddai'n sâl fel ci erbyn hyn.

Ac efallai mai sâl fyddai e hefyd. Ers i Branwen alw yn ei swyddfa a gwthio'r llythyr melltigedig hwnnw dan ei drwyn, bu ei stumog yn troi'n ffyrnig; ni allai hyd yn oed feddwl am fwyta unrhyw beth, dim ond yfed ac ysmygu.

Lle ddiawl oedd Raymond?

Ef oedd wedi mynnu cyfarfod ym maes parcio'r harbwr, ar ôl gwrthod yn lân â dod draw i'r ganolfan. Roedd hynny ynddo'i hun yn arwydd drwg, teimlai Peter. Roedd yn amlwg nad oedd ar Raymond eisiau i Caren glywed un gair o'u sgwrs.

Neu, yn hytrach, nid oedd am i Caren wybod fod ganddo ef unrhyw beth i'w wneud â'r mater. Wel, doedd Raymond ddim am gael gwingo'i ffordd allan o hyn, fe ofalai Peter am hynny; roedd y ddau ohonyn nhw yn y cach, a doedd yr un ohonyn nhw am gael dringo allan ohono heb y llall.

Clywodd Peter sŵn olwynion car yn crensian tuag ato dros y cerrig mân, a throdd i weld Mercedes Raymond yn dod amdano. Tynnodd Peter ar ei sigarét cyn ei thaflu dros y clawdd i'r harbwr a dringo i mewn i'r car at Raymond, a eisteddai yno yn dal ei law allan yn ddisgwylgar.

'Y llythyr, Peter,' meddai'n ddiamynedd.

Tynnodd Peter y llythyr o'i boced a'i roi iddo. Darllenodd Raymond ef yn ddistaw, cyn ochneidio ac edrych allan ar haid o wylanod yn ffraeo dros rywbeth yng nghanol mwd yr harbwr.

'Wy'n gweld.'

''Wedodd dy dad ddim byd wrthot ti?'

'Do, do. Dyna pam eisteddes i'n ôl a neud dim byd am y peth.' Taflodd olwg ddilornus i gyfeiriad Peter. 'Naddo!'

'Hanner can mil . . .'

'Mwy na 'nny.'

'Beth?'

'Erbyn hyn, gyda'r llog ers . . . pryd a'th Diane miwn i'r lle 'na gynta?'

'Pedair blynedd yn ôl,' atebodd Peter. 'Bron i bump.'

Nodiodd Raymond. 'Wel – beth wyt ti'n mynd i neud am y peth?'

'*Fi?*' Rhythodd Peter arno. Roedd yn iawn, felly. Dyma oedd tric Raymond – ceisio golchi'i ddwylo o'r holl beth. Chwarddodd yn chwerw. 'Grinda – do'n i ddim yn gwbod am yr arian 'ma nes i ti 'weud wrtho i.'

'Ond y ti sy wedi'i hala fe.'

'Ddim i gyd. Wy'n cofio *rhywun* oedd yn fwy na bodlon derbyn cildwrn bach am 'weud wrtha i yn y lle cynta. A doedd dim hawl 'da ti *i* 'weud wrtha i amdano fe. Mater preifat rhwng dy dad a Diane oedd e. Petai'r byd a'r betws yn digwydd ca'l gwbod fod y cyfreithiwr parchus Raymond Christie wedi agor ei geg . . .'

'Ie, o'reit, Peter.'

'. . . fydde neb yn fodlon 'i drystio fe gydag unrhyw beth. Ac ma'r gair *disbarment* yn dod i'r meddwl 'fyd . . .'

'*O'reit*!'

'Wedi 'nny, gyfaill, y cwestiwn ddylet ti fod wedi'i ofyn oedd, beth y'n *ni* am ei neud ynghylch y peth?'

Ochneidiodd Raymond eto.

'Wel?' mynnodd Peter.

'Does 'na ddim llawer y *gallwn* ni'i neud,' meddai Raymond. 'Ro'dd Diane wedi sefydlu'r *trust fund* ar gyfer Branwen, yn hollol gyfreithlon. Ac yn ôl y gyfraith, ma' hawl 'da Branwen i bob ceiniog o'r arian ar ddiwrnod ei phen blwydd yn ddeunaw oed. Ma'n rhaid iddo gael 'i dalu iddi, Peter.'

'Ond shwt? Mae e wedi mynd i gyd.'

'Ma'n rhaid i ti ddod o hyd i hanner can mil arall o rywle. Gwna fe'n chwe deg mil.'

'O's chwe deg mil 'da ti i'w sbario?' gofynnodd Peter. 'Na, do'n i ddim yn meddwl, rywsut.'

'Falle nad o's *raid* iddo fe fod yn chwe deg,' meddai Raymond. 'Falle bydde Branwen yn fodlon setlo am lai . . .'

'Ha!'

Bu tawelwch rhyngddynt am funudau. Agorodd Raymond y ffenestr. Roedd Peter yn drewi o arogl sigaréts, ei anadl yn gwynto fel hen flwch llwch. Meddyliodd Peter am y cyfarfod a gafodd gyda Branwen. *Dyma* pam fod y bitsh fach wedi dod yn ôl. Roedd hi wedi mwynhau pob eiliad o'r cyfarfod hefyd, roedd hynny'n amlwg, damo hi, yn cael modd i fyw yn ei wylio ef yn gwneud ei orau i ymddangos yn ddi-hid ar ôl darllen y llythyr.

'Pam yffarn o'dd yn rhaid i dy dad fusnesu?' meddai'n awr. 'Mae e 'di ymddeol, i fod.'

'Dim ond neud 'i ddyletswydd oedd Dad. Y cwestiwn yw, beth o'dd ar ben Diane yn gadel gyment o arian i Branwen yn y lle cynta?' gofynnodd Raymod. 'Beth dda'th drosti, Peter? 'Wedest ti 'i bod hi'n casáu hyd yn o'd meddwl am Branwen, ar ôl beth ddigwyddodd i Siân.'

''Na'r argraff ges inne 'fyd. Ond ma' Diane . . .'
Ochneidiodd. 'Pwy all 'weud be sy'n mynd trw' feddwl
rhywun fel Diane?' Edrychodd yn obeithiol am eiliad, ond
ysgydwodd Raymond ei ben.

'Na, wneiff 'nny ddim gweithio, sori. Ro'dd hi'n ddigon
call pan sefydlodd hi'r gronfa ymddiriedolaeth yma gyda
Dad. A ti'n gwbod am Dad. Fydde fe byth wedi caniatáu iddi
neud hynny os na fydde hi'n . . . wel, yn *compos-mentis*.'
Crafodd Raymond ei glust am rai eiliadau. 'Un peth . . .'

'Beth?'

'Sôn am Diane . . . So gwasanaeth Bryn Tawel i'w ga'l ar
yr NHS, odi e? Lle preifat fel yna. So fe'n rhad . . .'

'Diane ei hunan sy'n talu amdano fe, Raymond. Gyda'i
harian hi'i hunan – yr arian gafodd hi ar ôl John.'

'Ie, ie – ond odi hi, Branwen, yn gwbod 'nny?' Edrychodd
Peter arno. 'Os gallet ti berswadio Branwen fod yr hanner can
mil yna wedi mynd i dalu am driniaeth 'i mam ym Mryn
Tawel, wel . . .'

'Ac os na alla i 'i pherswadio hi – ?'

'Wel . . .' Crafodd Raymond ei glust eto. 'Fel 'wedest ti
gynne fach, byddi di – a finne – yn y cach.' Trodd ac edrych
ar Peter. 'Felly ma' fe lan i ti, gw'boi, i neud jobyn da *o'i*
pherswado hi, on'd yw e? Ryw ffordd neu'i gilydd.'

Pennod 18

(i)

Nid oedd Branwen wedi caniatáu ei hun i feddwl llawer am
yr hanner can mil. Er bod y swm yno'n glir ar y llythyr,
mewn du a gwyn bendigedig, roedd wedi cael ei siomi ormod
o weithiau yn ystod y blynyddoedd diwethaf i gymryd
unrhyw beth da yn ganiataol.

Yn wir, roedd yn wyrth ei bod wedi derbyn y llythyr o gwbl.

Harewood oedd enw'r cartref, ac roedd yr enw yn creu darlun yn y meddwl o goedwig fach heulog lle'r oedd sgwarnogod yn troi'n dylwyth teg ac yn dawnsio mewn cylchoedd o arian ar nosweithiau golau-leuad. Ond os y bu coedwig o amgylch Harewood erioed, yna roedd wedi hen ddiflannu.

Hen blasdy wedi'i addasu a'i fabwysiadu gan y gwasan-aethau cymdeithasol oedd y cartref. Safai ar gyrion Swindon, rhwng dwy ystâd ddiwydiannol anferth oedd bellach yn wag ac yn pydru, yn debyg iawn i'r hen *ghost towns* hynny a welir yn aml mewn ffilmiau cowboi. A bod yn deg, doedd dim byd Dickensaidd ynglŷn â'r lle, a phwyleisiwyd nad cael eu danfon yno er mwyn cael eu cosbi oedd y plant a gyrhaeddai'r lle. Onid oedd pob un o'r staff yn darllen y *Guardian*? Serch hynny, y gred gyffredinol oedd fod yr haul yn osgoi tywynnu ar y lle.

Yno y daeth Branwen yn dair ar ddeg oed, ac oddi yno y dihangodd ychydig dros flwyddyn yn ddiweddarach. Yn ystod y flwyddyn honno, fe newidiodd Branwen. Diflannodd y ferch fach ddi-siâp, ddi-olwg; trodd yr hwyaden yn alarch ifanc, galed. Ei harf oedd ei harddwch newydd, a defnyddiodd Branwen ef yn helaeth. Dysgodd sut oedd adnabod gwendidau pobol, a sut oedd eu defnyddio er gwaeth iddyn nhw ac er gwell iddi hi.

Ond roedd bleiddiaid llawer mwy rheibus yn aros amdani, a phan ffodd i Lundain, ni sylweddolodd nes ei bod yn rhy hwyr mai ffoi i ganol eu ffau a wnaeth. Chwilfrydedd a rhyw hen ddewrder ffôl, ffwrdd-â-hi a'i gyrrodd at gusan y nodwydd gyntaf. Roedd yn eiddgar am yr ail gusan, yn awchus am y drydedd, ac yn gwbl desbred am y bedwaredd. Buasai wedi gwneud unrhyw beth am y bumed – ac fe wnaeth. Erbyn hynny roedd y corynnod wedi hen nythu y tu mewn i'w gwythiennau.

Drwy'r cyfan, ni allai anghofio amdanyn Nhw, a'r hyn wnaethon Nhw iddi. Roedd eu hwynebau'n aflonyddu arni'n waeth nag a wnâi'r corynnod, hyd yn oed. Cropiodd yn ei hôl i Harewood, yn ddwy ar bymtheg oed ond yn edrych yn hŷn na deugain. Gadawodd iddyn nhw ei sodro mewn ysbyty, lle treuliodd wythnosau'n sgrechen wrth i feirwon cenedl gyfan ddringo i mewn drwy'i ffenestr a throsti yn ei gwely. A bob tro y chwydai, ffrwydrai byddinoedd o gorynnod o'i cheg a'i ffroenau.

Margot oedd enw'i chynghorydd. Cafodd hithau ei siâr o broblemau pan oedd yn ifanc, a hoffai atgoffa drigolion Harewood o hynny'n aml gyda'r ymadrodd: *'I know – I've been there.'*

Ond doedd hi hyd yn oed ddim wedi bod yn yr un lle â Branwen.

'You were dead when you came back here,' meddai wrthi y diwrnod yr aeth Branwen ati i ffarwelio. *'You realize that, don't you? Dead.'*

'I know.'

'Do you? Really?' Craffodd Margot arni, cyn nodio'n araf. *'Yes, I believe you do. So – you won't be going back there, then?'*

Ysgydwodd Branwen ei phen.

'Because, next time, there'll be no coming back,' meddai Margot, a gwyddai Branwen nad sôn am ddychwelyd i Harewood oedd Margot. Cafodd bregeth fach am bwysig-rwydd symud ymlaen, yn hytrach nag yn ôl; ymlaen, ymlaen y bo'r nod, wastad ymlaen.

Ond rhaid oedd i Branwen ddod yn ôl i Gymru yn gyntaf. Rhaid oedd dod yn ôl cyn y gallai symud ymlaen.

I'w gweld Nhw eto, a'u cael i ddweud y gwir.

Dyna pryd yr estynnodd Margot amlen wen, swyddogol yr olwg, o'i desg a'i rhoi iddi.

Ar ôl ei hagor a darllen y cynnwys, sylweddolodd Branwen nad oedd ei mam yn un ohonyn Nhw wedi'r cwbl.

Roedd Diane yn dal i'w charu, er gwaetha'r holl bethau cas a ddywedodd Peter wrthi amdani, yr holl gelwyddau a ddywedon Nhw.

Ac efallai ei bod hyd yn oed yn barod i'w chredu.

(ii)

A hithau ar ei ffordd i'r fynwent eto, gwenodd wrth gofio am wyneb Peter yn troi'n wyn pan roes hi'r llythyr iddo. O, roedd wedi ceisio ymddangos yn ddi-hid, ond yn rhy hwyr: roedd Branwen wedi gweld y dychryn yn ei lygaid.

Ni chafodd Branwen ei synnu ganddo; os rhywbeth, roedd hi wedi disgwyl gweld rhywbeth tebyg yn wyneb Peter Phillips. Er mai ei harian hi oedd yn yr ymddiriedolaeth, gwyddai y byddai rhywun fel Peter wedi helpu'i hun i rywfaint ohono'n hwyr neu'n hwyrach, os nad i'r cyfan.

Tebyg fod y bastad wedi gobeithio 'mod i wedi marw, meddyliodd. Roedd Harewood wedi ei ffonio droeon pan ddiflannodd Branwen o'r cartre ac, yn ôl Margot, ychydig iawn o ddiddordeb a ddangosodd Peter yn ei thynged. Efallai iddo ofidio am fis neu ddau i ddechrau, gan ofni y buasai Branwen yn ymddangos ar ei garreg-ddrws un diwrnod, ond wrth i amser fynd heibio a dim golwg ohoni yn unman, dechreuodd ymlacio.

A helpu'i hun i'w harian. Efallai mai dim ond cymryd benthyg ychydig ar y tro a wnaeth; wedi'r cwbl, roedd tair blynedd arall cyn y byddai Branwen yn ddeunaw, ac efallai ei fod yn hyderus y byddai wedi'i dalu'n ôl ymhell cyn hynny.

Ond Harewood oedd ei chyfeiriad swyddogol olaf, a phe na bai Branwen wedi dychwelyd yno, yna fuasai hi'n gwybod dim am fodolaeth y llythyr. Ymhen amser, buasai Margot neu bwy bynnag wedi'i anfon yn ôl at Gwilym Christie, gyda *not known at this address* wedi'i ysgrifennu arno.

162

Beth bynnag oedd y gwir, roedd ymateb Peter wedi dangos yn glir iddi fod rhyw fisdiminars wedi digwydd lle'r roedd ei harian yn y cwestiwn. Ond roedd un peth yn sicr: doedd gan Branwen ddim unrhyw fwriad o adael yr ardal eto heb siec am o leiaf hanner can mil o bunnoedd yn ei phoced.

Anghofiodd bopeth am yr arian, fodd bynnag, pan gyrhaeddodd wrth fedd Siân.

Unwaith eto, edrychai'r bedd fel pe na bai neb wedi bod ar ei gyfyl ers blynyddoedd, yn laswellt trwchus a chwyn a drain i gyd.

Ac yn sbecian allan arni o'u canol roedd wyneb bach blewog Modlen. Y tro diwethaf iddi weld yr arth fechan, eistedd ar wely Siân gartref yn y tŷ roedd hi. A doedd hi ddim *i fod* yn y fan honno, chwaith, oherwydd roedd Branwen wedi ei gadael yma, ar y bedd . . .

Teimlodd ei phen yn troi. Oedd rhywbeth yn bod arni *hi*, tybed? Oedd y corynnod wedi dechrau cnoi drwy ei hymennydd, gan wneud iddi anghofio pethau? Gan wneud iddi *ddychmygu* pethau?

Aeth i'w chwrcwd ger y bedd a chlirio ychydig o'r chwyn a'r dail poethion o'r ffordd. Ie, Modlen oedd hi, doedd dim byd sicrach.

Beth yffarn sy'n digwydd *yma*? meddyliodd.

Yna teimlodd law yn cyffwrdd â'i hysgwydd.

(iii)

'Ma'n flin 'da fi . . .'

Er ei bod yn wirioneddol ddrwg ganddo ddychryn y ferch i'r fath raddau, ni allai Gwilym beidio â meddwl am un o linellau Williams Parry. 'Dy ofn a'm dychryn, glomen wyllt,' meddyliodd, ac roedd ofn Branwen *wedi* ei ddychryn. Cyn gynted ag y cyffyrddodd â'i hysgwydd, roedd y ferch bengoch hon wedi neidio oddi wrtho fel petai Gwilym wedi ei llosgi â gwifren drydan, gan floeddio gymaint nes bod Gwilym ei hun wedi neidio fel cangarŵ nerfus.

'Ma'n flin 'da fi,' meddai eto, 'ond fe wnes i besychu cyn cyffwrdd â chi. A chlirio 'ngwddf.'

'Chlywes i ddim byd.'

Cododd y ferch o'r ddaear. Gwelodd Gwilym mai merch dal oedd hi, talach nag ef, gyda gwallt coch yn hongian yn hir dros ei hysgwyddau. Nodiodd yn araf wrth sylweddoli pwy oedd hi; wedi'r cwbl, roedd hi'r un ffunud â Diane pan oedd hi'n ddeunaw.

'Branwen, ife?'

Nodiodd y ferch. Roedd hithau wedi ei adnabod yntau hefyd.

'Fe ges i'ch llythyr chi,' meddai wrtho.

'Do fe.' Caledodd wyneb Gwilym. Roedd wedi ceisio darbwyllo Diane rhag creu'r ymddiriedolaeth, ond roedd hi'n benderfynol. Bu'n rhyw feddwl na fuasai'r llythyr yn cyrraedd Branwen; y tro diwethaf iddo gysylltu â Harewood, doedden nhw ddim wedi ei gweld ers iddi ffoi oddi yno bedair blynedd yn ôl.

Astudiodd y ferch yn ofalus. Roedd rhyw galedi herfeiddiol o'i hamgylch, meddyliodd, fel petai'n barod i ymgodymu ag unrhyw broblem y dewisai'r byd ei daflu ati. Er gwaetha'i braw cyntaf, roedd ei llygaid wedi symud drosto o'i gorun i'w sodlau, ac roedd hi'n amlwg wedi penderfynu – cyn iddi godi ar ei thraed – sut oedd ei drin.

Nid yw hon yn un i'w chroesi, penderfynodd.

Pwyntiodd Branwen at fedd Siân. 'Chi'n gwbod pwy sy wedi gneud hyn?' gofynnodd. 'Ro'n i 'ma ond dyddie'n ôl. Fe dwties i'r bedd, clirio'r chwyn a'r glaswellt i gyd. Ond heddi . . .'

'Ie, wy'n gwbod.' Ochneidiodd Gwilym. 'Fel hyn ma' hi bob tro wy'n dod yma'n hunan. A wy 'ma o leia unwaith bob wthnos.' Gwelodd Branwen yn craffu arno, a brysiodd i egluro. 'Ma' 'ngwraig i 'ma 'fyd,' meddai, gan bwyntio at

fedd, nid nepell o fedd Siân. 'Jane. Wyt ti'n 'i chofio hi?
Mam-gu Emma.'

Nodiodd Branwen. Bu farw Jane Christie ym 1990, yn ôl y
garreg fedd, pan oedd Branwen yn chwech oed. Roedd brith
gof ganddi o ddynes siriol, garedig yr olwg.

'Bydda inne'n twtio bedd Siân hefyd,' meddai Gwilym.
'Bob tro y bydda i yma. Ond pan fydda i'n dychwelyd, mae e
. . . wel, fel hyn.'

'Pam?'

'Sa i'n gwbod.'

Plygodd Gwilym a dechrau clirio ychydig ar y bedd. Nid
oedd am i Branwen rythu arno â'i llygaid oerion. Buasai'n
siŵr o weld rhywbeth yn llechu yn ei lygaid ef.

Ofn. Ofn a oedd bellach yn rhan ohono.

Pan fentrodd edrych i fyny, roedd Branwen yn syllu o
amgylch y fynwent fel pe bai'n chwilio am rywbeth. Neu
rywun.

'Ro'n i'n deall dy fod wedi galw ym Mryn Tawel pwy
ddiwrnod,' meddai.

Edrychodd Branwen arno. 'Do. Pwy 'wedodd wrthoch
chi?'

'O, y nyrsys,' atebodd. Celwydd oedd hyn, oherwydd
Diane ei hun oedd wedi dweud wrtho. Gyda'i llygaid yn
sgleinio â goleuni y bu Gwilym yn ofni oedd wedi diflannu
ohonyn nhw am byth. Nid oedd Gwilym wedi'i chredu i
ddechrau, ond ar ôl gofyn i rai o'r staff . . .

'Welodd Mam mohona i,' meddai Branwen, ac roedd
tristwch pendant yn ei llais. 'Ro'dd hi'n cysgu pan alwes i
yno.'

'Y ti adawodd y siocled hwnnw iddi, ife?'

'Odi hi wedi'i fyta fe?' gofynnodd Branwen, ac am eiliad
cafodd Gwilym fflach sydyn o'r plentyn ifanc a ddiflannodd
bum mlynedd ynghynt.

'Odi. Bob tamed. Ac wedi joio.'

Diflannodd ei gwên ac edrychodd Branwen arno ag

amheuaeth. Damo! meddyliodd Gwilym. Odw i wedi gor-ddweud? Nac ydw, achos dyna'r gwir, fe *wna'th* Diane fwynhau'r siocled, y tro cyntaf i fi'i gweld hi'n mwynhau unrhyw beth ers misoedd lawer.

Roedd ymweliad Branwen, yn groes i bob disgwyl, wedi gwneud lles anferth i Diane, ond gan fod Diane wedi ffugio cysgu, ni allai ddweud hynny wrth Branwen. Cyfrinach arall, meddyliodd yn ddigalon. Gormod o gyfrinache o beth yffarn . . .

Trodd Branwen a syllu ar fedd Siân eto.

'Wy'n meddwl falle y bydd trafferth 'da'r arian,' meddai, heb edrych ar Gwilym.

'Shwt 'nny?'

'Sa i'n siŵr . . . 'to. Ond 'sen i ddim yn synnu.'

'Ddyle ddim bod . . .'

Edrychodd arno'n llawn a'i llygaid oerion. 'Wy am ga'l yr arian, Mr Christie,' meddai. 'Bob ceiniog ohono. A wy am ffindo mas be sy'n achosi . . . hyn,' ychwanegodd, gan amneidio i gyfeiriad y bedd.

Teimlodd Gwilym gryndod oer yn saethu drwy'i gorff, fel petai haid o lygod bychain wedi redeg i fyny ac i lawr ei asennau.

'Branwen,' meddai, 'ma' rhai pethe . . . wel, ddylen ni ddim holi gormod yn 'u cylch nhw, ti'n gwbod. Weithe, ma'n well jest gadel llonydd . . . gadel iddyn nhw fod.'

Syllodd Branwen arno am rai eiliadau, yna trodd i ffwrdd gyda gwên fach ddi-hiwmor. 'Gadel iddyn nhw fod,' meddai, fel pe bai'n siarad â hi ei hun.

'Ie . . .'

Troes ato eto. 'Ac odi 'nna'n cynnwys Emma?'

'Emma?' Roedd Gwilym ar goll yn awr. 'Be ti'n feddwl? Beth sy 'da hyn i'w neud ag Emma?'

Roedd Branwen yn ysgwyd ei phen eto, ond y tro hwn fel rhywun oedd yn rhyfeddu at rywbeth anhygoel.

'Gofynnwch iddi hi.'

'Na – wy'n gofyn i ti! Beth ti'n feddwl – ?' meddai Gwilym eto.

Dychwelodd Branwen i'w chwrcwd gan ailgydio yn y dasg o dacluso'r bedd. Siaradodd heb edrych i'w gyfeiriad.

'Y dwrnod hwnnw . . . weles i ddim beth ddigwyddodd i Siân, chi'n gwbod. Wy'n gwbod beth ma' pawb yn 'i 'weud, a beth 'wedodd pawb ar y pryd. Ond do'n i ddim 'da hi. Ro'dd hi wedi hen fynd erbyn i fi ga'l mynd mas ar 'i hôl hi.'

'Ie . . . 'na be 'wedest ti'r dwrnod 'nny.'

'Ie. A do'dd neb yn 'y nghredu i. Neb o gwbwl. Ond ro'n i'n gweud y gwir.' Gafaelodd yn y tedi bychan a glanhau'r pridd a'r gwellt oddi arno cyn ei roi i eistedd a'i gefn yn erbyn y garreg fedd. Yna edrychodd i fyny ar Gwilym. 'Nid y fi oedd yn gweud celwydd, Mr Christie.' Cododd ar ei thraed, gan wingo'i breichiau'n ôl i mewn i'r bag du a gludai ar ei chefn. 'Ond 'na fe, sdim pwynt i fi 'weud dim byd nawr, o's e? Chi i gyd wedi penderfynu ers blynydde. Ma'n haws credu celwydd weithe, on'd yw hi? Ond alla i ddim gadel i bethe fod. Alla i ddim.'

Dechreuodd ar ei ffordd, yna trodd. 'O – diolch am anfon y llythyr, ta beth. Gewn ni sgwrs 'to, siŵr o fod.'

Gwyliodd Gwilym hi'n cerdded i ffwrdd oddi wrtho ac allan o'r fynwent, yna cafodd y teimlad sicr fod rhywun yn ei wylio *ef*. Trodd yn sydyn i weld dwy frân fawr ddu yn sefyll ar y clawdd y tu ôl iddo, eu llygaid gloywon yn syllu arno.

Agorodd y ddwy eu hadennydd yn ddiog, bron, cyn codi a hedfan i ffwrdd. I Gwilym, swniai eu crawcian yn union fel petaen nhw'n chwerthin am ei ben.

Pennod 19

Ers iddi ddod i mewn i'r siop gyda'r efeilliaid, roedd Emma wedi gwrthod gadael i'w llygaid gwrdd â rhai Seren. Wedi dod i mewn er mwyn prynu *sarongs* ar gyfer eu gwyliau yn Ibiza roedd y merched, ac am ryw reswm gwallgof roedd Clare a Meinir yn mynnu siarad â'i gilydd bob hyn a hyn mewn Norwyeg. Aeth y ddwy i mewn i'r cudduglau newid yn dadlau ynglŷn â pha un oedd Inge a pha un oedd Ingrid.

Safai Emma y tu allan, yn amlwg yn teimlo'n lletchwith am iddi gael ei gadael yno ar ei phen ei hun gyda Seren.

'Emma . . .'

Gwelodd Seren hi'n llythrennol yn cau'i hwyneb. Gallai ddychmygu'n hawdd fod Emma wedi ceisio bob ffordd i beidio â dod i mewn i'r siop gyda'r efeilliaid, ond bod y ddwy'n benderfynol o gael *sarongs* ar gyfer eu gwyliau, a chan mai siop Enfys oedd yr unig siop yn y pentref oedd yn gwerthu pethau felly . . .

'Dim ond un peth wy'n moyn wbod,' meddai Seren wrthi. Taflodd Emma olwg bryderus i gyfeiriad y cudduglau newid, ond roedd Clare a Meinir yn rhy brysur yn chwerthin wrth drio'r dillad amdanynt. 'Odi'r Gêm 'da ti?'

Ochneidiodd Emma a rowlio'i llygaid.

'Emma?' pwysodd Seren arni.

Trodd Emma ati'n ddiamynedd. 'Nag yw, Seren, d'yw hi ddim 'da fi. O'reit?'

'Sori, ond sa i'n dy gredu di.' Gan fod Meic wedi llwyddo cystal i'w hargyhoeddi mai gan Emma oedd y Gêm, methai Seren gredu unrhyw beth gwahanol.

'Seren, 'dyw hi ddim 'da fi!' Yna gwenodd Emma'n araf. 'Galla i 'weud 'nna â'm llaw ar 'y nghalon.'

Yr ychwanegiad bach yma a ddychrynodd Seren – hynny, a'r ffaith fod Emma'n gwenu mor hyderus arni.

'Ond . . . *ro'dd* hi 'da ti?'

Nodiodd Emma gan barhau i wenu.

'Yng ngwaelod y cwpwrdd. Ro'n i 'di anghofio popeth amdani nes i fi ddigwydd dod ar ei thraws hi pwy ddwarnod. Ond 'dyw hi ddim 'da fi nawr. Sori.'

'Ta-raaaa . . . !'

Ymddangosodd Clare a Meinir yn nrysau'r cudduglau, yn lliwiau i gyd.

'Wel? Beth chi'n feddwl, 'te?' gofynnodd Meinir.

Trodd Emma'i chefn ar Seren, oedd erbyn hyn yn teimlo'n swp sâl. 'Grêt. Siwtio chi i'r dim. Dewch, 'te . . .'

Ond petrusodd y ddwy arall. 'Hmmm, sa i'n siŵr,' meddai Clare. 'Falle y bydd hi'n well 'sen ni'n trwco.'

'Ond chi'n dishgwl yn gwmws 'run peth.'

Edrychodd y ddwy ar ei gilydd. 'Nadyn ddim!'

Yn ôl â nhw i mewn i'r cudduglau. Cydiodd Seren ym mraich Emma.

'Beth wnest ti 'da hi?'

'Seren . . .!' Ceisiodd Emma dynnu'i braich yn rhydd, ond roedd Seren yn cydio ynddi'n dynn.

'*Beth wnest ti 'da hi?* Dwyt ti ddim wedi . . . wedi'i llosgi hi na dim byd fel 'na?'

'Nagw!' Llwyddodd Emma i'w rhyddhau'i hun. Rhwbiodd ei braich. 'Os o's raid i ti ga'l gwbod, es i â hi'n ôl i'r sgubor 'na, reit? Croeso i ti fynd 'na i 'whilo amdani – jest paid â gofyn i fi fynd yn agos at y blydi lle. A sa i'n moyn clywed ymbytu'r Gêm dwp 'na 'to, 'whaith. Ro'dd hi 'da fi, ond 'dyw hi ddim 'da fi 'nawr – *end of story*.' Troes yn ei hôl at y cudduglau. 'Dewch ml'an, chi'ch dwy!'

Dychwelodd Seren i'r tu ôl i'r cownter a'i meddwl ar wib. Roedd Meic yn iawn; Emma oedd wedi cadw'r Gêm yn ddiogel am yr holl flynyddoedd, ac os bu merch lwcus erioed, Emma Christie oedd honno.

Ond os oedd hi wedi mynd â'r Gêm *yn ôl* i'r sgubor, oedd hynny'n gyfystyr ag achosi niwed iddi?

'Emma . . .' dechreuodd, ond agorodd drws y siop a daeth Enfys i mewn a golwg wedi'i hypsetio arni. Caeodd y drws y tu ôl iddi a phwyso'i chefn yn ei erbyn am eiliad neu ddwy, fel pe bai'n chwilio am nerth i symud yn ei blaen.

'Mam? Be sy?'

Daeth Clare a Meinir allan eto, a diflannodd dwy wên lydan wrth iddyn nhw sylwi ar wyneb gwyn Enfys.

'Wy newydd glywed,' meddai. 'Merfyn . . . tad Jos. Ma' fe yn yr ysbyty. Wedi ca'l trawiad ar y galon, mynte nhw.'

Edrychodd Seren ar Emma, ond roedd Emma'n rhythu arni'n barod, ei llygaid yn fawr a chrwn gan fraw.

(ii)

Gwyddai Rol nad oedd neb gartref yn nhŷ Ffion o'r eiliad y camodd i mewn ar ei hôl dros y rhiniog. Serch hynny, gwnaeth Ffion sioe o weiddi:

'Mam? Ma'n o'reit, fi sy 'ma.' Yna, pan na chafodd ateb, arhosodd ac esgus clustfeinio. 'Mam? Dad!' Trodd at Rol. 'O . . . ma'n rhaid eu bod nhw wedi mynd mas i rwle.'

Pwysodd yn ei erbyn fwy nag oedd angen iddi'i wneud wrth wasgu heibio iddo a chau'r drws. Gwenodd arno.

'Rol – ymlacia, nei di? Ti'n dishgwl yn gwmws fel rhywun sy'n sefyll mewn *haunted house.*'

'Sori . . .'

Cydiodd Ffion ynddo a'i gusanu gan rwbio'i chorff yn nwydus yn erbyn ei un ef. Teimlodd flaen ei thafod yn cosi'n chwareus yn erbyn ei dafod yntau. Fe'i teimlodd ei hun yn dechrau ymateb iddi, a chydag ymdrech torrodd y gusan a chamu'n ôl oddi wrthi.

'Ffion. Y CD?'

'O, o'reit!' meddai gan esgus pwdu am eiliad, cyn troi a

mynd i mewn i'r parlwr. Roedd tomen o ddisgiau ar y bwrdd wrth ymyl system-sain fawr mewn cornel o'r ystafell. Gwisgai Ffion sgert weddol gwta, gyda thop bychan a ddangosai'r rhan fwyaf o'i bol. Tra plygai i chwilio drwyddynt, mynnai llygaid Rol grwydro at ei chluniau. Sylwodd fod gwên fechan ar ei hwyneb: roedd hi'n gwybod yn iawn ei fod yn syllu arni, meddyliodd.

Fel roedd yn gwybod yn iawn y byddai'r tŷ'n wag. Sylweddolodd fod Ffion, fwy na thebyg, wedi bod yn chwilio amdano cyn dod o hyd iddo yn yr unig siop yn y pentref oedd yn gwerthu tapiau fideo a chryno-ddisgiau. Ar fin talu am ddisg newydd Radiohead oedd Rol pan deimlodd law rhywun yn cau am ei arddwrn.

'Paid â phrynu honna,' meddai wrtho. 'Ma' hi 'da fi gartre.'

'Ond 'dyw hi ddim 'da fi,' atebodd Rol.

'Gei di fenthyg f'un i, a neud copi ohoni.' Roedd wedi tynnu'r ddisg o law Rol a'i rhoi'n ôl ar y silff.

A nawr, dyma nhw yn ei chartref – ei chartref gwag – a Ffion yn codi'n waglaw o'i phlyg.

'Ma' hi lan sta'r 'da fi, siŵr o fod,' meddai. Dechreuodd ddringo'r grisiau, cyn aros a throi ac edrych i lawr arno. 'Ti'n dod?'

Chwarddodd Rol yn nerfus. 'O, ie! Wy'n siŵr y bydde dy rieni'n dwlu cyrredd gatre a 'ngweld i yn dy stafell wely di.'

'Pa ddiwrnod yw hi, gwed? Ie, wrth gwrs . . . 'Wedon nhw 'u bod nhw'n mynd i Ga'rdydd am y dwrnod, wy'n cofio nawr. Fyddan nhw ddim yn ôl am orie 'to.'

Ochneidiodd Rol. 'Ffion . . . !'

'Dere, Rol.'

Troes oddi wrtho ac ailgychwyn i fyny'r grisiau.

Roedd ei hystafell yn fwy o lawer na'i ystafell wely ef, a'r gwely'n un dwbl. Ar un mur roedd poster mawr yn dangos yr erchyll deulu'r Osbournes, gyda lluniau o wynebau Ffion, ei brawd, ei mam a'i thad wedi'u pastio dros wynebau Ozzie, Sharon a'u hepil.

'Ie – wy'n gwbod, plîs paid â gweud dim byd,' meddai Ffion pan drodd Rol oddi wrtho gyda gwên. Gorweddai ar un ochr o'r gwely dwbl, yn goesau i gyd.

'*Odi'r* CD 'na 'da ti?' gofynnodd Rol.

'Falle. Gei di weld . . . wedyn.'

Cydiodd yn ei law a'i dynnu i lawr ati ar y gwely. Daliodd ei gafael yn ei law wrth ei gusanu eto, yna cododd hi a'i gosod ar ei bron. Cyflymodd ei hanadlu wrth iddo ei hanwesu, a theimlodd ei llaw hithau'n crwydro i lawr dros ei fol at flaen ei jins. Gwasgodd ef, a bu bron iddo riddfan yn uchel dros yr ystafell.

'Ffion . . .'

'Ma'n o'reit . . . Wy'n moyn, Rol. Plîs . . . ? Wy'n moyn . . .'

Dringodd oddi arno a chau'r llenni. Yn hanner gwyll euraidd yr ystafell, gwyliodd hi'n diosg ei dillad i gyd. Safodd yn noeth o'i flaen am eiliad, cyn troi a thynnu paced o gondoms o ddrôr ei dresel. Yna roedd hi'n ôl ar y gwely yn ei helpu ef gyda'i ddillad, ei bysedd unwaith eto'n cau amdano'n gynhyrfus.

'Paid! Rhag ofan i fi . . . ti'n gwbod.'

Cafodd drafferth gyda'r condom, ond o'r diwedd . . .

Gwaeddodd Ffion ac ofnai Rol ei fod wedi'i brifo, ond fe'i tynnodd yn nes ati gan wthio'n ei erbyn nes iddo fethu dal dim rhagor. Wedyn, a hithau'n gorwedd yn ei gesail, teimlodd ei hysgwyddau'n ysgwyd a gwlybaniaeth hallt ar ei fron.

'Ffion . . .?'

Claddodd ei phen dan ei fraich. 'Wy'n o'reit . . .' mwmblodd. 'Wy'n o'reit.'

Gwisgodd y ddau amdanynt heb edrych ar ei gilydd. Estynnodd Ffion ddisg iddo. 'O't ti ddim yn 'y nghredu i, ne' beth?'

Gwenodd Rol ychydig yn swta. Am ryw reswm, roedd ar dân am fynd o'na.

'Diolch am y CD,' meddai wrthi, wrth y drws ffrynt. 'Gei di hi'n ôl ymhen cwpwl o ddyddie.'

'Aros i fi ga'l gafel ar yr allwedd . . .'

Ac roedd hi'n closio ato eto . . .

'Na . . . Ffion? Grinda – ma' pethe 'da fi i'w neud nawr.'

'O . . .'

Ceisiodd beidio ag edrych ar y siom ar ei hwyneb. 'Pethe ar gyfer y coleg. Ffono, trefnu lle i aros, pethe boring fel 'na.'

'O.'

'Wela i di 'to, o'reit?'

'Ymhen cwpwl o ddyddie, ife?'

'Beth?'

'Pan ddei di â'r CD 'na'n ôl.'

'O . . . ie, siŵr o fod. A hei – diolch eto.'

Caeodd Ffion y drws. Wrth iddo gerdded i ffwrdd, ceisiodd Rol esgus nad oedd wedi ei chlywed yn llefen yr ochr arall i'r drws.

(iii)

Roedd wedi tywyllu erbyn i Jos orffen yn y cae gwair. Wrthi'n rhoi'r tractor gadw oedd e pan gyrhaeddodd Rhian adref o'r ysbyty, a gwelodd fod gwên ar ei hwyneb wrth iddi ddringo o'i char.

'Wel? Shwt o'dd e heno?' oedd ei eiriau cyntaf.

'Yn well 'to – yn well o lawer,' atebodd Rhian. 'Ma' nhw'n gweud y caiff e ddod gatre fory.' Llanwodd ei llygaid wrth iddi ddweud hyn. 'Sori . . .'

''Sen i'n llefen 'yn hunan 'sen i ddim a) mor nacyrd, a b) mor *macho*. Dere 'ma.' Cofleidiodd y ddau yng nghanol y buarth, gyda pheiriant car Rhian yn tician yn uchel y tu ôl iddynt. 'Odi Mam yn mynd i aros 'da Anti Gwen heno 'fyd?'

'Odi. Grinda, Jos.' Camodd Rhian allan o'i gofleidiad. ''Wedes i wrthyn nhw dy fod di wedi cytuno i aros gatre am flwyddyn. Do'dd Dad ddim yn dwlu ar y syniad – so Mam, chwaith, ti'n gwbod 'nny; ro'dd y ddau 'nyn nhw moyn i ti

173

ga'l mynd bant. Ma' nhw'n gwerthfawrogi hyn yn fowr, Jos – y'n ni i gyd yn 'i werthfawrogi e.'

'Wel, sdim lot o ddewis 'da fi, o's e.'

'Nag o's, sbo. Ond y'n ni *yn* ddiolchgar.' Gwasgodd Rhian ei law. 'Dim ond newydd fennu wyt ti? Nawr?' Nodiodd Jos. 'Ble ma' Beiron, 'te?'

'Sa i 'di weld e ers tua 'whech.'

'Ond ma'i gar e 'ma, 'fyd,' sylwodd Rhian.

'Odi.' Roedd Jos wedi blino gormod i ofidio ynghylch Beiron. Dilynodd Rhian i mewn i'r tŷ, ac yno'r oedd Beiron yn rhochian cysgu yn yr ystafell fyw, gyda hanner dwsin o ganiau lagyr gwag ar y llawr wrth droed ei gadair. Ar y teledu, roedd Jackie Chan yn bownsio fel pêl o un gornel y sgrin i'r llall.

Teimlodd Jos ei dymer yn codi y tu mewn iddo. Camodd at ei frawd, ond cydiodd Rhian yn ei fraich.

'Paid, Jos. 'Dyw e ddim gwerth y trafferth. A fe fydde'n ennill, ta beth . . . dere nawr . . .'

Ochneidiodd Jos yn drwm. Roedd Rhian yn iawn. Er fod ganddo fol cwrw mawr, meddal, roedd Beiron dipyn cryfach nag ef, meddw neu beidio.

'Sdim nerth 'da fi, ta p'un 'nny,' meddai. 'Wy moyn neud dished cyn mynd lan. Licet ti un?'

'Na, wy'n o'reit. Cawod glou a 'nôl i'r gwely i fi. Nos da, boi.' Cusanodd Rhian ef ar ei foch a diflannu i fyny'r grisiau.

Aeth Jos trwodd i'r gegin. Yno'r oedd rhagor o annibendod ar ôl ei frawd mawr, diog . . .

. . . *di-ddim* . . .

. . . *anobeithiol* . . .

. . . *di-werth . . . ac oni bai amdano fe, Jos, fe fyddet ti'n ca'l ffoi i'r coleg ymhen y mis. Tase Beiron ond yn gwneud ei siâr o'r gwaith. Y sypyn meddw yn y stafell fyw sy'n dy rwystro di, ti'n sylweddoli hynny, on'd wyt ti?*

Ysgydwodd Jos ei ben a rhedeg ei law drwy'i wallt. Yffarn, wy 'di blino! meddyliodd. Bron nad oedd yn barod i daeru fod rhywun yn y gegin gydag ef, yn sibrwd y geiriau yn ei glust.

Llanwodd y tegell ac aeth i sefyll yn nrws yr ystafell fyw. Nid oedd Beiron wedi symud o gwbl, er bod hanner dwsin o filwyr yn gwneud eu gorau i saethu Jackie Chan.

Edrych arno fe, Jos – na, dere, edrych arno fe'n iawn. Pa werth yw hwn, mewn difri calon? Edrych arno fe'n gorwedd yn y gadair 'na, gyda'i geg ar agor, yn glafoerio dros ei ên a'i wddf. Rwyt ti yn sylweddoli, gobeithio, mai'r broga anghynnes, meddw hwn sy'n dy rwystro di rhag gwireddu dy freuddwyd? Hwn sy wedi dy gondemnio di i dreulio gweddill dy oes ar y fferm yma, yn gwneud dwbl dy siâr o'r gwaith am fod hwn yn rhy bwdr i wneud hanner ei siâr ef. Ie – gweddill dy fywyd, Meilir Joseff, achos plîs-plîs-plîs paid â bod mor naïf â chredu y cei di ddianc oddi yma o fewn blwyddyn. Bydd hwn wedi dod o hyd i ffordd arall o dy gadw di yma.

O'th gaethiwo di yma. Mae hwn – ie, 'na ti, edrych arno fe'n iawn – wedi cipio dy freuddwyd oddi arnot ti. Mae e wedi ei thaflu i'r llawr, ei chwalu'n deilchion, ac wedi sathru'r darnau i mewn i'r llwch a'r pridd a'r cachu – ie, dyna yw dy freuddwyd di nawr, gw'boi, dim byd ond cachu, diolch i hwn. *Ffermwr bach di-nod fyddi di am weddill dy oes – dim byd ond ffermwr oedd, ar un adeg, wedi breuddwydio am gael bod yn artist.*

Jos – hei, Jos 'achan! Meddylia 'se bwyell 'da ti yn dy law nawr. Dychmyga'r sbort y byddet ti'n ga'l . . . achos ma'r jiawl yma, ti'n gweld, yn haeddu ca'l 'i gosbi, so ti'n cytuno? Dychmyga sefyll uwch ei ben gyda'r fwyell yn dy ddwylo . . . o, ie, dychmyga'r cyffro melys a gaet ti'n codi'r fwyell yn uwch ac yn uwch, a hwn yn gwybod dim, yn amau dim, yn dal i rochian yn ei gadair fel mochyn pinc, meddal.

A'r ergyd gyntaf . . . O! Meddylia am y wefr yn saethu drwy dy freichiau: byddai'n union fel plannu pen y fwyell mewn darn o hen goedyn sydd ychydig bach yn wlyb ar ôl cawod o law. Ac yna'r sŵn, sŵn crensian a rhyw 'sgweltsh!'

175

*hyfryd, tebyg i'r sŵn y byddi'n ei glywed ar ôl sathru'n
ddamweiniol ar falwoden. Yna'r gwaed coch yn saethu i
bobman, dros y sgrin deledu, dros y dodrefn a'r waliau a'r
carped, cochni gwlyb dros y lle i gyd, gydag ambell ddarn
llwyd-las yn ei ganol, darnau o'i ymennydd – os oes
ymennydd gan y Mochyn, hynny yw, ha-ha-ha! Ac arogl tebyg
iawn i arogl copr yn llenwi'r ystafell, yn llenwi dy geg a'th
ffroenau wrth i ti ddefnyddio'r fwyell drosodd a throsodd a
throsodd ar ei ben, ei wddf, ei gorff di-werth . . .*

*Yffarn, Jos – paid â jest sefyll yna'n meddwl amdano fe,
'achan. Gwna fe! Gwna fe! GWNA FE!*

I fyny'r grisiau, cerddodd Rhian i'w hystafell wely o'r
ystafell ymolchi. Roedd ei ffenestr ar agor, ac roedd digon o
awel i chwythu'r drws ynghau gyda chlep oedd yn ddigon
uchel i dreiddio hyd yn oed drwy'r niwl ym mhen Beiron.
Rhoes roch uwch na'r lleill, ac roedd hynny'n ei dro yn
ddigon i'w ddeffro am eiliad. Agorodd un llygad i weld Jos
yn sefyll uwch ei ben.

'Beth yffarn wyt ti'n neud – ?'

Ymysgydwodd Jos. 'O . . . y . . . dim byd. Ar fin neud
dished o'n i, 'na i gyd.'

Ac roedd Beiron yn cysgu eto. Aeth Jos yn ei ôl i'r gegin.
Safodd yno'n crynu fel deilen ac yn chwys oer drosto o'i
gorun i'w sawdl – oherwydd wrth i Beiron ddechrau deffro,
roedd Jos wedi sylweddoli ei fod yn sefyll yno uwchben ei
frawd gyda chyllell fara fawr, finiog yn ei law, a bod blaen y
gyllell wedi'i phwyntio fwy neu lai'n syth am wddf Beiron.

Roedd yn gwasgu'r gyllell mor dynn yn ei law nes ei fod
yn gorfod ewyllysio'i fysedd i ollwng eu gafael arni fesul un.
O'r diwedd syrthiodd y gyllell i mewn i'r sinc.

'Be sy'n digwydd i fi?' sibrydodd. 'Beth yffarn sy'n
digwydd i fi?'

Clywodd sŵn traed ysgafn yn rhedeg yn gyflym heibio i'r
ffenestr y tu allan i'r gegin. Trodd mewn pryd i gael cipolwg

176

sydyn ar got law felen yn diflannu i'r gwyll. Rhuthrodd am y drws a'i agor yn llydan.

Ond doedd dim i'w weld. Y tu allan i'r tŷ, roedd y nos yn llonydd a thawel – heblaw am grawcian ceiliogod-y-rhedyn yn y gwair a'r glaswellt a'r gwrychoedd, sŵn llwynog yn cyfarth rywle yn y pellter, a chwerthin maleisus plentyn yn ymdoddi i'r tywyllwch.

Pennod 20

(i)

Tri.

Meic, Seren a Jos.

Hanner y Criw – ond doedd hanner ddim yn ddigon.

Eisteddai'r tri yn y caffi, gyda thri choffi yn oeri o'u blaenau. Synnwyd Meic ben bore heddiw pan atebodd y drws i weld Jos yn sefyll yno, ei wyneb yn wyn a'i lygaid yn wyllt ac yn parablu rhywbeth am iddo aros yn effro drwy'r nos oherwydd fod arno ofn lladd ei frawd mawr, ac mai Meic oedd yn iawn gydol yr amser: ddylai e byth fod wedi taflu'r Gêm yn erbyn pared y sgubor, ddylai e byth fod wedi *cyffwrdd* â'r ffycin peth, a bod Siân wedi rhedeg heibio ei ffenestr neithiwr gyda'i chot law yn sgleinio'n wlyb er nad oedd hi wedi bwrw ers diwrnod y storm, y diwrnod pan gafodd tad Jos ei drawiad oherwydd ei fod ef wedi taflu'r Gêm i ganol y llygod ffyrnig . . .

Roedden nhw wedi galw am Seren, ond roedd stori Jos yr un mor ddryslyd pan ailadroddodd hi yn y caffi. Roedd ar bigau'r drain hefyd, yn edrych ar ei wats drwy'r amser, yn disgwyl ei dad adref o'r ysbyty cyn diwedd y bore ac yn teimlo na ddylai fod yma o gwbl. Gartre y dylai fod yn gweithio, achos Duw a ŵyr a fyddai Beiron hyd yn oed wedi codi o'i wely, ond teimlai fod raid iddo gael siarad, bod raid iddyn nhw i *gyd* siarad â'i gilydd, gan gynnwys Branwen Phillips, os oedd honno'n dal i fod o amgylch y lle.

'*Welest ti* Siân, 'te?' gofynnodd Seren iddo.

'Wy'n credu do fe . . .' Ysgydwodd Jos ei ben. 'Na – wy'n *gwbod*. Do. Weles i hi. Y hi o'dd hi.'

'Welest ti'i hwyneb hi?'

'Beth . . . ? Naddo, sa i'n credu . . . na, dim ond 'i chefen hi, yn rhedeg bant. Pam?'

'Jest bydda'n ddiolchgar,' meddai Seren. Edrychodd ar Meic. ''Na beth wy'n ffaelu'i ddyall, ti'n gweld. Do'dd dim byd drwg ambytu Siân, o'dd e? Plentyn bach o'dd hi – plentyn cyffredin. Ond nawr . . .' Crynodd Seren. 'Nawr, ma' hi . . . ma' hi'n gwbwl *anfad*.'

'Y?' Roedd Meic, oedd heb wneud Cymraeg ers ei ddyddiau TGAU, ar goll.

'*Evil*,' meddai Jos.

'Ond *pam?*'

Cododd Jos ei ysgwyddau, ac edrychodd y ddau ar Meic.

'Hei, pam chi'n dishgwl arna i? Sa i'n egspyrt ar be sy'n digwydd, odw i?'

'Ond y ti sy 'di bod yn iawn bob tro,' meddai Seren wrtho. 'Mor belled, ta beth.'

'Falle – ond sa i'n gwbod dim rhagor, odw i? Falle . . . falle nage Siân yw hi.' Rhythodd y ddau arall arno fel petai'n drysu. 'Shgwlwch . . . fel 'wedodd Seren, doedd dim byd drwg ambytu'r Siân y'n ni'n 'i chofio. Ond ma' . . . ma' . . . pwy bynnag, *beth* bynnag . . . y Gêm, o'reit? 'Wedwn ni'r Gêm am nawr. Ma'r Gêm yn anfon *rhywbeth* sy'n *dishgwl fel* Siân, rhyw ysbryd drwg, rhyw . . . beth yw'r gair Cymra'g, Seren? Ti'n 'bod – *demon*.'

'Cythrel, ife?'

'Ie. Ma'r cythrel yma'n *defnyddio* Siân, achos bod Siân . . . wel, ma' hi wedi bod ar 'yn meddylie ni, on'd yw hi? Am flynyddoedd.'

'Mmmm . . . falle. Mae'n neud synnwyr, sbo,' meddai

178

Seren. 'Cyment o synnwyr ag unrhyw beth arall ambytu'r holl fusnes 'ma.' Rhwbiodd ei breichiau. 'Ma' jest siarad amdani'n ddigon.'

'Ond pam *nawr*?' meddai Meic.

'Falle 'mod i'n gwbod pam nawr,' meddai Jos. Esboniodd ei syniad wrthynt, sef bod 'Y Gêm' yn benderfynol o'u caethiwo yma yn yr ardal. 'O'dd pethe'n dawel tan 'leni, achos do'dd 'run ohonon ni'n meddwl am fynd bant,' gorffennodd. ''Dyw hi ddim yn fodlon i ni fynd o 'ma. Dim un o' ni.'

'I unman?' gofynnodd Seren.

'Sa i'n gwbod, odw i? Falle . . .' Edrychodd ar Seren. 'O, ie. Ti 'i fod i fynd bant i America, on'd wyt ti?'

Nodiodd Seren yn bryderus. 'Ac ma' Emma i fod i fynd i Ibiza.'

'Falle bod mynd am gwpwl o wthnose o wylie'n o'reit . . .' dechreuodd Meic, ond torrodd Seren ar ei draws.

'Nage ond am gwpwl o wthnose wy'n mynd! Ni'n mynd bant am *flwyddyn!*'

Bu tawelwch anghyfforddus rhyngddynt am ychydig. Edrychodd Jos ar ei wats. Cymerodd Meic gegaid o'i goffi, ond roedd hwnnw wedi hen oeri.

'Falle y byddi di'n o'reit,' meddai wrth Seren. 'Ro'dd Jos a fi wedi trial neud niwed i'r Gêm.'

Trodd Seren ato'n wyllt. 'Ond beth os *na fyddwn ni'n* o'reit? Fydd 'na rwbeth ofnadw'n digwydd i Dad? Ne' i Mam? *Ne' i'r ddou 'nyn nhw*? Beth os fydd y 'Gêm', ne' ta pwy ne' beth sy tu ôl iddi'n penderfynu'i fod e ne' hi'n ffaelu'n *trystio* ni i fynd bant – rhag ofan i ni bidio â dod 'nôl?'

'Beth os, beth os, beth os!' ebychodd Meic. 'Dyna'r drafferth, ontefe – ma' popeth yn "beth os . . ." – achos 'dy'n ni ddim yn gwbod! So hyn i gyd yn *neud synnwyr* fel ma' pethe mewn ffilmie arswyd. Ti'n gwbod ble ti'n sefyll 'da rheini – mae'n saff bod mas yn ystod y dydd achos ma'r fampir yn cysgu nes bod yr haul 'di mynd lawr, ma' bwled arian yn lladd y *werewolf*, ti byth yn mynd mas ar dy ben dy hunan os o's 'na seico ambytu'r lle . . . ond hyn, beth sy'n digwydd i ni? Ma'n amhosib 'i ddyall e! Mae fel 'se rhywun yn 'whare gêm 'da ni . . .'

Tawodd. Roedd ei frawddeg olaf wedi ysgwyd y tri ohonyn nhw.

''Na beth sy'n digwydd,' sibrydodd Seren. 'Ma'r Gêm . . . ma'r Gêm yn 'whare 'da ni. 'Ethon ni i 'whare 'da'r Gêm, a nawr ma'r Gêm yn 'whare 'da ni.' Symudodd ei llygaid tywyll o un wyneb i'r llall. 'Odw i'n iawn, chi'n meddwl?'

Syllodd Meic yn feddylgar i mewn i'w goffi.

'Jos?' meddai Seren.

'O, jiawl, Seren – sa i'n gwbod. Falle. Ma' 'nny'n neud cyment o synnwyr ag unrhyw beth arall.' Edrychodd ar ei wats eto, a dechrau codi. 'Sori – wy'n gorfod mynd . . .'

'Aros funed.' Roedd Meic yn dal i syllu i mewn i'w goffi, fel petai'n gweld patrymau'n troi a throsi ynddo. 'Ma' hynny *yn* neud synnwyr. Lot o synnwyr. Ond . . .'

Ochneidiodd Jos yn ddiamynedd. 'Ond *beth*?'

Roedd Meic yn dal i syllu ar ei goffi. 'Sa i'n moyn gweud hyn,' meddai, 'ond ma'n rhaid i fi. Meddylwch am gêm – unrhyw gêm nawr. 'Dyw hi ddim *yn* gêm os nad o's rhywun arall yn 'whare yn 'ych erbyn chi. 'Dyw hi ddim yn sbort. Hyd yn o'd gême cyfrifiadur – chi'n 'whare'r rheini yn erbyn y cyfrifiadur, on'd y'ch chi?' Edrychodd i fyny o'r diwedd, a gallai weld fod y ddau arall yn gwybod beth oedd am ddod nesaf. 'Os y'n ni am ga'l unrhyw obeth o ennill . . . wel, ma'n rhaid i ninne 'whare 'fyd. Do's dim gobeth 'da ni fel arall. *Ma'n rhaid i ni'i gyd 'whare'r Gêm eto.* A sa i'n credu y ceiff un o' ni fynd i unman nes y byddwn ni wedi neud 'nny.'

Rhythodd Seren ar Meic gan ysgwyd ei phen yn ôl ac ymlaen, yn ôl ac ymlaen, ei llygaid yn anferth ag ofn. Rhythu arno'r oedd Jos hefyd, a suddodd i lawr yn ôl i'w sedd.

'Na. *No way* . . . na! So ti'n *cofio* beth ddigwyddodd y tro dwetha i ni 'whare'r Gêm, ne' beth?'

'Wrth gwrs bo' fi'n cofio! A ti'n credu am un funed 'mod i'n *moyn* 'i 'whare hi? Jos – 'na'r peth ola wy'n moyn 'i neud! Ond sa i'n credu fod fowr o ddewish 'da ni. Ma'n rhaid i ni 'whare'r Gêm unwaith 'to – 'na beth ma' hi'n moyn. So ti'n gweld? Ni i gyd yn ca'l 'yn gwthio i'w 'whare hi!' Edrychodd o un i'r llall. Roedd Seren wedi gwingo wrth i bob un o'i frawddegau ei tharo fel bwledi. 'Ma' pethe'n mynd i fynd yn wa'th ac yn wa'th os na newn ni. Ma' nhw 'di dechre gwaethygu'n barod, on'd y'n nhw?'

'Shwt wyt ti'n gwbod hyn i gyd?' gofynnodd Jos.

'Wy ddim yn *gwbod*, odw i? Dim ond trial neud 'bach o synnwyr o'r busnes 'ma i gyd odw i. Sa i'n *gwbod* unrhyw beth. Ond allech chi feddwl am rwbeth sy'n neud mwy o synnwyr? Os gallwch chi, plîs gwedwch wrtho' i, achos sa i'n moyn 'whare'r Gêm 'na 'to damed fwy nag y'ch chi.'

Nag oedd, wrth gwrs nad oedd gwell eglurhad gan yr un o'r ddau arall. Aeth Meic yn ei flaen.

'A'r busnes Branwen Phillips 'ma. 'Na pam wy'n siŵr na cheiff yr un o'n ni fynd i unman nes y byddwn ni 'di 'whare'r Gêm. Ma'n ormod o gyd-ddigwyddiad fod honno wedi cyrradd 'nôl yma *nawr*. Sa i'n gwbod shwt, ond ma'r Gêm – ne' beth bynnag sy'n 'i rheoli hi – wedi gwitho'n galed i'n ca'l ni i gyd 'ma 'da'n gilydd. Neith hi'm gadel i ni fynd i unman nawr.'

'Ond y tro dwethe nethon ni'i 'whare hi . . .' sibrydodd Seren.

'Ie. Ie, wy'n gwbod . . .'

'O's rhywun arall yn mynd i farw 'to'r tro 'ma?'

'Seren – *sa i'n gwbod*! Odw i – ? Falle . . . falle ddim. Falle y bydd popeth yn o'reit,' meddai'n llipa, ond gallai Meic weld nad oedd ei dôn wedi cysuro'r un tamaid ar y ddau arall.

''Na fe – allwn ni mo'i 'whare hi, felly,' meddai Jos.

181

'Allwn ni ddim ffwrdo mentro y bydd rhywun arall yn marw, fel Siân.'

'Ond rhaid gofyn – allwn ni ffwrdo *pidio*?' gofynnodd Meic. 'Ond wy *yn* siŵr o un peth – all dim un o'n ni fynd bant nawr.'

Llwyddodd Seren i golli hyd yn oed rhagor o'i lliw. 'Alli di . . . alli di ddim bod yn siŵr o 'nna,' meddai.

Edrychodd Meic arni. Roedd ei lygaid, gwelodd Seren, yn llawn tosturi. Tosturi, a thristwch. Roedd yr amlen frown gyda'r llun ysgol y tu mewn iddi ganddo ar y sedd wrth ei ochr. Dododd hi ar y bwrdd.

'Galla, ma'n flin 'da fi,' meddai. 'Seren – pan o'dd Emma yn siop dy fam pwy ddwarnod gyda'r efeilliaid 'na, 'wedon nhw pryd yn gwmws y maen nhw am fynd i Ibiza?'

Ceisiodd Seren feddwl. 'Sa i'n credu . . . ond yn eitha' clou. 'Na'r argraff ges i, ta beth. Falle wthnos nesa.'

'A pryd wyt ti 'i fod i fynd bant i America?'

'Yr wthnos wedi 'nny. Pam?'

Tynnodd Meic y llun allan o'r amlen a'i osod yng nghanol y bwrdd.

'Dyma pam,' meddai. 'Edrych arno fe'n ofalus. Edrych ar lunie Jos, Branwen Phillips a finne. Ma' wynebe'r tri ohonon ni wedi cilo rhywfaint – ond ro'n ni'n gwbod 'nny'n barod. Nawr, edrych ar Rol. Ma'i wyneb e wedi cilo bach mwy nag un Branwen, Jos a fi, on'd yw e? Ac rwyt ti, Seren . . .'

Ebychodd Seren yn ddigon uchel i ddenu sylw sawl cwsmer arall, ond sylwodd hi ddim arnyn nhw o gwbl. Roedd ei hwyneb hi wedi cilio llawer iawn mwy ers y tro diwethaf iddi edrych arno.

Ond roedd Emma bron iawn wedi diflannu ohono'n gyfan gwbl.

Nid Meic oedd yr unig un i gael ymwelydd y bore hwnnw. Daeth Branwen yn ôl o'i brecwast i weld Peter yn aros amdani'r tu allan i'w hystafell.

'Be ti'n moyn?'

'Ga i ddod i miwn? 'Na i'm mo dy gadw di'n hir; byddi di'n moyn pacio dy ddillad a dechre ar dy ffordd, glei.'

'Beth?'

'Agora'r drws 'ma, a gei di weld.'

Y peth cyntaf wnaeth Peter oedd rhoi darn o bapur iddi – derbynneb. Roedd rhywun – Peter, fwy na thebyg – wedi talu ei bil am y gwesty.

'Beth yw hyn?'

'So fe'n amlwg, Branwen? Wy 'di talu dy fil di. A 'ma i ti rwbeth bach i dy gadw i fynd am sbel – a *mynd* wy'n 'i feddwl.' Estynnodd amlen o'i boced a'i rhoi yn ei llaw. 'Ma' dou gan punt yn'o fe. Dyle 'nna fod yn fwy na digon i ti fynd 'nôl i ble bynnag . . .'

'Hei!' torrodd Branwen ar ei draws. 'Sa i'n mynd i *unman*, gw'boi! Ddim heb yr hanner can mil 'na.'

Syllodd Peter arni am eiliad neu ddwy, yna chwarddodd yn uchel. 'Yffarn, ma' 'da ti wyneb! Hanner can mil? *I ti*?'

Nid oedd Branwen yn hoffi'r hyder newydd hwn yn llais Peter: roedd yn ymddwyn fel dyn oedd yn sicr o'i bethau. 'Fy arian *i* yw e!' meddai wrtho. 'Ti 'di gweld y llythyr, Peter – ma' fe lawr ar ddu a gwyn.'

'O, wy'n gwbod. Dy arian di *o'dd e*, falle. Ond 'dyw e ddim yn arian i neb nawr – achos 'dyw e ddim yn bod!'

'Beth?'

'Mae e i gyd 'di mynd, Branwen. Hanner can mil o bunno'dd – a llawer iawn mwy, 'fyd.'

'Beth ti'n feddwl – wedi mynd?'

Roedd Peter yn edrych arni eto, ac ni allai guddio'r wên fach sbeitlyd oedd yn hofran o amgylch ei geg.

'I Fryn Tawel – 'na ble'r a'th e i gyd. I dalu am y drinieth ma' dy fam wedi bod yn 'i cha'l ers blynyddoedd.' Gyda boddhad, gwyliodd wyneb Branwen yn colli'i liw. 'Sa i'n gwbod ar ba blaned wyt ti 'di bod yn byw ers i ti redeg bant o'r cartre 'na. A sa i'n *moyn* gwbod 'whaith, diolch yn fowr. Ond so'r drinieth sy i'w cha'l mewn llefydd fel Bryn Tawel yn dod am ddim, Branwen. Ma'n costi'n brud iawn. Ma' dy hanner can mil bach pitw di wedi rhedeg mas ers misho'dd. Cer i ofyn i Raymond Christie os nad wyt ti yn 'y nghredu i. Y fi sy 'di bod yn talu'r bilie ers 'nny, er 'mod i prin yn gallu ffwrdo neud 'nny. Wy ar fin rhoi'r tŷ ar y farchnad er mwyn iddi ga'l y gofal gore posib iddi am ychydig 'to.'

'Ond . . . 'wedest ti mo hyn pwy ddwarnod pan ddangoses i'r llythyr 'na i ti . . .'

'Naddo. Ro'n i'n gegrwth, 'na pam. Ro'dd dy weld di, yn martsio miwn i'r swyddfa ac yn trial hawlio hanner can mil o bunno'dd – rhyw hanner can mil *pitw!* – ar ôl beth nest ti bum mlynedd yn ôl . . . wel, o'n, o'n i'n ffaelu credu y galle unrhyw un fod mor yffernol o *ddigywilydd!*' Cododd ei lais a chamu tuag ati. 'Oni bai amdanot ti, y bitsh fach ddrwg, fydde dy fam druan ddim ym Mryn Tawel yn y lle cynta! *Y ti* halodd hi 'na – ac o'dd e ond yn deg taw dy arian di fydde'n helpu i dalu am y drinieth!'

'Ond wnes i ddim byd!' gwaeddodd Branwen arno.

Y peth nesaf a deimlodd oedd cledr llaw Peter yn ffrwydro'n galed yn erbyn ochr ei hwyneb. Syrthiodd yn ôl, ar ei hyd ar ei gwely. Gwyrodd Peter drosti, ei wyneb yn wyn a phoer yn neidio o'i wefusau wrth iddo weiddi'n ôl arni.

'*Nest ti ladd fy merch i! Fy mhlentyn bach i!* Wedi 'nny paid ti â . . . *meiddio* gweud 'nna 'to! Ti'n clywed?'

Cododd ei law eilwaith, a throdd Branwen ei hwyneb i ffwrdd oddi wrtho. Ond gollyngodd Peter ei law a chamu oddi wrthi.

'Byth 'to . . .' meddai. Aeth at y drws, yna trodd. 'Sa i'n moyn dy weld di yn yr ardal yma 'to, Branwen. Do's dim byd 'ma i ti. Dim byd o gwbwl. Wy am i ti ddefnyddio'r dou gan punt 'na i fynd yn ddigon pell o man hyn. Ar ôl 'nny, gei di bwdru yn y gwter os ti moyn. Jest paid â meiddio gadel i fi weld dy hen wyneb di'n agos i'r pentre 'ma 'to.'

Syllodd arni gyda'r fath gasineb, ofnai Branwen ei fod am ymosod arni eto. Yna trodd ac aeth allan, gan gau'r drws yn dawel ar ei ôl.

Gorweddodd ar ei gwely nes bod sŵn ei draed wedi hen fynd. Roedd yn dal i orwedd yno awr yn ddiweddarach pan gurodd Meic ar y drws.

(iii)

Sylwodd Meic yn syth ar y marc mawr coch oedd gan Branwen ar ei hwyneb, a sylwodd hefyd fod ei symudiadau'n swrth, bron, wrth iddi wthio gwahanol ddillad i mewn i'w bag. Roedd fel pe bai 'na rywbeth wedi mynd allan ohoni ers y tro diwethaf iddo ei gweld.

'Ble'n gwmws ei di, 'te?' gofynnodd.

Anwybyddodd Branwen ef. Aeth i mewn i'r ystafell ymochi a dod yn ôl â'i phethau ymolchi, a stwffio'r rheini i'r bag hefyd.

'Yn ôl i . . . ble o' ti, ife?'

Roedd hi'n ei anwybyddu. Fel petai e ddim yno gwbl.

'Branwen . . .'

'*Beth!*' Trodd ato'n wyllt. 'Be ti'n *moyn* 'ma?'

'Wel . . .'

'Odw – wy'n mynd! Ti'n hapus 'nawr? Gwed wrth y lleill, gewch chi i gyd ymlacio a chario mla'n 'dach bywyde bach neis!'

'Ond *ble* ti'n mynd?'

'Pam? Pa fusnes yw 'nny i ti? Paid â becso – wy'n mynd yn ddigon pell o fan hyn.'

'O, yffarn . . . !'

Ochneidiodd Meic, gan deimlo awydd curo'i ben yn galed yn erbyn postyn y drws. Ar ôl gweddïo y byddai Branwen yn codi'i phac a diflannu'n ôl i ble bynnag roedd hi wedi bod ers yr holl flynyddoedd, dyma fe'n awr yn crefu arni i aros yma.

'Branwen – sa i'n moyn i ti fynd i unman, reit?'

'Beth?'

'Sa i'n credu y byddi di'n *gallu* mynd, ta beth.'

Ag ebychiad diamynedd, trodd Branwen yn ôl at ei phacio.

'Wyt ti'n fodlon grindo ar be sy 'da fi i'w 'weud?'

'Ddim o gwbwl.'

'Branwen – *plîs*! Ma' hyn yn bwysig – yn bwysig yffernol.'

'Ddim i fi, gw'boi.' Caeodd y sip ar ei bag a'i godi oddi ar y gwely. Cipiodd Meic ef oddi arni.

'Hei! Beth ti'n feddwl ti'n . . .'

'Plîs! Jest *grinda*, nei di?'

Gwelodd Meic fod yr oerni hwnnw wedi dychwelyd i'w llygaid. O leiaf roedd *rhywbeth* ynddyn nhw nawr. Yn araf, cododd Branwen ei breichiau a'u hestyn am y bag. Rhoddodd Meic y bag yn ôl iddi. Eisteddodd Branwen ar y gwely, y bag ar ei glin.

'Wel?' meddai.

Pennod 21

Atebodd Wiliam y ffôn i gael ei gyfarch gan lais merch yn dweud: '*God morgen, hvordan star det til? Mitt navn er Inge.*'

A llais merch arall yn gweiddi: '*Og mitt navn er Ingrid!*'

Aeth trwodd i'r gegin at Emma. 'Pam fod y ddwy ferch dwp 'na'n siarad fel 'na?'

'Beth?'

'Clare a Meinir. Ma' nhw ar y ffôn, yn siarad Jyrman. Pam?'

'Norwyeg yw e, twpsyn, nage Almaeneg.'

'Ie, o'reit – ond pam?'

''Weda i wrthot ti wedyn.'

Dilynodd Wiliam ei chwaer i'r cyntedd gan anwybyddu ei gorchymyn i fynd o'na a chenhedlu, ac eisteddodd ar y grisiau allan o sbeit yn fwy na dim, yn gwrando ar hanner y sgwrs.

'Odyn, ma'r tocynne wedi dod bore 'ma,' meddai Emma. Cipiodd y ffôn o'i chlust rhag iddi gael ei byddaru gan y sgrechfeydd a ddeuai o'r pen arall. Clywodd Wiliam leisiau pell yn canu corws o '*Here We Go, Here We Go!*'

'Wiliam? Plîs – ? Ne' wna i ddim tynnu unrhyw lunie i ti . . .'

Roedd hynny'n ddigon o fygythiad. Dychwelodd i'r gegin, a phan ddaeth Emma yno ymhen deng munud, meddai wrthi: 'Wel? Pam Norwijian?'

'O, dim byd mawr. Clare a Meinir sy 'di penderfynu, os o's 'na griw o fois o Gymru yn Ibiza ac yn trial 'u chatio nhw lan, 'u bod nhw'n mynd i esgus taw merched o Norwy y'n nhw.'

'Eto wy'n gofyn, pam?'

'Defnyddia dy synnwyr, grwt. So nhw'n moyn mynd yr holl ffordd i Ibiza i fynd bant 'da idiots o Gwm Twrch ne' rwle, odyn nhw?'

'Ond pam *Norwijian*?' gofynnodd Wiliam.

'Yffach, sa i'n gwbod! Pam lai?'

'Ma'n bryd i'r ddwy 'na dyfu lan,' oedd sylw Wiliam.

'So nhw'n moyn tyfu lan, Wiliam. A ti'n gwbod pam? Achos ma' nhw'n ofan dishgwl fel 'u mam. Achos unwaith y bydd 'nny'n digwydd, bydd rhyw byrfyrt bach fel ti'n dechre lysto ar 'u hole nhw.'

'*Pyrfyrt*?'

'Wiliam, so fe'n naturiol.' Drwy ffenestr agored y gegin

clywodd sŵn traed yn nesáu at y tŷ, a chododd i edrych allan. 'Ti yw'r unig fachgen tair ar ddeg o'd ar y blaned 'ma sydd â chalendr o'r menywod WI 'na ar ei wal. Shgwl – ma' Dad-cu'n dod 'ma, pam na ofynni di iddo fe siarad â'i ffrindie? So Miss Evans Tŷ Capel erio'd 'di ca'l cariad . . .'

'Doniol iawn, Emma.' Aeth Wiliam allan yn urddas i gyd ac i fyny i'w ystafell. Roedd yn hoff iawn o'i daid, ond nid oedd am fentro aros *rhag ofn* i'w chwaer dwp benderfynu mynd â'r jôc yn rhy bell a dweud rhywbeth wrth Gwilym.

'Haia!' cyfarchodd Emma ef, pan ymddangosodd Gwilym yn y drws. 'Shgwlwch, Dad-cu – ta-raaaaa!' Chwifiodd y tocynnau i'w gyfeiriad.

'O . . . Ibiza, ife? Neis iawn . . . er, cofia di, ar ôl gweld y rhaglenni 'na am Ibiza ar y teledu, sa i'n siŵr os taw "neis" yw'r gair iawn.' Eisteddodd Gwilym wrth y bwrdd, gyferbyn â hi.

'A pam y'ch *chi'n* gwylio rhaglenni fel 'na, Dad-cu?' pryfociodd Emma.

'Byw yn y gobeth y bydden nhw falle'n dangos y tu miwn i ambell eglwys, wrth gwrs. Ma' sawl eglwys ddiddorol iawn yn y Ballerics, Emma; bydda i'n disgwl adroddiad llawn 'da ti am o leia hanner dwsin ohonyn nhw.'

'Ie, ie – *dream on*, Dad-cu.'

Gwenodd Gwilym arni, ond sylwodd Emma fod cysgod yn llechu y tu ôl i'w wên. 'So dy fam yma nawr, odi hi?' gofynnodd Gwilym.

'Na, dim ond Wiliam lan sta'r. Pam, o's rhwbeth yn bod?'

Edrychodd Gwilym arni am eiliad. Roedd golwg wedi blino ar Emma, gwelodd, ac roedd eisoes wedi sylwi ar y tinc annaturiol yn ei chwerthin wrth iddi dynnu ei goes.

'Ti'n gwbod pwy weles i pwy ddwarnod yn y fynwent?' Gwyliodd ei hwyneb yn ofalus wrth siarad. 'Un o dy hen griw di. Branwen, merch Diane.'

Edrychodd Emma i ffwrdd yn syth, ond nid cyn i Gwilym sylwi ar rywbeth tywyll yn nyfnderoedd ei llygaid.

'Y . . . ie . . . ro'dd rhywun arall yn gweud 'i bod hi 'nôl.'

'Ma' hi 'di newid,' meddai Gwilym. 'Cryn dipyn 'fyd.'

'Odi hi?' Ceisiodd Emma ymddangos yn ddi-hid, ond roedd Gwilym wedi croesholi gormod o bobol celwyddog yn ystod ei yrfa hir i gael ei dwyllo gan ei wyres ei hun.

'Fe 'wedodd hi rwbeth rhyfedd wrtho i . . .'

'Rhagor o gelwydd, sbo,' meddai Emma, yn rhy sydyn, a chraffodd Gwilym arni.

'Pam ti'n gweud 'nna?'

'Y – ? Wel . . . beth arall, ontefe? Dim ond celwydd ma' honna 'di weud erioed. Chi'n cofio . . . pan fuodd farw'i 'wha'r fach hi?'

'Odw. Sai'n debygol o anghofio'r dwrnod 'nna, Emma, odw i? Ma' Diane wedi bod bron fel merch i fi erio'd, ers pan briododd hi â thad Branwen. Ac ers i Branwen ga'l 'i geni . . . fis cwmws cyn i ti ga'l dy eni. Wel, o'n i 'di neud bron cymaint gyda hi â gyda fy wyres fy hunan. Tan y dwrnod ofnadw 'nna.'

'Do, sbo.' Roedd Emma'n dal i wrthod edrych arno'n llawn, dim ond saethu ambell edrychiad anghyfforddus i'w gyfeiriad bob hyn a hyn.

'Ro'n i 'na iddi hi a Diane pan gafodd John druan y ddamwain 'na. Ond wedyn, fe ddechreuodd Peter 'i chwrso hi, a . . . wel, do'dd pethe ddim 'run peth wedyn. Ond wnes i ddim colli nabod arnyn nhw, Emma – ar Diane nac ar Branwen. Dyna pam o'n i'n ffaelu credu y bydde Branwen, hyd yn oed am eiliad, yn esgeuluso Siân fel'na.'

'Ie . . . Grindwch, Dad-cu, sori, ond wy 'di addo mynd â'r tocynne 'ma draw at Meinir a Clare . . .'

'Aros, aros – fydda i ddim yn hir nawr.' Gwyrodd Gwilym yn ei flaen, gan gydio yn llaw Emma. 'Emma – y dwrnod 'nna, yn y sgubor. Beth yn gwmws ddigwyddodd?'

'Wy 'di *gweud* wrthoch chi, Dad-cu!' Ceisiodd Emma wenu. 'Yffach, ro'dd 'nna bum mlynedd yn ôl; sa i'n cofio'n gwmws *beth* ddigwyddodd . . .' Ond roedd Gwilym yn dal ei afael yn ei llaw ac yn syllu arni â'i lygaid gleision, clir. 'Ro'dd Siân wedi'i dilyn hi 'na, glei. A'th Branwen yn grac 'da hi, a'i hala hi mas, achos ro'n ni ar ganol 'whare gêm a do'dd hi ddim isie Siân yno yn . . .'

'Ie, gwed wrthof fi 'to – pa gêm o'dd hi?'

'Beth? O . . . sa i'n cofio, jest rhyw hen gêm o'dd 'da un o'r bois, wy'n credu.'

'*Ludo? Monopoly?*'

'Dad-cu, sa i'n cofio! Jest . . . jest rhyw hen gêm ro'n nhw wedi'i ffeindo yn rhwle.' Roedd wyneb Emma yn fflamgoch erbyn hyn. 'Ro'dd Branwen yn mynnu bennu 'whare . . . 'wedon ni wrthi y bydde'n well iddi fynd mas ar ôl Siân, achos o'dd hi'n bwrw glaw'n ofnadw. Ond ro'dd Branwen yn benderfynol. A'th hi ddim mas nes ein bod ni wedi bennu 'whare. Ac erbyn 'nny . . . wel, chi'n gwbod beth oedd wedi digwydd.'

'A 'na'r gwir, ife?' meddai Gwilym.

'Ie! Dad-cu, 'sen i ddim yn gweud celwydd, fydden i?'

'Na fyddet ti? Na fyddet, sbo.' Gollyngodd Gwilym ei llaw. 'Dyna beth 'wedodd Branwen wrtho i 'fyd. Taw nage hi o'dd wedi gweud celwydd. Gofynnwch i Emma, mynte hi.'

'Beth oedd hi'n 'i feddwl wrth 'nna?'

'Sa i'n gwbod. 'Na pam ofynnes i ti am ga'l clywed yr hanes 'to.'

'Ie, wel – ma' Branwen yn bownd o 'weud taw nage hi o'dd yn gweud celwydd, on'd yw hi?'

Nodiodd Gwilym yn araf, yna gwenodd. 'Ma'n flin 'da fi, Em. Ro'dd taro ar Branwen fel y gwnes i, yn hollol annisgwyl fel 'na . . . wel, o'dd e'n sioc, yn enwedig ar ôl cyment o flynydde.'

'O'dd. O'dd, siŵr o fod.' Roedd hithau wedi dechrau ymlacio'n awr hefyd, gwelodd.

'Reit 'te . . .' Cododd Gwilym o'i gadair. 'Ti'n moyn mynd i weld dy ffrindie. O, jest un peth bach.'

'Ie – ?'

'Dwyt ti ddim yn digwydd gwbod beth ma'r gair *Jara* yn 'i feddwl, wyt ti?'

'Jara?' Roedd wyneb Emma y tro hwn, sylwodd Gwilym â rhyddhad mawr, yn hollol ddidwyll.

'Ie. Hen enw rwnig yw e – ti'n gwbod, yr hen, hen ysgrifen 'na sydd ar gromlechi a cherrig mawrion . . . fel yng Nghôr y Cewri.'

'O, ie, reit . . . Beth ma' fe'n 'i olygu, 'te? Y "Jara" 'ma?'

'Wel . . . ma'n dibynnu shwt ti'n dishgwl arno fe,' atebodd Gwilym. 'Yn y bôn, ma'n golygu "cynhaeaf". Fel yn yr adnod 'na yn un o epistolau Paul – at y Galatiaid, wy'n credu. Ti'n gwbod – 'Na thwyller chwi; ni watwarir Duw: canys beth bynnag a heuo dyn, hynny hefyd a fed efe."

'O . . . reit . . . *what goes around, comes around*, ife?' Damo! Beth oedd ei dad-cu yn ceisio'i *wneud*? Beth oedd y dyn yma'n ei *wybod*?

'Rhwbeth fel 'na, ie. Os wyt ti'n hau yn dda, byddi'n di'n medi cynhaeaf da a ffrwythlon. Fel y ti, yn gweitho'n galed ar gyfer dy arholiade.'

'A . . . ie . . .'

'Ond ma' fe hefyd yn golygu'r gwrthwyneb, wrth gwrs. Os wyt ti'n neud rhwbeth drwg, ma'n rhaid talu'r pris ryw dro. Felly cofia di fihafio draw yn Ibiza.' Rhwbiodd Gwilym ei phen. 'Cofia Jara.' Tynnodd feiro o'i boced a thynnu llun brysiog ar gefn amlen tocynnau Emma. 'Dyma symbol Jara, ti'n gweld. Dwyt ti ddim wedi'i weld e o'r bla'n yn unman?'

Syllodd Emma ar yr amlen, gan ysgwyd ei phen yn araf. 'Naddo, sa i'n credu.' Ond sylwodd Gwilym eto nad oedd hi'n edrych arno. Roedd ei llygaid wedi'u hoelio ar y llun bach syml o'i blaen.

'Ti'n siŵr?'

'Odw, odw.'

'A ti'n hollol siŵr nad o's unrhyw beth 'da ti i'w 'weud wrtho i? Emma – ?'

Edrychodd i fyny ato'n awr, ac er mor ddidwyll oedd ei hwyneb, roedd y tywyllwch hwnnw a welodd yn ei llygaid yn gynharach wedi dychwelyd, yn gryfach nag erioed.

'Odw, Dad-cu,' meddai wrtho. 'Yn hollol siŵr. Ond os yw'n well 'da chi gredu rhywun fel Branwen Phillips na fi, wel . . . sdim pwynt i fi drial gweud *unrhyw* beth wrthoch chi, o's e?'

Safodd Gwilym yno'n teimlo'r oerni'n llifo drosto.

'O, Emma,' sibrydodd. 'Beth yffarn y'ch chi i gyd wedi'i *neud*?'

Cododd Emma'n frysiog oddi wrth y bwrdd, a chyda'r amlen yn ei llaw troes ei chefn ar ei thaid a mynd allan o'r gegin ac i fyny i'w hystafell. Arhosodd ger y ffenestr nes iddi ei weld yn cerdded i ffwrdd o'r tŷ, ei gamau'n araf a'i gefn yn grwm, yn edrych fel hen, hen ddyn.

Yna syllodd Emma eto ar y llun. Roedd hi *wedi* ei weld o'r blaen. Hwn oedd y symbol oedd wedi'i gerfio i mewn i gorff pren y Gêm.

Pennod 22

(i)

Roedd Meic wedi disgwyl y byddai Branwen yn troi'i thrwyn ar bob twll a chornel o'r tŷ: roedd hyd yn oed Seren wedi methu cuddio'r ffaith fod arogl a chyflwr y lle wedi'i chicio reit yn ei stumog. Yr unig beth wnaeth Branwen oedd edrych o'i hamgylch un waith cyn troi at Meic.

'Grêt. Ble ydw i'n cysgu?'

Roedd yr ystafell fach gefn, boeth, lychlyd hefyd yn dderbyniol, er mai dim ond matres noeth oedd ar y gwely.

'Y . . . wy'n siŵr bod dillad gwely 'ma'n rhywle,' dechreuodd Meic.

'O's sach gysgu 'da ti?'

'O's . . .'

'Neiff honno'r tro. Jest dere â gobennydd i fi, 'fyd?'

'Y . . . reit, ocê.' Daliai Meic i sefyll yno'n lletchwith i gyd.

'Beth?'

'Sa i'n gwbod *beth* 'wedith Dad, 'na i gyd,' atebodd.

Cododd Branwen ei hysgwyddau. 'Dy broblem di yw honno.'

Cefnodd arno, gan fynd draw at y ffenestr a cheisio'i hagor. Nid oedd Meic yn cofio pryd oedd y tro diwethaf i'r ffenestr hon *gael* ei hagor; yn sicr, roedd yn gyndyn iawn o wneud hynny heddiw. Aeth at Branwen a'i helpu, ac ar ôl cryn duchan, llwyddwyd i'w gwthio ar agor. Achosodd yr ymdrech yma i lewys top du Branwen grwydro i fyny ei breichiau.

'Blydi hel – Branwen!' Rhythodd mewn braw ar y creithiau creulon a frithai'r cnawd meddal, gwyn o dan ei breichiau.

Neidiodd Branwen oddi wrtho gan dynnu'i llewys i lawr, ac yna ailfeddyliodd. Edrychodd ar Meic â'i llygaid oerion, yna torchodd eu llewys a gwthio'i breichiau i wyneb Meic.

'Ie, 'na ti – edrych arnyn nhw'n iawn, nei di?' Ceisiodd Meic droi'i ben i ffwrdd ond gwthiodd Branwen ei braich yn erbyn ei wyneb. 'Edrych! Fydde'r rhain ddim 'da fi oni bai amdanot ti a'r pedwar arall 'na! A nage dim ond ar 'y mreichie i ma' nhw – ma' rhai 'da fi ar 'y nghoese 'fyd, ar 'y nghlunie, dan wadne 'nhra'd, ar 'y mola . . . ti'n moyn gweld?'

'Nagw . . . !'

'Pam? Odyn nhw'n troi arnot ti? Shgwl . . .' Tynnodd waelod ei thop o'i throswus a'i godi. Oedd, roedd cnawd ei bol hefyd yn rwydwaith o greithiau. 'A 'nghlunie i . . . shgwl . . .' Dechreuodd ddatod top ei throwsus.

193

'Branwen – na!' Edrychodd Branwen arno. 'Plîs . . . na . . . Sa i'n moyn . . .'

Gwenodd Branwen arno, yr un wên oer, galed honno y cofiai hi'n ei gwenu y noson gyntaf honno, ym mhwll nofio'r ganolfan hamdden. Eisteddodd ar erchwyn y gwely yn syllu i fyny arno.

'Sa i'n moyn, sa i'n moyn,' dynwaredodd ef yn sbeitlyd. Yna diflannodd ei gwên. 'Wyt ti'n meddwl 'mod *i'n* moyn?'

Ysgydwodd Meic ei ben. Ni allai dynnu'i lygaid oddi wrth y creithiau tywyll a sarffai dros gnawd noeth ei bol.

'Ffycin hel, boi bach, sdim syniad 'da ti, o's e? Ti, na'r un o'r lleill. Gynne fach, yn y gwesty – pan 'wedest ti fel o'dd dy fywyd bach di 'di bod mor yffernol yn ystod y bum mlynedd ddwetha, ges i drafferth i beidio â 'wherthin yn dy wyneb di. So ti'n gwbod beth *yw* yffern, Meic.' Rhedodd ei bys dros y creithiau ar ei bol. 'Wy 'di talu am bob un o'r rhain. Tra o'ch chi, wancyrs, yn mynd o un flwyddyn i'r llall, yn byw bywyde braf, yn becso am ddim mwy na cha'l ych gwaith cartre miwn mewn pryd.'

Teimlai Meic reidrwydd i amddiffyn rhywfaint arno'i hun. 'So 'nna'n wir. Wy 'di gorfod becso am lot mwy na 'nny.'

Gwthiodd Branwen waelod ei thop yn ôl i mewn i'w throwsus, gan guddio'r creithiau.

'O'reit, falle dy fod di 'di ca'l mwy o brobleme na'r lleill 'na,' meddai, 'ond chest ti ddim chwarter beth ges i. I gyd achos 'ych bod chi i gyd wedi gweud celwydd amdana i.' Safodd, a'i hwyneb yn agos iawn at un Meic. 'Ti'n gwbod beth? Ti'n mynd i ddifaru dy enaid dy fod ti 'di dod draw i'r gwesty 'na heddi. Ti'n mynd i ddifaru dy fod ti 'di 'mherswadio i i aros 'rhyd y lle, a sa i'n credu fod y lleill, ryw ffordd, yn diolch i ti 'whaith.'

Camodd oddi wrtho a mynd at y drws. 'Wy'n mynd mas am gwpwl o orie. Cofia estyn y gobennydd 'na i fi, 'na fachgen da.' Daliodd ei llaw allan. 'Allwedd?'

'Ble . . . ble ti'n mynd?'

'Wy newydd 'weud wrthot ti – mas. Dere – allwedd. Neith dy un di'r tro'n iawn.'

Tynnodd Meic ei allwedd o'i boced a'i rhoi yn ei llaw. 'Ond . . . ro'n i'n meddwl . . .'

'Beth?'

'Ti'n gwbod . . . y bydden ni'n 'whilo am y lleill, a mynd lan i ffarm Jos . . .'

'A 'whare'r gêm 'na, ife?'

'Wel – ie . . .'

'Pan fydda i'n barod, Meic. A sa i'n barod 'to. Fydda i ddim 'whaith, nes y byddi di wedi gweud y cwbwl wrtho i.'

'*Beth* – ? Ond . . . wy *wedi* . . .'

'Ti'n credu 'mod i'n dwp? Wy'n nabod hanner stori pan fydda i'n clywed un, gw'boi. Ta beth, dy job di yw ca'l y lleill i gyd at 'i gilydd. Ma' pethe gwell 'da fi i' neud na gwastraffu amser 'da phobol fel Emma Christie a Rol Benjamin.'

(ii)

Doedd ar Meic mo'i heisiau hi yno, yn ei gartref, ar ei aelwyd, dan ei do – Duw a ŵyr, Branwen Phillips oedd y person olaf roedd am ei chael *yn agos* i'w dŷ, ond beth arall allai fod wedi ei wneud ond cytuno?

Blacmêl, dyna oedd e.

Wrth adrodd yr hanes wrthi yn y gwesty, bu Meic yn ofalus i beidio â chrybwyll Siân – neu beth bynnag *oedd* Siân druan erbyn hyn – o gwbl, ond roedd Branwen yn amlwg wedi gweld trwy'i amwyster, wedi deall nad y gwir, yr holl wir, a dim byd ond y gwir a faglai dros ei wefusau.

Oedd hithau hefyd wedi cael rhyw brofiad . . . wel, Siân-aidd? (Ni allai feddwl am air gwell: roedd 'rhyfedd', 'od' a hyd yn oed 'sbwci' yn rhy wan o beth yffach i ddisgrifio popeth oedd wedi bod yn digwydd yn ddiweddar.) Yn sicr, aeth Branwen yn dawel a meddylgar iawn pan ddangosodd y llun ysgol iddi. Bu Meic yn disgwyl iddi chwerthin am ei ben a'i ddilorni, ond na, dim byd o'r fath, a chytunodd i aros nes yr oedden nhw wedi chwarae'r Gêm un waith eto.

Ond aros ym mhle? Roedd hi newydd dalu bil y gwesty, meddai wrtho, ac o'r herwydd doedd ganddi fawr ddim arian ar ôl. Dyna pryd yr edrychodd i fyny gyda'r wên anghynnes honno ar ei gwefusau, a datgan ei bod am aros yn ei dŷ ef.

'Beth? Yffach, na – *no way*, sori!'

'O, wy'n gweld. Ti'n moyn i fi 'weud popeth wrth dy dad, wyt ti? Popeth wyt ti newydd 'i 'weud wrtho i nawr ambytu llosgi'r gêm. Iawn, ocê – dim problem. Bydd e'n dwlu ca'l clywed taw 'i fab e'i hunan sy wedi'i droi e'n alci.'

'Ti'n meddwl 'se Dad yn dy gredu di?' gofynnodd, gyda llai na hanner yr hyder y ceisiodd ei bwmpio i'w lais.

'Fel mae'n digwydd – odw,' oedd ateb Branwen. 'Ma' profiad 'da fi o bobol fel dy dad – a ma' nhw'n fodlon rhoi'r bai am eu cyflwr ar *unrhyw* beth, heblaw y nhw'u hunain. Na, sa i'n credu y bydden i'n ca'l trafferth o gwbwl 'da dy dad.' Troes ei llygaid yn oer eto. 'Beth odw i, Meic? Bitsh, ife . . . 'wedodd rhywun enwog un tro – so ti 'di gweld dim byd 'to, gw'boi.'

Newydd fynd o'r tŷ roedd hi pan ddychwelodd Brian adref, yn amlwg wedi cael briwsionyn o groeso gan o leiaf un o dafarnwyr y pentref.

'Odw i'n gweld pethe?'

Wyt, bron bob nos, meddyliodd Meic.

'Beth?'

''Weles i ferch yffernol o secsi'n dod mas o'r tŷ 'ma? O'r tŷ *'ma*?' Roedd Brian yn wên o glust i glust, gwên feddw, wlyb a llac, yn llawn o chwant ofer ac anobeithiol.

Ochneidiodd Meic. 'Do, Dad. Ffrind i fi o'dd hi, reit? Ma' hi'n aros 'ma am gwpwl o nosweithi – os yw 'nny'n o'reit 'da chi.' Ac os nad yw e, wy'n mynd i daflu'n hunan i mewn i'r harbwr, ychwanegodd wrtho'i hun.

'Yn o'reit? *Yn o'reit?*' Rhoes Brian bwniad iddo yn ei ysgwydd. 'Damo, ro'n i 'di dechre becso amdanot ti, ti'n gwbod.'

'Beth?'

'Byth yn dod gatre â merch 'da ti – byth yn sôn am fynd mas 'da neb. Ond ti 'di tawelu 'meddwl i, 'achan, o'r diwedd. Hei – pishyn yw hi 'fyd, ontefe?' Rhoes bwniad arall i Meic. '*Chip off the old block*! Wel, dere – pwy yw hi? Hei, 'sa funed – ma' hi'n 'yn atgoffa i o rywun, ti'n gwbod . . .'

O, *shit*, 'ma ni nawr, meddyliodd Meic. 'Dad, grindwch – do'dd dim dewish 'da fi . . .'

'Na, na – aros . . . nage Marianne Faithful . . . na! Wy'n gwbod pwy! Wy'n cofio! Gyda'r gwallt coch hir 'na, a'r dillad du . . . sa i'n gwbod beth o'dd enw'r ferch, ond ma' hi yn y ffilm James Bond 'na . . . ti'n 'bod, *Thunderball*, 'na fe. *Thunderball*. Y ferch 'na o'dd ar gefen y beic *BSA Lightning*, ti'n gwbod.'

'O . . . ie, reit . . .' Fel y digwyddai, *roedd* Meic yn gwybod pwy oedd gan ei dad dan sylw. Ynghyd â *The Wild One* ac *Easy Rider*, ffilmiau James Bond oedd hoff ffilmiau Brian, ac roedd tuag ugain o fideos gwahanol ganddo o dan y teledu yn y parlwr.

'Beth yw 'i henw hi?'

'Dad, sa i'n cofio – reit? Gwyliwch y ffilm 'to.'

'Nage hi, 'achan! Dy wejen *di*!'

'Nage fy wejen i . . .'

'Beth yw 'i henw hi?'

'Y . . . Ceridwen.' Dduw mawr, *Ceridwen*? O ble dda'th hwnna, o bob enw?

'Ife? Enw neis . . . Hei, ti'n gwbod beth? Ma' hyn wedi codi whant arnof i wylio *Thunderball* 'to. A bydde hi'n syniad i ni lanhau 'chydig ar y lle 'ma 'fyd, so ti'n credu? Newn ni 'nny, ife? Ar ôl y ffilm . . .' Dechreuodd am y parlwr, yna trodd eto. 'Ac os odw i'n digwydd cysgu, cofia 'nihuno i pan ddaw Ceridwen 'nôl, o'reit? Falle ro' i'r ffilm ar *pause*, a

197

gei di a hi weld beth wy'n feddwl. *Sex on two wheels*, 'achan, 'na beth yw hi . . .' Un pwniad arall. '*Dat's mah boy* – !'

Daeth tad Jos adref y prynhawn hwnnw, hefyd, ond mewn cyflwr go wahanol i gyflwr Brian Gruffydd. Sut oedd hi'n bosib i ddyn golli cymaint o bwysau mewn cyn lleied o amser? meddyliodd Jos. Roedd crys rygbi ei dad, oedd fel arfer mor dynn am ei ysgwyddau a'i freichiau, nawr yn hongian yn llac oddi amdano, fel petai ar hangyr, bron, ac roedd yna lwydni anghyfarwydd yn llechu o dan liw haul ei wyneb.

Er na fynnai 'hen ffŷs twp', roedd yn ddiolchgar am gael suddo i'w gadair freichiau hefyd, er mai dim ond o'r car i'r tŷ roedd wedi cerdded.

'Jos,' meddai, pan adawyd y ddau ohonynt gyda'i gilydd am ychydig, 'ti yn dyall, on'd wyt ti, pam fod dy fam a finne wedi gofyn i ti aros gatre am ychydig?'

'Dad, mae'n o'reit . . .'

'Jest grinda am un funed. 'Tase 'ne unrhyw ffordd arall . . . y'n ni'n falch iawn ohonot ti, ti'n gwbod, a dy'n ni ddim moyn dy rwystro di rhag mynd i'r coleg. Ond ma'r ffarm 'ma . . . ma' hi 'di bod yn y teulu ers cenedlaethe lawer, fel ti'n gwbod, ond, y gwir yw . . .' Ochneidiodd Merfyn. 'Y gwir yw, sa i'n credu y bydde hi 'da ni am ddegawd 'to 'sen i'n 'i gadel hi'n gyfan gwbl yn nwylo Beiron. So ffarmo yn 'i wa'd e . . . O, ma fe'n licio'r *syniad* o fod yn ffermwr, wy'n gwbod, swancio yn y dawnsfeydd ffermwyr ifainc a mynd i Sioe Llanelwedd bob blwyddyn. Ond so fe'n licio'r *gwaith*.' Ceisiodd Merfyn wenu. 'So tithe dros dy ben a dy gluste mewn cariad ag e 'whaith. Ond ymhen rhyw flwyddyn, Jos – falle llai na hynny, synnen i damed – os llwyddwn ni i gael gweision deche. Ond bydde gadel pethe yn nwylo Beiron hyd yn o'd am flwyddyn yn neud niwed ofnadw.'

'Dad, wy'n *gwbod*,' meddai Jos. 'Mae'n o'reit. Pidiwch â becso.'

Ma'n rhaid i fi fynd mas nawr, meddyliodd – ne' bydda i'n dechre sgrechen dros y tŷ. Teimlai'n agos at lewygu gyda'r euogrwydd anferth yn cnoi ei enaid, yr wybodaeth na fyddai ef a'i dad yn cael y sgwrs hon oni bai amdano ef a'r Criw.

'Yffarn o beth,' meddai Merfyn yn awr. 'Wnes i rio'd feddwl, y bydden *i* . . . ma' calonne pob un ohonon ni, fel teulu, wastad wedi bod cyn cryfed â chalonne llond ca' o deirw. Ond 'na ddangos beth ma'r cwacs 'ma'n 'i wbod, ontefe?'

'Sori, Dad?'

'Dim ond Pasg dwetha o'dd hi pan ges i *check-up*, ti'n cofio? Doedd dim arwydd o unrhyw beth yn bod bryd 'nny – ac a'th y doctor dros bopeth â chrib man: pwyse gwa'd, lefel siwgwr, colestorol, calon – popeth. ' Ysgydwodd Merfyn ei ben. 'Sa i'n dyall y peth o gwbwl . . .'

Yna ymysgydwodd, a gwelodd Jos adlais o'i hen ysbryd yn fflachio yn ei lygaid. 'Ond sa i'n mynd i ildio iddo fe. Ddim byth. Wy'n mynd i neud yn gwmws fel ma'r doctoriaid a'r fenyw *physio* 'na'n 'i 'weud – a watsia di, Jos. Erbyn i ti allu dechre yn y coleg amser 'ma flwyddyn nesa, bydd dy dad cyn iached ag unrhyw blydi cneuen. Wy'n *addo* 'nny i ti, boi.'

(iv)

Y gwir amdani oedd na wyddai Branwen ble roedd hi am fynd ar ôl brysio o dŷ Meic. Mynd o'r tŷ oedd y peth pwysicaf.

Nid yr annibendod a'r baw oedd wedi ei phoeni. Roedd hi wedi cysgu mewn mannau a fyddai'n gwneud i gartref Meic a Brian Gruffydd edrych fel Balmoral. Ond ni chredai iddi fod erioed o'r blaen mewn tŷ mor glawstroffobig; o'r eiliad y camodd dros y rhiniog, teimlai fod y muriau'n closio at ei gilydd fesul modfedd.

Ac roedd rhyw hen arogl llaith yn llenwi'r aer, fel petai'r tŷ i gyd yn chwysu. Teimlai Branwen awydd poeri – fel tase ei cheg yn llawn o ddŵr brown, brwnt. Dyna pam roedd hi mor benderfynol o agor y ffenestr front honno. Sut oedd Meic yn gallu *byw* yno?

Oherwydd ei fod wedi hen arfer, mwy na thebyg. Go brin ei fod ef hyd yn oed yn sylwi ar gyflwr y tŷ erbyn hyn. A Duw a ŵyr sut olwg oedd ar ystafell Brian os oedd y stafell sbâr yn edrych fel roedd hi, gyda phentyrrau o hen gylchgronau beic-modur yn dringo'n feddw tua'r nenfwd, a'r poster hwnnw o Marlon Brando yn cyrlio'n felyn ar y wal.

A dyn a ŵyr beth oedd yn llechu yn y llwch o dan y gwely.

Ar ben hynny, roedd y corynnod dan ei chroen wedi deffro yr eiliad y camodd Branwen i'r tŷ – a deffro'n llawn bywyd, hefyd. Efallai bod yr holl faw a'r llwch wedi gwneud iddi fod eisiau ei chrafu ei hun drosti, a bod hynny yn ei dro wedi tarfu ar y corynnod . . . Ond o'r diwedd – diolch i'r awyr iach – roedd y jiawled bach yn dechrau setlo'n eu holau.

Sylweddolodd fod ei chamau wedi dod â hi i gyrion y pentref ac yn agos at y fynedfa i Fryn Tawel. Ei hisymwybod oedd yn gyfrifol am hyn, penderfynodd: roedd wedi bwriadu galw i weld ei mam cyn cefnu ar yr ardal unwaith eto. Ond cafodd ei themtio i droi'n ôl pan welodd ffigur cyfarwydd yn cerdded i'w chyfarfod.

Gwelodd Gwilym Christie hi'n petruso cyn sylweddoli ei fod wedi ei gweld. Yffach, ma' hi mor debyg i'r Diane ifanc, rhyfeddodd eto; trueni na chafodd John druan fyw i'w gweld hi wedi blodeuo gymaint. Teimlai'n sicr hefyd, pe na bai John wedi cael y ddamwain ofnadwy honno, na fyddai hyn i gyd wedi digwydd o gwbl . . .

Ie, wel, sdim pwrpas meddwl am hynny nawr, Gwilym, meddai wrtho'i hun. Yn enwedig gyda Diane wedi gwella cystal. Roedd ei gwellhad, yn wir, yn ffinio ar y gwyrthiol – a gwyddai Gwilym fod y ferch ifanc hon oedd ar fin ei gyrraedd wedi cyfrannu'n helaeth at hynny, os nad yn gyfan gwbl. Oedd, *roedd* Diane yn gwybod drwy'r amser mai Branwen oedd wedi gadael y siocled hwnnw iddi: wedi ffugio cwsg roedd hi, cyfaddefodd wrtho heddiw, gan na wyddai sut yn y byd oedd ymdrin â'r syndod o weld ei merch unwaith eto ar ôl yr holl flynyddoedd. Erbyn heddiw, roedd yn difaru'i henaid iddi wneud hynny; ofnai fod Branwen wedi diflannu eto, ond na – dyma hi, a'i gwallt coch yn sgleinio yng ngolau'r haul.

'Shwt mae heddi?' oedd ei geiriau cyntaf.

'Wel . . . sa i'n siŵr iawn ble i ddechre,' oedd ateb gonest Gwilym. 'Ma' hi'n well, wir,' ychwanegodd yn frysiog pan welodd y pryder yn dechrau gwawrio yn llygaid Branwen. 'Lot yn well! Wy rio'd wedi'i gweld hi gystel.'

Hwn oedd y tro cyntaf iddo weld Branwen yn gwenu – yn gwenu'n naturiol a chynnes, nid yr hen wên oeraidd, ddihiwmor honno a welodd ganddi'r diwrnod hwnnw yn y fynwent. Am ryw reswm gwallgof, plentynnaidd, sentimental, teimlodd Gwilym ei lygaid yn llenwi â dagrau, a throdd a syllu ar y rhododendrons llachar rhag ofn iddo wneud ffŵl ohono'i hun.

'Ma' hi ar ddihun nawr, 'te, odyw hi?' gofynnodd Branwen.

'O, odi. Wedi bod ers amser brecwast, mynte hi. Wrthi'n gneud 'bach o *flower arranging* ro'dd hi nawr.'

'Pidiwch â gweud wrtho i – blode melyn, ife?'

'Fel ma'n digwydd, ie.' Edrychodd Gwilym arni â chwilfrydedd, ond chwerthin a wnaeth Branwen.

'Ddewch chi 'nôl 'da fi?' gofynnodd iddo.

'Wel . . .'

'Plîs – ?'

Sylweddolodd Gwilym bod 'na gryn nerfusrwydd dan yr wyneb hyderus, ac y byddai Diane fwy na thebyg yn rhannu'r un teimlad; hwyrach y byddai presenoldeb trydydd person yn helpu.

Ac roedd arno eisiau sgwrs â Branwen, p'run bynnag.

Dywedodd hynny wrthi, a nodiodd Branwen. 'Ambytu'r arian yna, ife?'

'Sori?'

'Mae'n o'reit, wy'n gwbod ble'r a'th e. A ma'r hyn y'ch chi ond newydd 'i 'weud nawr yn profi na chafodd e 'i wastraffu, on'd yw e?'

'Branwen, sa i'n gwbod am be ti'n siarad, maddeua i fi.'

'Chi'n gwbod – yr arian 'na roddodd Mam yn y *trust fund* i fi.'

'So ti 'di'i ga'l e 'to?'

'Beth?' Rhythodd Branwen arno. 'Alla i ddim 'i ga'l e, na alla? Ma' fe i gyd wedi mynd. I dalu am y lle 'ma.' Amneidiodd i gyfeiriad prif adeilad Bryn Tawel. 'Trinieth Mam. 'Wedodd e, Peter, wrtho i. Bore 'ma, fel mae'n digwydd.'

'*Peter* 'wedodd 'nna wrthot ti?'

'Ie. Ac y dylwn i ofyn i dad Emma os o'n i ddim yn 'i gredu fe.' Edrychodd ar Gwilym. 'Pam? Do'dd e ddim yn gweud y gwir, ne' beth?'

Beth ar wyneb y ddaear oedd gan *Raymond* i'w wneud â hyn? Gwyddai Gwilym fod ei fab yn ffrindiau gyda Peter Phillips, ond . . .

O'r nefoedd fawr! Nid oedd Peter i fod i *wybod* am yr arian hwnnw. Dim ond un person fyddai wedi gallu dweud wrtho.

Raymond.

'Mr Christie?'

Roedd Branwen yn mynnu cael ateb – yn *haeddu* cael ateb, gwyddai Gwilym, ac ateb gonest hefyd.

'Branwen – dy fam sy wedi bod yn talu biliau Bryn Tawel 'i hunan,' meddai wrthi. 'Neu, yn hytrach, y fi, gydag arian dy fam. Ma' digon 'da hi, yn 'i chyfrifon 'i hunan. Wy'n gwbod 'mod i wedi ymddeol, ond es i ag ambell gleient 'da fi, a dy fam o'dd un o'r rheini.'

'A so Peter wedi bod yn talu'i bilie hi?'

'Peter? Ddim shwt beth. Ma'r cwbwl 'di dod mas o

gyfrifon preifat dy fam. So Peter erio'd wedi talu'r un geiniog,' gorffennodd yn chwerw. 'Nac erio'd wedi cynnig gneud 'whaith.'

Nodiodd Branwen, gan syllu'n ddall dros y lawnt. 'Bastad . . .' meddai'n dawel. Roedd yr oerni caled wedi dychwelyd i'w llygaid ac i'w llais. Trodd ac edrych ar Gwilym.

''Wedoch chi gynne y'ch bod chi'n moyn siarad 'da fi.'

'Beth? O . . . ie. Am . . .' Petrusodd. Roedd yn gas ganddo orfod gwneud hyn, ond roedd eisoes wedi pylu'r hapusrwydd newydd hwnnw roedd Branwen yn amlwg yn ei deimlo pan glywodd am wellhad Diane. Nid oedd fawr o ddewis ganddo, beth bynnag.

'Ar ôl beth 'wedest ti wrtho i yn y fynwent – fe gefes i air 'da Emma.'

'Do fe nawr?' Roedd yr oerni yn oerach fyth yn awr, gwelodd Gwilym. Tynnodd ddarn o bapur o'i boced, ac arno tynnodd lun syml a'i ddangos i Branwen.

'Wyt ti 'di gweld y symbol 'ma o'r bla'n yn rhwle?' gofynnodd.

Syllodd Branwen arno, gan ysgwyd ei phen yn araf. 'Sa i'n cred . . . O! 'Rhoswch funud . . . Do . . . do. Ond sa i'n cofio ble . . .' Rhythodd arno am ychydig o eiliadau, yna gwelodd ei hwyneb yn clirio wrth iddi gofio. 'Wy'n gwbod! Ro'dd e ar ryw Gêm ro'n ni'n arfer 'i 'whare pan o'n ni'n blant – wedi'i gerfio miwn i'r pren.' Rhoes y pisyn papur yn ôl iddo. 'Pam?'

Roedd calon Gwilym wedi suddo pan glywodd Branwen yn dweud hyn. Nid yn unig roedd Emma wedi rhaffu celwydde wrtho, ond dyma gadarnhad pendant fod y plant diniwed yma wedi bod yn chwarae â rhywbeth peryglus ofnadwy.

'Ble ma' hi nawr?' gofynnodd. 'Y gêm 'na?'

Cododd Branwen ei hysgwyddau. 'Wy ddim wedi'i gweld hi ers pum mlynedd.'

'A ble *gafoch* chi'r gêm?' holodd Gwilym, er ei fod yn gwybod yr ateb yn barod. Er gwaetha'r haul cynnes a dywynnai'n gryf, teimlai'n oer drosto, fel petai cwmwl mawr wedi taflu'i gysgod dros lawntydd a gerddi prydferth Bryn Tawel.

'Dod o hyd iddi naethon ni,' atebodd Branwen. 'Yn yr hen dŷ 'na tu fas i'r pentref. Chi'n gwbod, hwnnw gafodd 'i losgi flynydde'n ôl.'

'Ac ro'dd Emma 'da chi?'

Nodiodd Branwen. Ei thro hi oedd hi'n awr i edrych arno ef â chwilfrydedd. 'O, o'dd. Emma dda'th o hyd iddi gynta, wy'n credu. *Pam*, Mr Christie?'

Cafodd Gwilym yr argraff fod Branwen fel petai'n gwybod yr ateb yn barod – neu o leiaf rai o'r atebion. Ond cyn iddo fedru gofyn unrhyw beth arall iddi, gwelodd lygaid Branwen yn symud oddi wrtho ac at rywbeth a welai y tu ôl iddo.

Trodd.

Yno'n sefyll ar y lawnt, yn gwenu ond eto â dagrau'n powlio i lawr ei hwyneb, roedd Diane.

Pennod 23

(i)

Tawelwch a deyrnasai yn y Bwthyn. Hen dawelwch annaturiol, clwyfus, gyda'r aer yn llawn cwestiynau oedd yn sgrechen yn ofer am atebion.

Nid oedd Enfys a Lloerfaen erioed wedi ffraeo o'r blaen. Maen nhw'n siŵr o fod *wedi* gwneud, rywbryd, meddyliodd Seren; roedden nhw gyda'i gilydd ers eu dyddiau yn yr ysgol. Ond heddiw, fe gawson nhw FFRAE – a Seren oedd wedi ei hachosi.

'Ond *pam*?' gwaeddodd y ddau arni sawl gwaith, y pam-pam-pam diddiwedd hwnnw, drosodd a throsodd. Un gair bach syml oedd hefyd yn anferth. Buasai Seren wedi rhoi'r byd am gael dweud *pam* wrthyn nhw, ond yr unig beth a ddywedodd oedd,

'Achos sa i'n moyn! Wy jest ddim *ishe* dod 'da chi.'

Celwydd, wrth gwrs. Fel ei rhieni, bu Seren yn cyfri'r misoedd, yna'r wythnosau, cyn y bydden nhw'n gyrru o'r Bwthyn am faes awyr Heathrow.

'Wel, ma'n flin 'da fi, Seren, ond 'dyw 'nna jest ddim digon da,' meddai Enfys.

'So fe'n ateb sy'n gweddu i unrhyw un sy'n henach na saith mlwydd o'd,' ategodd Lloerfaen, oedd yn amlwg yn cael trafferth mawr i'w atal ei hun rhag cydio ynddi a'i hysgwyd yn galed. 'Ni'n haeddu gwell eglurhad na 'nna.'

'Be sy wedi digwydd?' gofynnodd Enfys.

'Beth?'

'Ma'n rhaid fod *rhywbeth* wedi digwydd i newid dy feddwl di. Ro'n ni'n meddwl bo' ti'n dishgwl ymla'n at ga'l dod i America.'

'Ro'n i, i ddechre.'

'Ond?'

'Ond beth?' Ochneidiodd Enfys yn ddiamynedd. 'Pam wyt ti 'di newid dy feddwl?'

'Mam, ma' dros flwyddyn ers i chi sôn am y peth i ddechre. A ma'r ddau 'noch chi 'di bod yn mynd ymla'n ac ymla'n ambytu'r peth gyment yn ddiweddar – America hyn, America'r llall – fel mod i 'di ca'l llond bola o glywed am y lle. A nawr wy jest ddim ishe mynd 'na, reit?'

'Nag yw, so fe'n *o'reit* o gwbwl!' taranodd Lloerfaen. 'Dylet ti fod wedi gweud *cyn* nawr – lot cynt, 'fyd. Ti 'di ca'l hen ddigon o gyfle, yn enwedig os o'n ni'n mynd ymla'n ambytu'r peth gyment!'

Roedd Seren yn gweiddi erbyn hyn.

'Ro'n i'n *ffaelu* gweud, o'n i? Ro'ch chi'ch dou . . . nethoch chi ddim meddwl gofyn *i fi* os o'n i'n moyn dod 'da chi, do fe? Dim ond cymryd yn ganiataol y bydden i *ishe* dod – ni'n mynd i America flwyddyn nesa, 'na fe, *fait accompli* . . .'

'Seren!'

'. . . a sdim *diddordeb* 'da fi yn y daith yma, ta p'un! Sdim diddordeb 'da fi yn Elvis Presley a Bruce Springsteen a blydi Woodstock . . .' Roedd Lloerfaen yn gegrwth o glywed y fath gabledd yma – '. . . do's 'da nhw yffach o ddim byd i neud â *fi*, a nghenhedlaeth *i* – pam *ddylen* i fod ishe mynd i 'dalu teyrnged' i ryw *boring old farts* fel rheina? Ond nethoch chi ddim ystyried 'nna o gwbwl, do fe?'

Roedd y boen a welodd ar wynebau ei rhieni bron â'i rhwygo'n ddwy. Ond buasai dweud *y gwir* wrthyn nhw . . .

'Wy 'di dy glywed di'n 'whare Springsteen dy hunan,' meddai Lloerfaen.

'Ond so 'nna'n golygu 'mod i'n moyn teithio miloedd o filltiroedd er mwyn gweld lle ro'dd e'n byw!' atebodd Seren. ''Shgwlwch – sa i'n 'ych rhwystro chi rhag mynd. Ma' hi'n well fel hyn – gewch chi fynd i ble chi'n moyn, neud beth bynnag . . .'

'Paid ti â becso, 'na'n gwmws beth wnewn ni,' meddai Lloerfaen. 'Os yw'n well 'da ti aros gartre, wel dy golled di yw hi.'

'Paid â siarad dwli!' meddai Enfys.

Edrychodd Lloerfaen arni. 'Beth?'

'Allwn ni ddim â mynd *nawr*!'

'Pam?' gofynnodd Lloerfaen, cwestiwn digon teg yn ei farn ef, gan fod Seren dros ei deunaw ac yn fwy nag abl i edrych ar ei hôl ei hun.

A dyna pryd y dechreuodd y FFRAE. Roedd yn amlwg, dadleuodd Enfys, fod rhywbeth mawr yn poeni Seren. Nid oedd hi, Enfys, am eiliad, wedi llyncu'r esgus gwan a roes eu merch iddi'n gynharach, ac yn sicr ni allai hyd yn oed *feddwl* am fynd i America nes ei bod wedi darganfod beth yn union oedd yn bod ar Seren, beth oedd y broblem fawr, ac, os yn bosib, ei helpu i'w datrys. Ac roedd yn synnu, ac yn ffieiddio, fod Lloerfaen hyd yn oed yn ei dymer wedi ystyried mynd a'i gadael gartref ar ei phen ei hun.

'Wyt ti? Wel, sori, Enfys, ond wy 'di neud mwy na dim ond *ystyried* y peth. Wy'n *bwriadu* mynd!' meddai Lloerfaen. 'Ni 'di talu, yn un peth, ac os dynnwn ni 'nôl nawr, byddwn ni'n colli'r rhan fwyaf o'r blaendal.'

'O, wy'n gweld – yr *arian* sy'n dy fecso di, ife?'

'O, dere! So 'nna'n deg!'

'Nag yw e? Y ti grybwyllodd yr arian, Lloerfaen, nage fi.'

'O'reit, ma' fe'n *rhan* o'r peth, odi! So gwylie mowr fel hyn yn tshep. Ond y peth mwya yw'r ffaith 'yn bod ni'n dou, o leiaf, wedi bod yn dishgwl ymla'n gyment, a nawr ti moyn towlu'r cwbwl bant jest o achos *mympwy* Seren?'

'Ond so fe *yn* fympwy, odi e! 'Na be wy'n 'weud! So Seren erio'd wedi neud unrhyw beth ar fympwy. Ma' llawer iawn mwy i hyn na' ma' hi'n fodlon cyfadde! Ac fel mam iddi hi, wy'n ystyried 'i bod hi'n ddyletswydd arna i aros 'da hi nes fod beth bynnag sy ar 'i meddwl hi'n ca'l 'i ddatrys!'

'Seren – er mwyn tad, plîs gwed beth yw'r broblem, nei di?' crefodd Lloerfaen.

'*Do's* dim problem! O damo – pam na allwch chi jest derbyn 'mod i ddim yn moyn dod i America? 'Mod i ddim yn moyn mynd 'na 'da *chi* – !'

Roedd y ddau wedi gwingo fel petai Seren wedi eu taro ar draws eu hwynebau. Penderfynodd Seren na fedrai ddioddef rhagor a ffodd o'r tŷ, tra aeth y ffrae rhwng ei rhieni o ddrwg i waeth. Pan ddychwelodd Seren ymhen awr, doedd yr un o'r ddau'n siarad â'i gilydd, a doedden nhw ddim yn gallu hyd yn oed *edrych* arni hi.

Ond sut oedd dweud wrthyn nhw? *Doedd* dim modd gwneud hynny, oedd e? Dyna'r gwir. *Alla i ddim mynd bant i unman. Os ydw i ond yn* bwriadu *gwneud hynny, yna bydd rhwbeth ofnadw yn digwydd i un ohonoch chi, os nad i'r* ddau *ohonoch chi.*

A thra oedd hi allan, sylweddolodd rywbeth arall hefyd, rhywbeth oedd yn waeth o lawer.

Un peth oedd datgan nad oedd am fynd i ffwrdd ar ei gwyliau. Sut oedd hi am ddweud wrth Enfys a Lloerfaen nad oedd hi am fedru mynd i ffwrdd i'r coleg chwaith?

(ii)

Roedd y boen a deimlai Ffion yn ei gwddf yn gwaethygu o ddydd i ddydd. 'Wedi ca'l drafft o rywle wyt ti,' meddai ei mam pan gwynodd Ffion amdano gyntaf, 'neu wedi cysgu'n gam.'

Efallai.

Ond nid oedd yn gwella wrth i'r dyddiau di-Rol lusgo heibio. Ceisiodd wneud jôc o'r peth i ddechrau, drwy ochneidio'n ddramatig iddi'i hun fel cymeriad mewn nofel ramant – 'Nid yw'r boen yn fy ngwddf yn cyfrif dim o'i gymharu â'r boen sydd yn fy nghalon!'

Ond arhosai ei ffôn yn sbeitlyd o fud, a bob tro yr âi Ffion i chwilio amdano, roedd Rol naill ai'n gweithio y tu ôl i gownter y siop sglodion neu wedi diflannu i rywle ar ei feic gyda'i raffau dringo. Ar y graig fawr uwchben y traeth roedd e, siŵr o fod, penderfynodd Ffion un prynhawn, ac aeth ar ei ôl. Ond wrth nesáu at y traeth, dechreuodd ei gwddf ei phoeni fwy fwy. Gyda phob cam, bron, saethai'r boen i fyny ac i lawr ei gewynnau, gan wneud iddi deimlo fel pe bai rhywun yn ceisio rhwygo'i phen oddi ar ei hysgwyddau. Ni laciodd y boen o gwbl nes iddi gyrraedd adref a gorwedd yn llonydd ar ei chefn ar ei gwely am bron i deirawr.

Digon o gyfle, felly, i feddwl. Roedd Rol, gwyddai, yn ei thrin fel baw ac yn amlwg yn ei hosgoi, yn rhy 'brysur' yn gwerthu tships i hyd yn oed gydnabod Ffion yn sefyll y tu allan i'r ffenestr yn syllu arno. Roedd hynny'n ei brifo'n waeth na'r boen yn ei gwddf, ac ar ôl yr ail dro iddi gael ei hanwybyddu ganddo, ni ddychwelodd Ffion i'r siop.

Ac yfory roedd diwrnod ei chanlyniadau TGAU, ar ben popeth. Nid fod hynny'n poeni dim ar Rol Benjamin.

Efallai y gwnaiff e ffonio heno, meddyliodd Ffion. Neu'r beth cynta bore fory, cyn i fi adael am yr ysgol.

Efallai . . .

Dylwn i fod wedi gweld hyn yn dod, meddyliodd yn drist. Do'dd e ddim yn gallu aros i ddianc o 'ma'r prynhawn ar ôl i ni fynd i'r gwely – ie, *dianc*, dyna'r unig air am yr hyn wnaeth e. Ac nid cael rhyw 'da fe er mwyn ceisio'i gadw e wnes i, ond oherwydd fy mod i *ishe*, ro'dd rhwbeth yn 'i gylch e o'dd yn gneud i fi fod ishe dangos ac agor fy nghorff iddo fe – teimlade na ches i monyn nhw erio'd 'da Jos, druan. Ro'dd Jos yn *rhy* neis, yn fy nhrin fel doli fach tseina, ond ma' rhwbeth ynghylch Rol . . .

. . . rhywbeth oedd yn gwneud iddi fod eisiau cysgu ag ef eto. Rol oedd y cyntaf iddi gael rhyw llawn ag ef, ac er bod y weithred yn boenus ar y dechrau, boddwyd hynny gan bleser annisgwyl tua'r diwedd. Ond roedd y boen siarp a deimlodd ar y pryd yn ddim o'i chymharu â'r boen a deimlai'n awr o sylweddoli fod Rol wedi blino arni'n barod, a'i fod fwy na thebyg yn methu aros i ddianc o'r ardal a dilyn ei gyrsiau *outward bound*, heb gael rhyw ffŵl ifanc fel hi'n ei ddilyn i bobman fel gast yn cynheica.

Chaiff e ddim gwneud hyn i mi, meddyliodd wedyn, chaiff e mo 'nhrin i fel hyn! Wy'n *gwbod* ei fod e'n mynd bant ymhen llai na mis, wy'n *gwbod* nad o's dyfodol i unrhyw berthynas fawr rhyngon ni. Sa i'n disgwl iddo fe gyrredd yma bob nos gyda siocledi a blode yn ei freichiau a geirie o gariad yn byrlymu'n ribidirês oddi ar ei wefuse. Ond y peth lleia y gallai'r bastad fod wedi'i neud fydde codi'r ffôn. Petai ond i ddymuno pob lwc i fi yfory. Neu o leiaf cydnabod fy mod i'n bodoli.

Plîs . . .

Dychwelodd Branwen i dŷ Meic mewn hwyliau arbennig o
dda. Doedd hi ddim wedi teimlo fel hyn ers . . . blynyddoedd,
ac efallai y dylai ddiolch i Meic am ei pherswadio i aros yn yr
ardal. Cyn ei ymweliad ef â'r gwesty fore heddiw, roedd hi'n
barod i neidio ar y bws cyntaf a welai a chefnu ar y lle am
byth. Roedd yn wir ei bod wedi bwriadu galw i weld ei mam
cyn mynd, ond petai hi wedi gwneud hynny yn y bore, efallai
y buasai Diane yn cysgu ac ni fuasai Branwen wedi sylweddoli
cymaint roedd ei mam wedi gwella'n ddiweddar.

Na sylweddoli chwaith cymaint roedd Diane yn ei charu.

Bu'r tri'n eistedd allan ar y lawnt yn yr haul yn yfed te ac
yn bwyta bisgedi *custard cream* – Branwen, Diane a Gwilym
– gyda Diane fel petai'n methu'n lân â chredu fod Branwen
yno gyda nhw. Rhaid oedd iddi gael naill ai ei chofleidio neu
afael yn ei llaw neu gyffwrdd yn dyner â'i hwyneb a'i gwallt
drwy'r amser, gyda'i llygaid yn llenwi bob hyn a hyn. Nid
fod Branwen yn *Ms Cool* o bell ffordd, chwaith, ac roedd
Gwilym hefyd fel un wedi ei syfrdanu, yn edrych yn ôl ac
ymlaen o'r fam i'r ferch gyda gwên wirion ar ei wyneb.

Mynnodd Diane gael gwybod a oedd Branwen wedi
maddau iddi.

'Diane, nage nawr yw'r amser i . . .' dechreuodd Gwilym.

'*Ie*, Gwilym – nawr.' Gwenodd Diane arno. 'Wy 'di aros yn
hen ddigon hir, so ti'n credu? Yn *rhy* hir.' Trodd at Branwen.
'Ti'n gwbod beth? Wy 'di bod dros hyn yn fy meddwl o leia
fil o weithie, yn trial penderfynu beth fydden i'n 'i 'weud
wrthot ti 'sen i ond yn ca'l y cyfle. Ond nawr . . . wel, sa i'n
cofio un gair.'

'Mam, ma'n o'reit . . .'

'Na, ma'n rhaid i fi ga'l dweud . . . beth bynnag ddaw mas.
Y peth yw . . . pan farwodd Siân, ro'n i . . . mewn rhyw fath o

sioc. Do'n i ddim yn gallu meddwl – ddim yn gallu rhesymu, yn sicr, ac ro'dd beio rhywun arall . . . sa i'n gwbod, yn *haws*, siŵr o fod . . . yna'n sydyn o't ti 'di diflannu. Wedi mynd bant. Ces i ddim gwbod ble'r o' ti. Ro'dd yn well 'mod i *ddim* yn gwbod, medden nhw . . .' Edrychodd i fyw llygaid Branwen. 'Dim neud esgusodion odw i, Branwen. Bues i'n fam wael iawn i ti, a bydda i'n deall os wy't ti'n meddwl fod 'nna'n anfaddeuol.'

Ateb Branwen i hyn oedd estyn am law ei mam a gwau ei bysedd rhwng ei rhai hi.

'Diolch,' meddai Diane yn syml.

Roedd cymaint mwy i'w ddweud gan y ddwy, fe wydden nhw hynny, ond am y tro roedd hyn yn ddigon. Megis dechrau yr oedden nhw – rhywbeth a bwysleisiwyd gan Diane pan ddeallodd ble roedd Branwen yn aros.

'Yfory,' meddai, 'wy am ddod adre. Ac rwyt tithe am ddod 'da fi.'

'O . . .' Petrusodd Branwen. 'Beth am Peter?'

Taflodd Diane edrychiad ar Gwilym. 'Gad ti Peter i fi,' meddai. 'Fydd dim rhaid i ti fecso amdano fe.'

Wel . . . oedd, a dweud y gwir. Nid oedd Branwen wedi sôn wrth ei mam am yr hanner can mil o bunnoedd oedd yn ddyledus iddi, a thrwy drugaredd ni chrybwyllwyd y peth gan Diane, chwaith. Falle y galla i ddatrys y cwbl cyn iddi hi orfod becso amdano fe, meddyliodd.

Penderfynodd wneud hynny dros y ffôn. Roedd y syniad o orfod edrych ar wyneb Peter eto heddiw'n troi arni; nid oedd arni ei ofn – roedd hi wedi dod ar draws creaduriaid ganwaith gwaeth na Peter Phillips yn ystod y blynyddoedd diwethaf – ond nid oedd hi chwaith am adael iddo suro'r teimlad braf oedd ganddi pan ffarweliodd â Diane am y tro.

Tan fory, a dweud y gwir. Mor braf oedd cael meddwl hynny. Defnyddiodd ei ffôn symudol i alw'r ganolfan hamdden, a phan lwyddodd i gael gafael ar ei llys-dad, dywedodd wrtho 'i bod yn gwybod nad ei harian hi oedd wedi talu am driniaeth Diane, a bod yn rhaid iddo ef ddod o hyd i'r hanner can mil neu byddai hi'n mynd â'r peth ymhellach. Ceisiodd Peter dorri ar ei thraws fwy nag unwaith, ond roedd Branwen yn benderfynol. Gorffennodd drwy ddweud nad oedd angen rhagor o driniaeth ar Diane, beth bynnag, oherwydd o yfory ymlaen byddai Diane yn ôl gartref, ac wrth ddiffodd ei ffôn roedd yn hanner-difaru nad oedd yno i weld wyneb Peter wedi'r cwbl.

Wrth agor y drws ag allwedd Meic, sylweddolodd fod dychwelyd i'r tŷ bach llethol hwn ar ôl eistedd yng ngerddi Bryn Tawel fel camu i mewn i hen sièd lychlyd. Clywai synau saethu a ffrwydradau'n dod o'r ystafell fyw. Yno roedd Brian Gruffydd yn cysgu yn ei gadair, gyda Sean Connery yn difa byddin o ddihirod ar y sgrin o'i flaen. Ni symudodd o gwbl pan dynnodd Branwen y teclyn teledu o'i law a diffodd y sŵn byddarol.

Meic druan, meddyliodd, cyn ei dal ei hun. Branwen, beth yffarn wyt ti'n ei wneud? 'Meic druan', ynghyd â'r pedwar arall yna, sy wedi sbwylo dy fywyd di am y bum mlynedd ddiwethaf. Paid ti ag anghofio hynny, gw' gyrl.

Pennod 24

(i)

'Jest sorta fe mas, nei di.'

Dyna'r gorchymyn swta a gafodd Peter dros y ffôn gan Raymond Christie, geiriau a gafodd eu dilyn yn syth gan glic y ffôn yn cael ei ddiffodd. Yn y llysoedd barn roedd Raymond – cafodd Peter drafferth cael gafael arno yn y lle cyntaf – ac yno y byddai am weddill y dydd.

Nid fod hynny'n gwneud unrhyw wahaniaeth. Daeth yn amlwg i Peter nad oedd gan Raymond unrhyw fwriad o godi bys i geisio'i helpu i ddod allan o'r picil roedd ynddo.

212

Teimlai bod ei fyd yn dymchwel o'i amgylch. Roedd y ganolfan hamdden yn fethiant, ac os na fedrai ddod o hyd i hanner can mil o bunnoedd – *o leiaf* hanner can mil – yn weddol sydyn, yna edrychai'n bur debyg mai *ef* fyddai yn y llys barn.

Ac ar ôl hynny . . .

Crynodd, er ei fod yn domen o chwys. Blydi Raymond Christie! 'Jest sorta fe mas', wir! *Shwt*? Does dim hanner can punt 'da fi i'w sbario, heb sôn am hanner can mil!

Ond roedd digon o arian gan Raymond, gwyddai. Mwy nag y dylai fod ganddo hefyd. Roedd Peter wedi treulio sawl noswaith feddw yn y clwb golff gyda Raymond, nosweithau pan oedd yr holl wisgis Glenmoranjie wedi llacio tafod y cyfreithiwr, ac er ei fod yn ddi-ffael wedi ymddangos yn fwy meddw na Raymond, cymryd arno roedd Peter; gallai ddal ei ddiod yn well o lawer na'r dyn arall, ac roedd yn cofio popeth a ddywedodd Raymond wrtho.

Popeth.

Nid y fi fydd yr unig un yn y llys barn, os daw hi i hynny, penderfynodd Peter, ac nid swagro i fyny ac i lawr yn dallu'r ynadon gyda'i huodledd llyfn fydd Raymond y diwrnod hwnnw. O, nage. Bydd yn sefyll wrth fy ochr â'i ben i lawr, yn syllu ar flaenau ei esgidiau, yn gywilydd o'i gorun i'w sawdl.

Fe ga i'r bastad.

Gan ddechrau nawr, meddyliodd, wrth barcio'i gar y tu allan i ddrws ffrynt cartref Raymond. Roedd car Linda yno'n barod, ac roedd Peter yn gwybod fod Emma allan: roedd wedi ei gweld gyda'r efeilliaid yn cyrraedd y ganolfan hamdden rai munudau ynghynt. Yn wir, dyna a'i sbardunodd i ddod ar unwaith. Gyda lwc, meddyliodd wrth ganu cloch y drws, bydd y Wiliam od hwnnw allan yn rhywle hefyd.

Ni chafodd ateb. Gan ei bod yn brynhawn braf a chynnes, roedd ganddo syniad go dda ble i ddod o hyd i Linda Christie . . .

Yn gorwedd ar ei bol ar wely haul wrth ochr y pwll nofio, gydag ond hanner ei bicini amdani. Cododd ei phen yn sydyn o glywed gwich y gât, ond ymlaciodd pan welodd mai Peter oedd yno.

'Haia . . .' gwaeddodd gan orwedd yn ôl. 'So Raymond 'ma, Peter. Ma' fe yn y llys drw'r dydd heddi.'

Eisteddodd Peter ar erchwyn y gwely haul gwag wrth ei hochr. Gafaelodd mewn potel o eli haul a gwasgu peth ohono ar gledr ei law.

'Wy'n gwbod. 'Na pam wy 'ma,' meddai. Dechreuodd rwbio'r eli i mewn i gefn noeth a chynnes Linda, gan droi ei law mewn cylchoedd diog, llydan. Plygodd Linda'i chefn fel cath yn cael ei mwytho.

'Peter,' meddai, 'ro'n i'n meddwl ein bod ni wedi cytuno. Byth yn ystod gwyliau'r ysgol. Ma'n rhy ddanjerus.'

'O, wy'n gwbod. Ond ma' gwyliau'r haf yn ddiddiwedd, so ti'n credu?' Roedd ei gylchoedd dros ei chefn yn fwy llydan yn awr, a blaenau'i fysedd yn cyffwrdd yn ysgafn ag ochr ei bron chwith bob hyn a hyn.

Roedd Linda wedi dechrau anadlu'n drymach. 'Ond beth am y plant?'

'Odi Wiliam gartref?'

'Na, ma' fe 'di mynd i dŷ un o'i ffrindie. A ma' Emma . . .'

'. . . yn y ganolfan hamdden,' gorffennodd Peter. Roedd ei bron yn ei law erbyn hyn, ac ochneidiodd Linda wrth iddo redeg blaen ei fawd dros y deth. 'Newydd gyrredd yno ro'dd hi pan adawes i. Trueni fydde gwastraffu cyfle gwych fel hyn.'

Trodd Linda gan orwedd ar ei chefn. Gwyrodd Peter a phlannu cusan ar flaen ei bron gan dynnu cylchoedd eraill, bychain dros ei bol.

'Peter . . .' griddfanodd Linda.

'Beth?' Symudodd ei wefusau i'r fron arall.

'O, damo ti! Dere . . .'

Gwthiodd Linda ef oddi arni cyn sefyll, codi top ei bicini,

cydio ynddo gerfydd ei law a'i dywys yn frysiog i gyfeiriad y tŷ.

Twll dy din di, Raymond, gw'boi, meddyliodd Peter dan wenu iddo'i hun. Wy am fwynhau dy wraig di'n fwy nag erioed heddi.

(ii)

'O, damo – shgwlwch. *The Good, the Bad and the Ugly*, myn yffach i!' meddai Clare.

Edrychodd Emma i fyny i weld Seren, Jos a Meic yn dod i mewn drwy ddrysau caffi'r ganolfan hamdden.

'Ie – ond p'un yw p'un?' gofynnodd Meinir. 'Sdim problem 'da'r *Ugly*, ond ma'r ddou arall 'bach yn fwy trici.'

Chwarddodd y ddwy, a phetai'r sylwadau angharedig uchod wedi cael eu gwneud am rywrai eraill, buasai Emma wedi ymuno yn yr hwyl, oherwydd nes i'r triawd yna ymddangos yn y caffi roedd hi mewn hwyliau da iawn. Ymhen llai na phedair awr ar hugain, byddai'r tair ohonynt yn yr awyr ac ar eu ffordd i Ibiza; roedd cyffro'r efeilliaid yn heintus, a bron na fedrai Emma ddychmygu eu bod wedi dechrau ar eu siwrnai'n barod.

Ond nawr dyma'r tri arall yn ymddangos, yn edrych fel pe baen nhw ar fin mynd i angladd rhywun – i'w hangladdau hwy eu hunain, hyd yn oed, meddyliodd Emma, gan fod golwg ofnadwy ar y tri.

Tri. Hyn a achosodd i'w chalon suddo ac i'r hen bigyn bach poenus hwnnw ddechrau crafu yn nyfnderoedd ei stumog. Petai ond un ohonynt – Seren, dyweder – wedi dod i boeni unwaith eto, gallai Emma guddio'i hofn a chymryd arni fod popeth yn hynci-dori, o leiaf tan yfory, tan iddi orwedd ar un o draethau Ibiza a'i hwyneb wedi'i droi 'i fyny at wres yr haul.

Roedd hynny'n amhosib â'r *tri* yn ei hwynebu.

'Emma – wyt ti'n o'reit?' gofynnodd Clare yn bryderus, pan welodd y lliw yn diflannu o wyneb Emma.

'Odw . . .' Cliriodd ei gwddf. 'Odw, wy'n o'reit . . .'

Troes yr efeilliaid gan wgu ar y tri arall. Roedd Seren a Meic wedi eistedd wrth fwrdd ger y drws, ond daeth Jos draw at y merched, ei lygaid ar wyneb Emma. Arhosodd yn stond pan gododd Emma.

'Emma?' meddai Meinir.

'Ma'n o'reit – fydda i ddim yn hir. Ma'n rhaid i fi . . . fydda i ddim yn hir,' meddai eto.

Gwyliodd y ddwy chwaer hi'n eistedd i lawr gyda'r tri arall. 'Sori, ond wy 'di ca'l llond bola ar hyn,' meddai Clare. Dechreuodd godi gyda'r bwriad o lusgo Emma oddi wrthynt, ond cydiodd Meinir yn ei braich a'i hatal.

'Dere, ishte,' meddai, a phan wnaeth Clare hynny ag ebychiad uchel diamynedd, meddai, 'Dw i 'di ca'l llond bola 'fyd. Ma' rhwbeth yn 'i becso hi, ma' 'nny'n amlwg.'

'Rhwbeth i'w neud 'da'r tri *no-no* 'na,' chwyrnodd Clare. 'Bob tro ma' un o'r rheina'n cyrredd, ma' hi'n newid yn llwyr. Welest ti hi nawr? A'th hi'n wyn fel y galchen 'to. Sawl gwaith ma' 'nna 'di digwydd yr haf 'ma?'

'Ie, dw i'n gwbod. Falle y cewn ni wbod beth sy'n bod unwaith y byddwn ni 'di cyrredd Ibiza.'

Trodd y ddwy eu pennau'n sydyn wrth iddyn nhw glywed Seren yn dweud yn uchel, gan weiddi, bron iawn, 'Ond *alli di* ddim mynd, Emma!'

Roedd llygaid Seren, gwelodd Emma, yn llawn dagrau. Neidiodd wrth i Jos gydio'n dynn yn ei garddwrn.

'Dwyt ti ddim wedi grindo ar *un gair* ni 'di 'weud?'

Tynnodd Emma'i braich yn rhydd.

'So chi'n dyall? Alla i ddim *peidio* mynd!'

'Sdim dewis 'da ti,' meddai Meic. 'Os ei di bant fory . . .'

'Ti'n gwbod shwt bŵer sy 'da'r Gêm,' meddai Jos. 'Paid â thrial gweud wrthon ni dy fod ti a dy deulu ddim wedi ca'l pum mlynedd uffernol o lwcus. A beth gest ti yn dy arholiade,

216

Emma? A TGAU 'fyd – ? A wnest ti ddim gweithio ar 'u cyfer nhw o gwbwl – ro'dd Beiron yn gweud dy fod di mas bob nos, bron, gyda Meirion.'

'Nage *lwc* yw peth fel 'na!' meddai Emma. 'Do'dd dim *rhaid* i fi neud lot o adolygu – ma' diddordeb 'da fi yn y pyncie, felly ro'n i'n cofio'r rhan fwya o'r gwaith.'

'Beth wyt ti 'di bod yn 'i weld yn ddiweddar, Emma?' gofynnodd Seren. Ceisiodd gydio yn ei llaw, ond cipiodd Emma hi oddi wrthi.

'Be ti'n feddwl?'

'Ry'n ni i gyd 'di ca'l profiade . . . ofnadw,' meddai Seren. 'Tithe 'fyd, wy'n gallu 'i weld e ar dy wyneb di.'

'O, paid siarad dwli, nei di . . .'

Ochneidiodd Seren, gan swnio fel un oedd wedi blino'n lân. 'Dangosa fe iddi, Meic.'

Edrychodd Meic ar Jos, a nodiodd Jos.

'Beth? Dangos beth i fi?'

Roedd amlen A4 frown gan Meic, a thynnodd lun allan ohoni. Petrusodd am eiliad, yna gwthiodd y llun ar draws y bwrdd at Emma.

'Shgwl,' meddai. 'Ma' wynebe pawb o'r hen Griw wedi dechrau cilo. Ond rwyt ti . . . rwyt ti bron â diflannu'n gyfan gwbl.'

Rhythodd Emma ar y llun am eiliadau hirion. Pan edrychodd i fyny, roedd ei llygaid yn oer a chaled.

'A beth ma' hyn i fod i'w brofi?'

'*Beth?*'

'Chi'n trial gweud wrtho i taw ryw gêm dwp 'wharaeon ni bum mlynedd 'nôl sy'n gyfrifol am *hyn*?' Edrychodd o un i'r llall. 'Sdim un o' chi'n gall, chi *yn* sylweddoli 'nny, gobitho?'

'Pam est ti â'r Gêm 'nôl i'r sgubor, 'te?' gofynnodd Jos. 'Weles i ti'n carlamu bant. A 'wedodd Seren bo' ti 'di cyfadde neud hynny . . .'

'Achos ro'n i'n hollol *pissed off* 'da chi'n mynd mla'n a

mla'n ambytu'r ffycin peth drw'r amser, bob tro yr o'n i'n 'ych gweld chi!'

Collodd Jos ei dymer. 'Ti'n gwbod beth ddigwyddodd i Dad, on'd wyt ti? Ond cwpwl o funude ar ôl i ti roi'r Gêm 'nôl yn y sgubor . . .'

Neidiodd Emma i'w thraed. 'Paid ti â rhoi'r bai am 'nna arna *i*, gw'boi!' Sylwodd ar yr euogrwydd poenus a wibiodd dros wyneb Jos. 'Dim ond rhoi'r Gêm 'nôl wnes i. Be wnest *ti* 'da hi wedyn yw'r peth, ar ôl i fi fynd? A beth bynnag wnest ti, so ti wir yn credu taw'r Gêm o'dd yn gyfrifol am harten dy dad, wyt ti? Dim ond darn o bren yw hi!'

'Ma' hi'n fwy na dim ond darn o bren, Emma,' meddai Meic yn dawel. 'A ti'n gwbod 'nny! . . . A ti'n gwbod beth ddigwyddodd i Siân.'

'Cyd-ddigwyddiad!'

'So ti'n credu 'nny, Emma, wyt ti?' meddai Seren.

Edrychodd Emma arni.

'Ma'n *rhaid* i fi,' meddai. 'Allwch chi ddim dyall 'nna?'

Edrychodd ar y tri wyneb a syllai i fyny'n ôl ati, y tri'n llawn o anobaith, o dristwch, ac o *ofn*.

'Ma'n rhaid i fi . . .' meddai eto. Trodd. Gwelodd fod Clare a Meinir hefyd wedi codi ar eu traed. 'Wy'n mynd gartre,' meddai wrthynt. 'Sa i 'di dechre paco 'to. Bydda i draw yn 'ych tŷ chi am wyth bore fory.' Edrychodd yn herfeiddiol ar y tri arall. 'Wy *yn* mynd bant fory,' meddai wrthynt, ac wrth Seren, 'Os wyt ti'n ddigon twp i ganslo dy wylie, wel falle dylet ti ystyried bwcio stafell ym Mryn Tawel, drws nesa i fam Branwen Phillips. Falle y dylech chi i *gyd* ystyried neud 'nny.'

(iii)

'Dyn nhw ddim yn mynd i ga'l sbwylo fy mywyd i! meddai wrthi'i hun wrth frysio am adref. *'Dyn nhw ddim – 'dyn nhw ddim – 'dyn nhw ddim!*

218

Roedd ei meddwl yn mynnu siarad y geiriau drosodd a throsodd, fel mantra yn ei phen. Ma'n nhw'n trial fy llusgo i lawr i'r un lefel â nhw, ond chân nhw ddim gwneud hynny – chân nhw ddim!

Roedd ganddi hi *ddyfodol*. Un disglair hefyd – yn bell, bell o'r twll lle yma. Meic Gruffydd – wel, roedd edrych ar hwnnw un waith yn ddigon i wneud i chi sylweddoli mai yma'n cyflawni rhyw waith pitw, dibwrpas fyddai e. *No-hoper* os y bu un erioed, yn union fel ei dad truenus. A dim ond gweithio mewn siop bapur newydd oedd ei fam. A Seren, wedyn – ffrîc fu honno erioed, wedi anadlu mwg mariwana ers pan oedd hi'n fabi, siŵr o fod. Dim rhyfedd fod ei hymennydd wedi'i biclo, bron cyn waethed ag ymennydd Brian Gruffydd. Dim rhyfedd chwaith ei bod mor barod i gredu cymaint o grap â'i mam yn gwerthu llyfrau am Wicca a'r Oes Newydd a hud a lledrith mannau hipïaidd fel Côr y Cewri yn ei siop. A chardiau Tarot hefyd. Ni synnai Emma petai Enfys a Lloerfaen yn dawnsio'n noethlymun o amgylch coelcerthi ar nosweithiau Gŵyl Ifan.

A Jos . . .

Wel, dyna ni, roedd rhywbeth yn ddigon od ynglŷn â hwnnw hefyd, yn ei ffansïo'i hun fel artist gyda'r barf *pathetig* hwnnw ar flaen ei ên. Dim rhyfedd fod ei dad wedi cael trawiad – onid oedd y dyn yn dew fel mochyn? A'r wyneb coch, chwyslyd, anferth hwnnw – roedd yn wyrth nad oedd ei galon wedi protestio cyn hyn.

Ond y drwg yn y caws, heb os nac oni bai, oedd Branwen Phillips. Y bitsh. Roedd popeth yn iawn nes i honno ymddangos o . . . o ba bynnag gwter y bu'n rowlio ynddi ers blynyddoedd. *Y hi* oedd y tu ôl i'r holl bethau 'sbwci' yma oedd wedi bod yn digwydd yn ddiweddar – wrth gwrs, pwy arall? Onid oedd y tric creulon hwnnw chwaraeodd hi arnyn nhw i gyd ym mhwll nofio'r ganolfan hamdden yn profi hynny?

Beth oedd yn *bod* ar bawb? Oedden nhw'n *ddall*? Gan

gynnwys ei thaid. Roedd Branwen yn amlwg wedi bod yn gweithio arnyn nhw i gyd, fesul un, gan chwarae un tric ar ôl y llall nes eu bod i gyd yn barod i gredu unrhyw beth. Ei dial hi oedd hyn i gyd – dyna pam roedd hi wedi dychwelyd, er mwyn ceisio difetha eu bywydau, a hwythau ar fin mynd i ffwrdd i wahanol golegau.

Roedd hi hyd yn oed wedi ceisio gwenwyno'i thad-cu yn ei herbyn, a bron wedi llwyddo hefyd. Beth oedd y dwli yna ddywedodd Gwilym wrthi'r diwrnod o'r blaen? 'Jara' – dyna fe. Jara. Branwen oedd wedi rhoi'r nonsens yna i gyd yn ei ben, siŵr o fod.

Ni fuasai Gwilym yn gwybod am y symbol od hwnnw oedd wedi'i gerfio i bren y Gêm, oni bai am Branwen Phillips.

Y bitsh.

Wel, chaiff hi ddim difetha fy mywyd i, meddyliodd Emma. Chaiff hi ddim – chaiff hi ddim – chaiff hi ddim!

Rwy'n rhy glyfar iddi. Dyna pam nad oedd Branwen wedi dod i'w gweld hi – roedd hi'n gwybod yn iawn na fuasai Emma'n dioddef unrhyw nonsens ganddi, y buasai Emma'n gweld trwyddi'n syth.

Ac os oedd y lleill yn ddigon twp i adael iddi sbwylo'u bywydau nhw, wel, dyna'n union beth roedden nhw'n eu haeddu.

Losers – pob un ohonyn nhw.

A sôn am *losers* . . . Beth ma'r crîp 'ma'n moyn? meddyliodd pan welodd gar Peter Phillips wedi'i barcio'r tu allan i'r tŷ. Roedd rhywbeth anghynnes ynglŷn â Peter; roedd Emma wedi ei ddal droeon yn llygadu ei bronnau a'i phen-ôl yn slei.

Aeth i mewn i'r tŷ'n dawel, rhag dioddef llygaid seimllyd Peter Phillips yn ymlusgo dros ei chorff. Dechreuodd ddringo'r grisiau, gan ddiolch fod y carped trwchus, drud yn mygu sŵn ei thraed.

Safodd ar ben y landin. Meddyliodd am eiliad mai sŵn rhywun yn wylo a glywai, ond sylweddolodd fwy neu lai'n syth nad dyna a glywai o gwbl. Pleser oedd yn creu'r synau a glywai'n fwy a mwy clir wrth iddi nesáu at ystafell wely ei mam a'i thad.

Roedd y drws yn gilagored. Gan deimlo'n swp sâl, gwthiodd Emma ef yn llydan agored. Gorweddai Peter Phillips ar ei gefn ar y gwely. Yn gwingo arno, a'i chefn at y drws, oedd ei mam – y ddau'n hollol noeth, a dwylo Peter yn gwasgu bronnau ei mam a hithau'n *mwynhau* ac yn griddfan ac yn dweud ei enw drosodd a throsodd ac yn gwingo i lawr arno'n chwantus, nwydus ac yn *ffiaidd* . . .

. . . ac yn troi'n sydyn o weld Peter yn rhythu ar y drws ac yn gweld Emma'n sefyll yno yn ei gwylio'n gwneud hyn i gyd, ei bronnau gwynion yn goch gydag olion bysedd a'i hwyneb yn troi'n *hyll* gan fraw. Ac roedd ei mam, *ie ei mam,* yn dringo oddi ar Peter ac yn troi ati a'i llaw allan . . .

. . . nes i Emma droi a rhedeg yn ôl i lawr y grisiau a chipio allweddi car ei mam oddi ar y bwrdd bychan ger y drws ffrynt. Yna roedd hi *yn* y car, yn tanio'r peiriant ac yn gyrru i ffwrdd o'r tŷ. Dim ond hanner dwsin o wersi gyrru a gafodd erioed, ond doedd dim ots am hynny. Doedd yffarn o ots am ddim byd yr eiliad honno.

(iv)

Gyrrodd i fyny at y stablau: dyn a ŵyr sut, o ystyried crensian y gêrs a'i changarŵio wrth groesffyrdd, a gwaeth. Ond roedd hi yma o'r diwedd, wedi cyrraedd yn ddiogel heb genfaint o heddlu'n dynn wrth ei chwt.

Diffoddodd y peiriant a rhedeg allan o'r car: roedd arogl persawr ei mam ar y seddi'n troi arni. Roedd unrhyw beth oedd i'w wneud â'i mam yn troi arni, ond ni allai Emma gael gwared arni o'i meddwl, ni allai ddileu'r llun ohoni'n llithro i fyny ac i lawr ar galedrwydd Peter Phillips gan edrych a swnio fel rhywun mewn ffilm bornograffig . . .

221

Roedd y stablau, diolch byth, wedi'u cau am y dydd a doedd neb i'w gweld yn chwydu nes bod ei gwddf yn llosgi a'i stumog yn wag. Ymsythodd gan sychu'r dagrau o'i llygaid, ond ni allai wneud dim ynglŷn â'r blas sur yn ei cheg.

Cerddodd am stabl Sbeis, gan glywed synau chwilfrydig y ceffylau o glywed sŵn traed ar adeg anarferol o'r dydd. Agorodd y drysau.

'Haia, Sbeis bach . . .' meddai wrth gamu i mewn ato, i mewn i'w hunllef, oherwydd roedd Sbeis yn sefyll ym mhen pella'r côr, yn wynebu'r drws, yn gwgu arni, fel pe na bai ganddi un hawl dros fod yno, fel petai hi'n tresmasu. Doedd ei lygaid ddim yn frown nac yn feddal heddiw chwaith; roedden nhw'n ddu, gyda rhyw gochni anghyfforddus yn eu canol.

'Sbeis? Be sy'n bod?' gofynnodd, oherwydd *roedd* rhywbeth yn bod, gallai deimlo hynny'n gryf. Roedd pethau'n bell o fod yn iawn: doedd Sbeis ddim *i fod* i syllu arni fel hyn, fel petai Emma'n hollol ddieithr iddo, fel petai'n ei *chasáu*, a doedd hithau chwaith ddim yn hoffi'r hen gochni milain a llachar a welai'n mudlosgi yn ei lygaid. Roedd yn gwneud iddi deimlo fod Sbeis wedi troi'n geffyl i un o'r marchogion duon, di-wyneb rheini yn *The Lord of the Rings*.

Nid oedd sŵn cyfarwydd ei llais wedi gwella'r sefyllfa, chwaith. Os rhywbeth, roedd wedi gwneud pethau'n waeth, oherwydd taflai Sbeis ei ben yn ôl gan weryru'n fygythiol, a mwyaf sydyn teimlai Emma'n fach iawn yn sefyll yno yn ei gysgod. Safodd Sbeis ar ei goesau ôl a chwifio'i garnau blaen fel petai'n bocsio â'i gysgod ei hun, ei weryru ofnadwy ac uffernol yn chwyddo'n uwch ac yn uwch nes ei fod yn sgrechen, bron, cyn i'w lygaid cochion setlo arni hi. Ceisiodd symud oddi wrtho ond syrthiodd 'nôl a gorwedd ar ei chefn gyda charnau Sbeis yn chwibanu drwy'r aer uwch ei phen.

Brathodd ei thafod pan ffrwydrodd y carn cyntaf yn erbyn ei thalcen a llanwyd ei cheg â blas ei gwaed ei hun. Tarodd yr ail garn hi yng nghanol ei hwyneb, gan chwalu'i thrwyn a'i dannedd, a dechreuodd dagu ar y gwaed a'r darnau o ddannedd a lifai i lawr ei gwddf. Drwy'r boen gwelodd fod Sbeis fwy neu lai'n *dawnsio* ar ei choesau, a sylweddolodd mai'r sŵn clecian rhyfedd a glywai oedd sŵn ei hesgyrn hi'i hun yn chwalu fel creision. Ceisiodd sgrechen, ond roedd y tu hwnt i hynny, roedd yr amser i sgrechen wedi hen fynd heibio a'r unig beth y gallai Emma ei wneud oedd gorwedd yno'n gwrando ar ei hesgyrn yn troi'n siwgr fesul un, yn siwgr coch . . .

(v)

'Beth *yffarn* ddigwyddodd?' ebychodd Clare am y canfed tro.

'Clare, sa i'n *gwbod*, odw i! Plîs paid â gweud 'nna drw'r amser, wy'n trial canolbwyntio ar yr hewl.'

'Sori, sori . . .'

Bu'r ddwy yn bryderus ynghylch Emma ar ôl iddi frysio o'r caffi. Aethant adref, ond ymhen munudau roedden nhw'n gyrru i gartref Emma. Linda a atebodd y drws, yn edrych fel un oedd newydd gael ei llusgo drwy'r gwrych drain.

'Cweryla naethon ni,' meddai wrthynt, 'ac a'th hi bant yn 'y nghar i i rywle.'

'Yn 'ych *car* chi? Ond 'dyw hi ddim . . .'

'Wy'n gwbod, wy'n gwbod . . .'

Edrychodd yr efeilliaid ar ei gilydd. Beth ar y ddaear oedd wedi digwydd? Ceisiodd Linda wenu arnynt, ond roedd fel gwylio penglog yn ceisio gwenu.

'Jest . . . un o'r pethe 'ma. Chi'n gwbod . . .'

'Ond ble a'th hi?' gofynnodd Meinir. ''Wedodd hi unrhyw beth?'

'Beth? Y . . . naddo, sa i'n credu. Naddo. Jest mynd . . .'

Teimlai'r ddwy ferch awydd gafael yn Linda a'i hysgwyd nes bod ei dannedd perffaith yn clecian yn erbyn ei gilydd.

Ma' hon wedi cymryd gormod o Valium ne' rywbeth, meddyliodd y ddwy.

'Ble *fydde* hi'n mynd, o's unrhyw syniad 'da chi?' gofynnodd Clare.

Syllodd Linda arnynt fel petai'n eu gweld am y tro cyntaf. 'Y stable,' meddai. 'Triwch y stable, 'newch chi, ferched? Fan'na ma' hi, siŵr o fod . . . Ma'r ddwy 'noch chi 'di pasio'ch profion gyrru, on'd ych chi? 'Se un o' chi'n gallu gyrru 'nghar i'n ôl, chi'n meddwl?'

Ond roedd y ddwy eisoes wedi dringo i'w car. Roedd yr awyr yn goch wrth iddynt yrru i fyny'r ffordd gul am y stablau, a'r coed yn ddu.

Roedd car Linda yno, yng nghanol y buarth, ond doedd dim golwg o Emma yn unman.

'Emma!'

Nid oedd smic i'w glywed ar wahân i dician peiriant eu car. Edrychodd y ddwy ar ei gilydd.

'Emma! Dere, nei di?' gwaeddodd Meinir.

Edrychodd Clare o amgylch y buarth. Meddyliodd am eiliad fod rhywun yn sefyll wrth gornel bellaf un o'r stablau: ffigur tal, main a charpiog, a'i wyneb yn wyn, ond pan graffodd yn fwy manwl i'w gyfeiriad, gwelodd mai dim ond ysgub oedd yno'n pwyso'n erbyn y wal.

Serch hynny, crynodd yn annisgwyl, a rhwbiodd ei breichiau i gael gwared ar y croen gŵydd oedd wedi codi dros ei chorff i gyd.

'Shgwl . . .' Pwyntiodd Meinir at un o'r stablau oedd a'i ddrws yn gilagored. Cerddodd y ddwy tuag ato. Yna neidiodd Meinir.

'Beth o'dd hwnna?!'

'Beth? *Be*th?'

'Sa i'n gwbod.' Roedd Meinir yn edrych ar yr awyr. ''Sen i'n taeru fod rhyw aderyn anferth . . . rhywbeth mowr, du . . .'

'Blydi hel, Meinir, jest dere, wnei di? Ma'r lle yma'n hala'r crîps arna i. Emma!' bloeddiodd Clare. 'Dere, ni'n dechre ca'l llond bola ar hyn . . .'

Llamodd y ddwy at ddrws agored y stabl a'i dynnu ar agor led y pen. Roedd y tu mewn i'r stabl yn go dywyll, ond gallent weld siâp Sbeis yn sefyll yn llonydd yn ei gôr a'i gefn atynt.

'Emma?'

Chwiliodd Clare am y switsh oedd wrth ochr y drws. Cyneuodd y golau, a gwelodd y ddwy beth oedd yn gorwedd ar y llawr.

Dyna pryd y dechreuon nhw sgrechen yn uchel dros y lle.

Pennod 25

(i)

Proses go hir oedd y weithred o ddeffro i Brian Gruffydd. Roedd y dyddiau o agor ei lygaid, gwenu a neidio o'i wely neu o'i gadair fel rhywun mewn hysbyseb ar gyfer *Corn Flakes* wedi hen, hen fynd. Cymerai hanner awr dda iddo'r dyddiau yma cyn y byddai'n gallu eistedd i fyny'n iawn, a rhagor o funudau cyn iddo fedru sefyll yn simsan a meddwl am wynebu beth bynnag oedd gan y diwrnod i'w gynnig iddo.

Gan amlaf, buasai peidio â deffro o gwbl wedi bod yn haws. Ac yn fendith.

Yn raddol daeth yn ymwybodol o dri pheth: ei fod yn ei gadair, ei bod wedi dechrau tywyllu, a bod rhywbeth wedi digwydd i *Thunderball*. Y cof diwethaf oedd ganddo oedd o weld rhyw greadur anffodus yn cael ei daflu i mewn i bwll nofio oedd yn llawn siarcod rheibus. Mae'n rhaid, penderfynodd, ei fod wedi cysgu drwy weddill y ffilm, a bod y tâp wedi diffodd ar ôl iddo gyrraedd y pen. Llun du-a-gwyn o adeilad mawr pren oedd ar y sgrin erbyn hyn, gydag yffach o ddim byd yn digwydd o'i amgylch, hyd y gwelai Brian, heblaw bod glaw yn syrthio arno'n drwm.

Teimlai ei geg yn sych ofnadwy, ond doedd hynny'n ddim byd anarferol: byddai can neu ddau o lagyr yn datrys y broblem fach honno. Amser i feddwl codi o'r gadair yma, felly, ond roedd ei freichiau a'i goesau fel darnau o blwm. Ni fedrai wneud mwy na llithro'i ben-ôl ymlaen ac yn ôl ar y glustog.

'Meic!' galwodd. 'Meical!'

Ond roedd ei lais yn swnio fel crawcian hen frân. Sugnodd ei ddannedd er mwyn creu rhagor o boer a'i lyncu i leddfu ychydig ar ei wddf sych. Ceisiodd godi eto, ond roedd ei gorff yn gwrthod ufuddhau. Yn wir, teimlai fel petai wedi cael ei glymu i'r gadair.

Ma' hyn yn wallgof, meddyliodd. 'Meical!' crawciodd eto, ond deallai'n awr ei fod ar ei ben ei hun yn y tŷ, oherwydd doedd 'na ddim siw na miw i'w glywed yn unman, heblaw am sŵn y glaw y tu allan . . .

Na, na – un funud. Nid o'r tu allan y deuai'r sŵn glaw, ond o'r sgrin deledu. Beth yffarn o'dd y rhaglen yma? Nid oedd y llun wedi newid o gwbl ers i Brian ddeffro, ac wrth iddo graffu arno, dechreuodd sylweddoli fod rhywbeth yn gyfarwydd ynglŷn â'r adeilad a welai ar y sgrin.

'Wy 'di gweld hwn o'r bla'n yn rhwle,' meddai'n uchel. Llwyddodd i symud ei fraich ddigon i fedru cydio yn y teclyn rheoli oedd ar fraich ei gadair – ac roedd hynny fel ceisio nofio drwy sment – a gwasgodd un o'r botymau. Yna gwasgodd un arall, ac un arall, ac un arall wedyn, ond arhosai'r un llun yn ystyfnig ar y sgrin.

'Be ddiawl?'

Doedd bosib fod pob un sianel yn dangos yr un rhaglen! Mae'n rhaid fod rhywbeth yn bod ar y teclyn, penderfynodd. Gwasgodd y botwm i ddiffodd y teledu'n gyfan gwbl, ond ni chafodd hynny unrhyw effaith chwaith. Roedd y teledu'n benderfynol o ddangos llun o'r hen sgubor honno oedd ar dir Merfyn Tomos, a dim byd arall . . .

Wrth gwrs! *Dyna* pam fod yr adeilad mor gyfarwydd iddo, deallodd Brian yn awr. Hen sgubor Merfyn oedd hi. Ond pam oedd hi ar y teledu – ac ar bob un sianel hefyd?

Yna sylweddolodd Brian fod rhyw newid wedi digwydd yn y llun. Dim byd syfrdanol, ond roedd *rhywbeth* . . .

Beth?

O ie, y drws . . . 'na fe, 'na beth yw e, meddyliodd. Do'dd y drws ddim ar agor pan edryches i ddwetha, ond nawr mae'n gilagored, fel tase rhywun yn ei agor yn araf o'r tu mewn. Ma'r tywyllwch y tu mewn i'r sgubor i'w weld yn glir, ac mae'n tyfu'n fwy achos bod rhywun yn agor y drws . . .

Rhoes y gorau i geisio codi ar ei draed. Eisteddodd yn ôl yn ei gadair a'i lygaid wedi'u hoelio ar y sgrin o'i flaen, ond nid ei ddewis ef oedd hyn. Nid oedd ar Brian Gruffydd eisiau cael hyd yn oed cipolwg ar yr hyn oedd ar fin dod allan drwy ddrws y sgubor, ond doedd dim dewis ganddo; roedd fel pe bai rhywun â bysedd o ddur yn dal ei ben yn llonydd a'i lygaid ar agor, ac yn ei *orfodi* i rythu ar y sgrin.

Ac – O Arglwydd mawr! – dyna *hi'n* dechrau dod allan o'r sgubor, yn ei chot law felen, a'r melyn oedd yr unig liw i'w weld yn y llun du-a-gwyn uffernol hwn. Camodd allan i'r glaw a'i phen i lawr fel petai'n beichio crio, a dechreuodd gerdded o'r sgubor tuag at y camera, at Brian. Gallai glywed y glaw yn tabyrddu oddi ar blastig melyn ei chot wrth iddi ddod yn nes ac yn nes gyda'i phen i lawr drwy'r amser a'i hwyneb o'r golwg – *ond am ba hyd?* Unrhyw funud byddai'n codi'i phen ac yn edrych i mewn i'r camera, i mewn i'r ystafell, i fyw llygaid Brian Gruffydd, a gwyddai hwnnw y byddai ei galon yn rhoi'r gorau i guro pan ddigwyddai hynny oherwydd Duw a ŵyr nid oedd arno eisiau gweld ei hwyneb. Efallai y byddai hi hyd yn oed yn dringo allan o'r teledu ac i fyny ar ei lin, ei breichiau'n eu lapio'u hunain am ei wddf a'i hwyneb yn dod yn nes ac yn nes ac yn nes at ei wyneb ef . . .

Ac yna diflannodd y llun o'r sgrin wrth i'r teledu ddiffodd; roedd y sgrin yn dywyll ac yn ddiogel unwaith eto.

Gwrandawodd Brian ar ei galon yn arafu. Dim ond ef ei hun oedd i'w weld ar y sgrin erbyn hyn – adlewyrchiad amwys ohono'n eistedd yn ei gadair freichiau, diolch i'r golau oren gwan a ddeuai i mewn drwy'r ffenestr o'r lamp y tu allan yn y stryd.

Ond roedd rhywun – *rhywbeth* – yn sefyll wrth ei ochr, ac ychydig y tu ôl iddo, ffigur bychan oedd fawr talach na thop cefn ei gadair, ac ar y sgrin gallai weld ei braich yn codi wrth i'w llaw estyn yn araf am ei wallt.

Agorodd Brian ei geg i sgrechen.

(ii)

Am y tro cyntaf ers ni chofiai pryd, roedd Branwen yn mwynhau'r machlud.

Bu'n eistedd ar ei phen ei hun ar y graig uwchben y traeth yn gwylio'r tonnau'n troi'n goch wrth i'r haul waedu drostynt. Ni allai gredu fod y lle mor dawel, yn enwedig o ystyried mor brysur roedd pobman yn ystod y dydd. Heblaw am un ci defaid yn cyfarth ar y tonnau ym mhen pella'r traeth gan anwybyddu gorchmynion ei feistres i ddod adref, roedd y creigiau a'r tywod yn hollol wag.

Grêt, meddyliodd Branwen, ma' hyn yn grêt. Chwythai awel fechan drwy'i gwallt, ac roedd arogl yr heli'n llenwi'i ffroenau. Wnes i ddim sylweddoli cymaint roeddwn i'n gweld eisiau'r môr. Rwy'n edrych ymlaen at ddod yma yn y gaeaf, pan fydd y gwynt yn rhuo a'r tonnau'n eu taflu'u hunain yn erbyn y creigiau. Rwy'n edrych ymlaen at godi gyda'r wawr a chrwydro dros y creigiau bychain sydd yn y môr, ac archwilio'r pyllau y bydd y llanw wedi eu gadael ar ei ôl. Rwy'n edrych ymlaen at gael cerdded yn droednoeth dros y tywod gwlyb, at redeg i mewn ac allan o'r dŵr bas yn chwarae â'r tonnau.

Rwy'n edrych ymlaen.

Am y tro cyntaf ers pan oeddwn yn ddeuddeg oed.

Yna cofiodd am y Gêm, ac ochneidiodd. Roedd Meic yn iawn. *Roedd* yna bethau rhyfedd wedi bod yn digwydd iddi ers iddi ddod 'nôl. Ni fedrai esbonio'r busnes od hwnnw gyda Modlen, y tedi bêr, er enghraifft. Cofiodd hefyd am yr ofn annisgwyl a brofodd wrth gael bàth y noson gyntaf yn y gwesty. A'r llun ysgol hwnnw . . .

Y Gêm, y Gêm, y blydi Gêm. Roedd Meic yn argyhoeddedig fod popeth yn dod 'nôl at y Gêm. *Jara*, yn ôl Gwilym Christie, ac erbyn meddwl am y peth, sut oedd hwnnw'n gwybod cymaint amdani? Cofiodd Branwen y braw a lanwodd ei wyneb pan ddywedodd hi wrtho mai yng nghanol adfeilion yr hen dŷ oedd wedi'i losgi y daethon nhw o hyd i'r Gêm, bron wedi'i gorchuddio gan ddrain a danadl poethion. Sut oedd Gwilym yn gwybod am y symbol rhyfedd hwnnw oedd wedi'i grafu i mewn i'r pren?

Cwestiynau – gormod o gwestiynau. Ond roedd Branwen yn benderfynol nad oedd yr un ohonynt – dim ots beth fyddai'r ateb – am gael difetha'r cyfle newydd hwn oedd ganddi am . . . *am fywyd*. Cofiodd yn sydyn am gerdd a ddarllenodd flynyddoedd yn ôl yn yr ysgol, lle'r oedd y bardd yn sôn am 'zombodoli mewn limbo'. Dyna y bu hi'n ei wneud am bum mlynedd gyfan – zombodoli.

Cododd ar ei thraed. Roedd yr haul wedi diflannu i mewn i'r môr, a'r awel fach honno wedi troi'n fain; roedd y ci defaid a'i feistres wedi hen fynd adref, a chafodd Branwen y teimlad nad oedd y traeth i gyd ond yn aros iddi hithau adael hefyd cyn setlo i orffwys am noson arall.

Trodd a dechrau ei ffordd 'nôl at y llwybr oedd yn arwain i'r pentref. Dwi'n gwbod mai dim ond dechrau'r daith ydw i, meddyliodd. Dwi'n gwybod fod llawer iawn o bethau eto i'w gwneud cyn y ca 'i ddechrau mwynhau bywyd unwaith eto. Felly wna i ddim edrych ymlaen ormod na chymryd unrhyw beth yn ganiataol.

Ond rwy'n benderfynol o un peth.

Fydd yna ddim rhagor o zombodoli.

'Zombodoli' oedd Seren hefyd pan ffarweliodd â Jos a Meic ar ôl iddyn nhw fethu argyhoeddi Emma. Roedd fel pe bai ystyfnigrwydd twp Emma wedi chwalu hynny o egni oedd gan Seren ar ôl. Nid oedd Jos yn fodlon iddi gerdded adref ar ei phen ei hun, a mynnodd ei bod yn gadael iddo ef ei gyrru'n ôl yn y *Land Rover*. Ni ddywedodd un gair wrtho, dim ond eistedd yno'n llipa a cherdded wedyn fel hen, hen wraig i fyny'r llwybr ac i mewn i'w thŷ.

Roedd Meic hefyd wedi digalonni, ac wedi blino gormod i geisio dwyn perswâd ar Rol.

'Sdim diben,' meddai wrth Jos. 'Neiff e ddim grindo.'

'Meic, dere. Ti o'dd y cynta i sylweddoli be sy'n digwydd i ni . . .'

'Ie, a nawr dw i 'di blino. Sai 'di ca'l nosweth iawn o gwsg ers wthnose.'

'Na finne chwaith!'

'Jos, *alla i ddim*! Reit! Ddim heno. Fory . . . falle fory . . .'

Roedd y siop sglodion ar fin cau pan gyrrhaeddodd Jos y tu allan iddi. Drwy'r ffenestr gallai weld Rol yn cloi'r drws ac yn troi'r arwydd i 'Ar Gau'. Brysiodd o'r *Land Rover* ac at y drws. Curodd ar y gwydr.

'Sori – *closed*!' gwaeddodd Rol dros ei ysgwydd. Curodd Jos eilwaith, a throdd Rol yn biwis cyn sylweddoli pwy oedd yno. 'Be *ti'n* moyn?'

'Ma'n o'reit, sa i'n moyn tships!' gwaeddodd Jos yn ôl. 'Jest gair clou 'da ti, 'na gyd.'

Ochneidiodd Rol, ond daeth yn ôl i ddatgloi ac agor y drws.

'Beth?'

Dyma beth oedd y broblem bob tro – penderfynu lle i ddechrau.

'Ambytu'r Gêm . . .' dechreuodd Jos, ac ebychodd Rol yn ddiamynedd. 'Na – grinda! Ma' hyn yn bwysig, Rol.' Damo, wy'n swno'n gwmws fel Meic, sylweddolodd. 'Glywest ti beth ddigwyddodd i Dad?'

Nodiodd Rol. 'Do. Ond ma' fe gartre'n awr, on'd yw e?'

'Odi, odi. Ond nage 'na beth . . .' Jiawl, ma' hyn yn anodd! meddyliodd.

'Beth, 'te?' gofynnodd Rol.

'Alla i ddim egluro popeth nawr, ond – wel, ma' beth ddigwyddodd i Dad . . .' Yn frysiog, ceisiodd Jos adrodd popeth a wyddai am yr holl ddigwyddiadau diweddar, gan swnio, gwyddai, fel person gwallgof. Dywedodd wrtho am y sgubor, y Gêm, y llygod, y storm; am drawiad calon ei dad, am Seren yn canslo'i gwyliau, am y ffordd roedd y Gêm (neu beth bynnag oedd yn ei rheoli) yn benderfynol o'u caethiwo nhw i gyd, y Criw cyfan, a dywedodd wrtho hefyd am styfnigrwydd gwirion Emma – a thrwy'r amser roedd yn ymwybodol fod ei frawddegau dros y lle i gyd, nad oedd dim o'r hyn a ddywedai'n gwneud unrhyw synnwyr.

Ni ddywedodd Rol air, ond gwelodd Jos ef yn edrych i ffwrdd ambell waith, fel pe bai'r hyn a ddywedai Jos yn canu rhyw gloch anghyfforddus. Syllu i lawr y stryd roedd e pan orffennodd Jos, ac ni ddywedodd ddim am rai eiliadau. Yna trodd.

'Dw i *yn* mynd bant,' meddai. 'Bore dydd Llun nesa. Ges i alwad ffôn heddi. Ma' nhw am i fi ymuno â chwrs *outward bound* lan yn Ardal y Llynnoedd, rhyw fath o baratoad ar gyfer 'y nghwrs coleg.'

'Yffach, Rol! Alli di ddim mynd . . .'

'Glywest ti beth 'wedes i? Dw i *yn* mynd.'

'Ond glywest ti beth 'wedes *i*?'

Ceisiodd Rol wenu'n ddilornus, ond gallai Jos weld yr ansicrwydd oedd yn llechu y tu ôl i'r wên. 'Wyt ti'n disgwl i fi anghofio popeth ambytu 'nyfodol – jest achos rhyw ffantasi *bizarre* sy 'da ti a'r lleill?'

'Nage ffantasi yw e. Ti'n gwbod beth ddigwyddodd pan 'wharaeon ni'r Gêm . . .'

'Doedd 'da 'nna ddim byd i'w neud 'da ni! Damwain o'dd hi.'

'Dwyt ti ddim yn credu 'nna, Rol.'

''Y musnes i yw beth wy'n gredu.' Trodd am y drws, ond cydiodd Jos ynddo gerfydd ei ysgwydd a'i droi'n ôl i'w wynebu.

'Ac wyt ti'n barod i fentro bywyde dy rieni, wyt ti? Jest achos bo' ti'n moyn wthnos fach neis yn Ardal y Llynnoedd?'

'Jest achos bod dy dad wedi digwydd ca'l harten . . .'

'So ti 'di grindo ar air wy 'di 'weud? Ma' lot gormod o bethe wedi *jest digwydd* . . . digwydd,' gorffennodd yn llipa. 'I bob un o' ni – ac i tithe 'fyd. Ti'n gwbod am beth wy'n siarad – ti 'di gweld pethe dy hunan, on'do fe? *On'do fe?*'

'A be sy'n digwydd os y'n ni i gyd *yn* 'whare'r Gêm 'to?' gofynnodd Rol, gan osgoi cwestiwn Jos. 'Odi 'nna'n golygu ein bod ni'n mynd i ga'l llonydd am bum mlynedd arall?'

'Sa i'n gwbod . . .'

'Ne' o's raid i rywun arall farw?'

'Sa i'n gwbod! Sa i'n *dyall* dim byd, Rol – sneb o' ni'n dyall y peth.'

'Ond ti'n disgwl i fi 'weud wrth Dad a Mam 'mod i'n ffaelu mynd bant ar y cwrs 'ma, achos os a' i, bydd rhwbeth ofnadw'n digwydd i un ohonyn nhw? O's unrhyw syniad 'da ti mor hurt ma' 'nna'n swnio?'

'Ma'r holl beth *yn* hurt, wy'n gwbod. Ond . . . wy'n digwydd credu bod e'n wir, Rol. A ma' Meic 'fyd. A Seren. *A* Branwen Phillips. Wy'n gweud wrthot ti, os ei di bant . . .'

'Pryd 'wedest ti ma' Emma Christie'n bwriadu mynd bant?' gofynnodd Rol.

'Y . . . fory. Peth cynta bore fory.'

'Reit – 'weda i 'thot ti beth. Yr amser 'ma nos fory, ewn ni'n dou draw i'w thŷ hi, reit? Ac os o's rhwbeth wedi digwydd i un o'i theulu hi, wedi 'nny *falle* wna i ddechre grindo 'not ti. Ond os odyn nhw i gyd yn ocê – ac wy'n fodlon betio unrhyw beth y byddan nhw – y peth cynta bore dydd Llun, fydda i'n dala'r trên i Ogledd Lloegr.'

(iv)

Diwrnod hir iawn sy fel arfer yn arwain at noson ddi-gwsg, ac roedd Meic wedi cael nifer ohonyn nhw'n ddiweddar. Er gwaetha'i flinder, fodd bynnag, teimlai ychydig yn euog wrth iddo droi i mewn i'w stryd. Gwyddai y dylai fod wedi mynd gyda Jos i geisio siarad â Rol, ond ni chredai fod y nerth ganddo. Dylai hefyd fod wedi gwneud gwell ymdrech i ddarbwyllo Emma rhag mynd i ffwrdd, efallai. Ond dyna ni, meddyliodd, os o'dd hi mor benderfynol o beidio â gwrando . . .

Clywodd rhywun yn galw'i enw, a suddodd ei galon ymhellach pan drodd a gweld Branwen yn dod ar ei ôl.

'Naddo,' meddai, cyn iddi gael cyfle i ofyn cwestiwn.

'Beth?'

'Chafon ni ddim lwc 'da Emma Christie. Ma' hi'n benderfynol o fynd bant fory.'

'O. Wel – bydd yn ddiddorol gweld os digwyddith unrhyw beth.'

'Yn *ddiddorol*?'

Edrychodd Branwen arno â'r hen olwg herfeiddiol honno ar ei hwyneb. Ochneidiodd Meic.

'Jest agor y drws, plîs,' meddai wrthi.

'Gyda lwc, falle na fydd angen hon arna i, ar ôl heno,' meddai Branwen, gan dynnu allwedd Meic o'i phoced.

'O?' Yna dychrynnodd Meic. 'O, ffycin hel – paid â gweud bo' tithe'n mynd bant 'fyd! Branwen – ro'n i'n meddwl bo' ti'n dyall . . .'

'Paid â phanico, 'achan. Os aiff popeth yn ocê, mynd 'nôl gartre fydda i fory.'

'O . . .'

'Ie.' Gwenodd Branwen arno. 'So ti'n siŵr, wyt ti, os taw peth da ne' beth drwg yw 'nna? 'Y ngha'l i'n ôl ambytu'r lle. Tipyn o'r ddou siŵr o fod, Meic. Peth da i fi – ond peth drwg i ti. Ac i'r lleill.'

'Ie, *o'reit*, Branwen! Sa i'n moyn grindo ar ragor o dy fygythiade di. Shgwl, jest agor y drws, nei di?'

Syllodd Branwen arno am eiliad, yna trodd a gwthio'r allwedd i'r clo. 'Odi dy dad yn debygol o fod wedi rhoi'r latsh lawr?' gofynnodd.

'Beth?'

'So'r drws yn agor . . .'

'Gad i fi drial.'

Trodd Meic yr allwedd, ond roedd y drws yn gwrthod agor. 'Beth yffarn . . .?'

'Odi dy dad gartre?' gofynnodd Branwen.

Gwyrodd Meic a sbecian drwy'r blwch llythyron. Gallai weld golau o'r set deledu yn fflachio trwodd i'r cyntedd tywyll o'r ystafell fyw. 'Sa i'n gwbod. Ma'r teledu ymla'n, ta beth . . .' – ac yna ymddangosodd pâr o lygaid yr ochr arall i'r blwch llythyron.

Neidiodd yn ei ôl gyda bloedd, gan daro'n erbyn Branwen.

'Be *sy*?'

Ymsythodd Meic yn araf. Llygaid plentyn oedd wedi syllu i mewn i'w rai ef, yn llawn mileindra oer, fel petai dwy chwilen loyw, ddu wedi cropian i mewn i'r penglog ac ymgartrefu yn nhyllau'r llygaid.

Trodd at Branwen.

'*Beth*?' gofynnodd Branwen eto.

Ond ni fedrai ddweud wrthi mai ei chwaer fach hi oedd yn aros amdanynt yr ochr arall i'r drws, yn y tŷ, gyda'i dad . . .

Dad!

'Dim byd. Dere . . . gwthia'r drws 'da fi, nei di?' Edrychodd Branwen arno'n od. '*Dere*!'

Rhoes y ddau eu holl bwysau'n erbyn y drws. Hanneragorodd y drws ddwy waith cyn syrthio'n ôl ynghau gyda chlep, fel petai rhywun yn gwthio'n eu herbyn yr ochr arall. Yna clywodd Meic lais plentyn yn giglan yn ddireidus. Taflodd edrychiad ar Branwen. Nid oedd hi, yn amlwg, wedi clywed unrhyw beth.

'Unwaith 'to,' meddai wrthi.

Ond y tro hwn saethodd y drws ar agor, a bu'r ddau o fewn dim i syrthio'n bendramwnwgl i mewn i'r tŷ. Baglodd Meic a glanio ar ei ddwylo a'i bengliniau, a dim ond llwyddo i'w harbed ei hun rhag syrthio ar ei ben wnaeth Branwen.

'Branwen . . .'

'Beth?'

Cododd Meic i'w draed yn araf. Roedd ei ddwylo a phengliniau ei jîns yn wlyb socian.

'Y carped . . .'

Aeth Branwen i'w chwrcwd a theimlo'r carped. Cofiodd y tro diwethaf iddi wneud hyn, ei noson gyntaf yn y gwesty. Edrychodd i fyny'n siarp, a gwelodd fod Meic yn rhythu arni â chymysgedd o fraw ac euogrwydd.

'Beth yffarn sy'n digwydd?'

Trodd Meic ei ben yn araf, a syllu i mewn i'r ystafell fyw. 'Dad?'

Cododd Branwen a mynd ato. Roedd Brian Gruffydd yn eistedd yn ei gadair a'i gefn atynt, a dim ond eira'n hisian yn gryg oedd yn dod o'r sgrin deledu.

'Dad?' meddai Meic eilwaith. Aeth i mewn i'r ystafell, ac am eiliad teimlai'r sicrwydd ofnadwy mai'r peth olaf roedd arno eisiau ei wneud oedd edrych i mewn i wyneb ei dad. Estynnodd ei law at ei ysgwydd, a chyffwrdd ynddo'n ysgafn

Llanwyd yr ystafell â goleuni wrth i Branwen ddefnyddio'r switsh. Gwelodd Meic fod Brian yn eistedd gyda gwên fach dawel, heddychlon ar ei wyneb. Edrychodd i fyny ar Meic.

'O . . . haia . . .'

'Dad? Odych chi'n o'reit?'

''Dyw hi ddim yn ddrwg, ti'n 'bod.'

235

'Sori?'

'Ro'dd hi 'ma nawr. Sdim byd drwg ambytu'r ferch – ddim o gwbwl.'

'Am bwy y'ch chi'n sôn? Pwy o'dd yma nawr?' gofynnodd Meic, er ei fod yn gwybod yn iawn beth fyddai'r ateb.

'Nage *hi* sy'n ddrwg,' meddai Brian. 'Sa i'n gwbod *pam* feddylies i 'nna. Ma' hi'n o'reit. Dim ond plentyn bach yw hi.'

'*Pwy*, Dad?'

Ochneidiodd Brian, fel petai Meic yn bod yn dwp yn fwriadol.

'Siân, ontefe? Ma' hi'n o'reit. Dim ond ishe cwmni ma' hi – rhywun i 'whare 'da hi. 'Na i gyd. Dim ond ishe 'bach o gwmni.'

Edrychodd Meic ar Branwen. Roedd hi'n pwyso'n erbyn y mur ger y drws, ei hwyneb yn hollol wyn ac yn crynu trwyddi wrth iddi rythu ar Brian, a hyd yn oed drwy ei ddychryn ef ei hun, teimlodd Meic bigiad chwim o falchder wrth feddwl, *o'r diwedd* ma' rhwbeth wedi llwyddo i gyffwrdd ag enaid hon.

Yna trodd Branwen a rhedeg i fyny'r grisiau, ac ni sylweddolodd fod y carped o dan ei thraed erbyn hynny'n hollol sych.

Pennod 26

(i)

Gwrandawodd arnyn nhw'n gweiddi ar ei gilydd.

Roedd hynny'n welliant.

Bum munud yn ôl, roedden nhw'n sgrechen ar ei gilydd.

Fel petaen nhw'n casáu ei gilydd, meddyliodd Rol, fel petai'r casineb hwnnw wedi bod yn mudlosgi ers blynyddoedd maith, a bod neithiwr wedi achosi i'r cyfan ferwi drosodd a llifo o'u cegau a'u calonnau fel chwd gwenwynig.

Ond Mam a Dad y'n nhw! 'Dy'n nhw ddim i fod *yng*

*ngyddfe'i gilydd fel hyn – rhieni pobol eraill, ie, ond nid fy
rhieni i, nid Colin a Brenda.*

Ac roedd ei law yn brifo. Teimlai fel pe bai yna gant o
wenyn meirch wedi'u caethiwo y tu mewn i'r cadach mawr
tyn, gwyn oedd ganddo wedi'i lapio am ei law dde, pob un
ohonynt yn drilio'u pigiadau'n filan i mewn i'w gnawd fel
cacwn mewn cartwnau.

'Ma' lot gormod o bethe wedi jest digwydd . . . digwydd.'

Jos, eto, yn mynnu ymddangos yn ei feddwl fel ysbryd
aflan, fel barn, fel ei gydwybod, fel Jimini Cricket yn hefru ar
Pinocchio. Ond cyd-ddigwyddiad oedd e! sgrechodd Rol arno.

Ceisiodd edrych ar y peth yn rhesymol.

Neithiwr, galwodd Jos i'w weld gan ei siarsio i beidio â
meddwl am fynd i ffwrdd, neu buasai rhywbeth drwg yn
digwydd i un o'i rieni. Awr yn ddiweddarach, roedd brigâd yn
diffodd tân a allai fod wedi ei ladd ef a'i fam.

Cyd-ddigwyddiad: un rhyfedd iawn, efallai, ond cyd-
ddigwyddiad.

Colin oedd yn arfer cloi'r siop a mynd o amgylch yn
gofalu fod popeth wedi'i ddiffodd yn iawn. Ond neithiwr,
roedd Colin allan yn chwarae dartiau gyda thîm y Clwb
Rygbi. Buasai wedi bod adref yn gynharach, ond roedd y
bws-mini wedi torri i lawr a bu'n rhaid aros am un arall i
ddod allan i'w nôl.

Cyd-ddigwyddiad arall.

Y peth diwethaf a ddywedodd Rol wrth Brenda cyn mynd
i'r gwely oedd gymaint roedd yn edrych ymlaen at gael mynd
i Ardal y Llynnoedd fore Llun nesaf.

Cyd-ddigwyddiad, yn sicr.

Roedd Brenda, aderyn nos os y bu un erioed a arferai aros
ar ei thraed tan ddau y bore'n ddi-ffael yn gwylio'r holl
operâu sebon y bu'n rhaid iddi eu tapio tra gweithiai yn y
siop, neithiwr wedi *digwydd* syrthio i drymgwsg ar y soffa
hanner ffordd drwy *Emmerdale*, y rhaglen gyntaf ar y tâp.

Eto, cyd-ddigwyddiad.

A dyna Colin yn griddfan dros y lle, oedd yn rhaid i hyn ddigwydd *nawr*? Pan ofynnodd Brenda iddo beth roedd yn ei feddwl gyda'r "nawr' hwnnw, cyfaddefodd Colin ei fod wedi . . . y . . . wel . . . y peth yw, sori, ond . . . roedd Colin wedi 'esgeuluso'r' taliadau insiwrans ar yr offer yn y siop yn ddiweddar, a . . . wel . . . go brin y buasen nhw'n gweld yr un ddimau goch . . . a dyna pam roedd yn melltithio'r duwiau am adael i hyn ddigwydd *nawr*, o bob adeg – yn wir, ni allai'r tân neithiwr fod wedi digwydd ar adeg waeth.

Cyd-ddigwyddiad anffodus uffernol.

Ond nid cyd-ddigwyddiad oedd yn gyfrifol am ddamwain Rol – ac oherwydd hynny, sylweddolodd nad cyd-ddigwyddiad oedd *unrhyw* beth a ddigwyddodd neithiwr. Roedd yn gorwedd ar ei wely pan synhwyrodd arogl mwg. Carlamodd i lawr y grisiau a deffro Brenda. Pan welodd y fflamau, cipiodd y diffoddwr-tân a dechrau ymosod arnynt. Yna cafodd gipolwg ar rywun yn sefyll y tu allan i'r siop gyda'i wyneb wedi'i wasgu'n erbyn gwydr y ffenestr fawr, rhyw ddiawl busneslyd, tybiodd, nes iddo sylweddoli fod y busneswr hwn yn anghyffredin o dal, yn fain, ac wedi'i wisgo mewn dillad duon, carpiog . . . a bod ei wyneb yn wynnach nag wyneb dyn eira.

A'i fod wedi gweld hwn union bum mlynedd yn ôl, pan oedd yn dair ar ddeg oed ac yn cerdded i ffwrdd o'r hen dŷ hwnnw ar gyrion y pentref. Roedd Rol wedi digwydd troi'n ôl gyda'r teimlad rhyfedd fod rhywun yn ei wylio ef a'r pump arall yn cerdded i ffwrdd gyda'r Gêm, ac am eiliad gallai fod wedi taeru fod yna ffigur tal a main, carpiog, wynepwyn yn sefyll yn nrws y tŷ yn crechwenu ar eu holau.

Dyna pryd y llithrodd Rol, gan wthio'i law allan yn otomatig i'w arbed ei hun. Ond roedd caead y peiriant ffrio wedi'i adael yn agored, a diflannodd llaw Rol i ganol y saim poeth.

Cyd-ddigwyddiad?

Na.

I goroni'r cyfan, gwyddai Rol ei fod ef a Brenda wedi bod

o amgylch y siop yn gofalu fod popeth wedi'i ddiffodd a phopeth wedi'i gau yn ddiogel.

Fel y dywedodd Jos, roedd lot gormod o bethau wedi jest digwydd . . . digwydd.

Aeth i lawr y grisiau ac at y ffôn yn y cyntedd. Yn yr ystafell fyw eisteddai ei dad wrth y bwrdd, yn syllu'n ddall ar yr wyneb; safai ei fam a'i gefn ato, yn pwyso'n erbyn y seidbord ac yn edrych i fyny, yr un mor ddall, ar y mur a'r nenfwd. Edrychent yn union fel y tablo digalon yn yr ysgythriad enwog hwnnw gan Walter Sickert.

Caeodd Rol y drws arnynt, cyn troi a chodi'r ffôn i alw Jos.

(ii)

O'r rheini a lwyddodd i gysgu rywfaint neithiwr, deffrodd sawl un gyda'r wawr.

Gwenu oedd y peth cyntaf a wnaeth Diane ar ôl agor ei llygaid. Pan ddiffoddodd ei golau neithiwr, ofnai y byddai'r cyffro a deimlai, a'r holl edrych ymlaen, yn ei chadw'n effro drwy'r nos, ond na – i'r gwrthwyneb: cafodd noson wych o gwsg, a nawr teimlai'n llawn egni a brwdfrydedd. Roedd y cleisiau a'r crafiadau hyll oedd ganddi ar ei choesau wedi diflannu'n llwyr, a llanwyd ei hystafell gan heulwen y bore a chorws y wawr. Ymhen ychydig oriau, byddai Gwilym yn galw amdani, a byddai Diane yn dychwelyd adref – a byth eto, gobeithio, yn gorfod treulio noson arall rhwng muriau Bryn Tawel.

Deffro'n ffwndrus a wnaeth Gwilym, yn argyhoeddedig fod dwy frân ddu ar sil ei ffenestr yn crawcian a chrafu eu pigau'n erbyn y gwydr. Bu'r brain yn llenwi'i freuddwydion, a methodd Gwilym ddianc rhag eu sŵn. Ond nid oedd un i'w gweld yn unman pan agorodd y llenni, er ei fod yn dal i allu teimlo'u hadain yn brwsio'n erbyn ei wyneb a'u crafangau'n sgathru ei gorun moel.

Corws y wawr a ddeffrodd Ffion hefyd ond, yn wahanol iawn i Diane, teimlai fel y draenog hwnnw yng ngherdd Gwenallt â sgwrs yr adar uwch ei ben yn boen. Cwsg rhyfedd iawn a gafodd hi neithiwr: breuddwydiai'n aml ei bod yn hedfan uwchben y pentref a'r traeth, ond bob tro roedd yn dechrau mwynhau'r profiad o nofio ar y gwynt, roedd y gallu rhyfedd a newydd hwn yn diflannu a syrthiai i lawr am y ddaear, ond gan ddeffro bob tro gyda naid boenus a achosai i'r boen ffrwydro drwy'i gwddf.

Pan gododd, teimlai'i gwddf fel pe bai rhywun wedi gwthio gweill gwau poethion i mewn iddo. Mae'n rhaid i fi fynd i weld y meddyg yn ei gylch, meddyliodd; alla i ddim dioddef diwrnod arall o lyncu tabledi sy'n gwneud dim lles o gwbl, fel taflu llond ecob o ddŵr ar goelcerth anferth.

Ond rhaid oedd mynd i'r ysgol yn gyntaf a chael canlyniadau ei harholiadau TGAU. 'Tygau, tygau, tygau' – roedd y gair diflas hwn wedi rheoli'r rhan helaeth o'i bywyd ers blwyddyn a mwy – wastad yn hofran ar wefusau ei rhieni, ei hathrawon a nifer fawr o'i ffrindiau. Ar ôl heddiw, gyda lwc, byddai'n dechrau cilio rhywfaint, cyn bod Lefel A yn cymryd ei le.

A doedd Rol ddim wedi'i ffonio.

Ond efallai y byddai'n aros amdani y tu allan i'r ysgol, wedi mynd yno i rannu yn ei llawenydd neu i gynnig ysgwydd gydymdeimladol.

Dream on, Ffion fach, meddyliodd.

Teimlodd y digalondid yn chwyddo y tu mewn iddi.

Eisteddodd ar erchwyn ei gwely gyda'i phen yn ei dwylo, yna cododd ar ei thraed ymhen eiliadau, ei hwyneb yn wlyb gyda dagrau.

Roedd ei gwddf yn brifo gormod hyd yn oed i wylo.

Roedd nenfwd dieithr uwch ei phen, a theimlai'i gwely yn galed ac yn gul. Eiliadau ynghynt, roedd yn marchogaeth Sbeis ar hyd traeth hir, di-ben-draw, lle'r oedd y môr yn ddu ac yn dew fel triog a'r tywod yn wyn fel llwch tân. Roedd rhywun yn rhedeg ar eu holau, ffigur tal a thenau yn brasgamu ar hyd y tywod; roedd ei wyneb yn wynnach na'r tywod dan garnau Sbeis, a gwyddai Emma ei fod yn gwenu'n llydan wrth iddo ddod yn nes ac yn nes . . .

Yna agorodd ei llygaid, ac roedd hynny'n ddigon i ddeffro'r boen. Ymddangosodd wyneb ei mam uwch ei phen, ei llygaid wedi chwyddo'n glwyfus ac yn llawn dagrau. Gwyliodd Emma'i gwefusau'n symud, ond dyn a ŵyr beth a ddywedodd ei mam. Gwelodd wyneb ei thad yn ymddangos y tu ôl i'w mam ac roedd yntau hefyd yn crio. Nid oedd ar Emma eisiau gweld hyn. Caeodd ei llygaid a dychwelyd i'r traeth gyda Sbeis. Roedd y Criw yno'n awr, y pump ohonyn nhw'n eistedd yng nghysgod y graig gyda'r Gêm rhyngddynt ar y tywod. Safai'r ffigur tenau a thal hwnnw uwch eu pennau yn syllu i lawr arnynt, a gwelodd Emma ef yn curo'i ddwylo gwynion, wrth ei fodd yn gwylio Seren yn taflu'r dis.

Dechreuodd droi ei ben i'w chyfeiriad ond nid oedd ar Emma eisiau gweld ei wyneb. Edrychodd i ffwrdd i gyfeiriad y môr du, a throdd ben Sbeis nes ei fod yn carlamu i mewn i'r tonnau trwchus, gan fynd â hi'n ddyfnach ac yn ddyfnach i mewn i'r düwch fel un o Geffylau Dŵr yr hen Geltiaid, nes o'r diwedd caeodd y düwch dros ei phen.

Croesawodd Emma ef.

Erbyn i'r pump ohonynt ymgynnull ar y traeth, roedden nhw i gyd wedi clywed am Emma. Ac am hanes hefyd . . . Teimlai Seren ei choesau'n rhoi oddi tani.

Diolch *byth* fy mod i wedi gwrando ar Meic, meddyliodd, ac wedi gwrthod mynd i America. Yna teimlodd ryw ddicllonedd chwerw ac afresymol tuag at Meic. Sut oedd *hwn*, o bawb, wedi llwyddo i ddeall cymaint am y Gêm? Hwn oedd ond wedi crafu trwy bob arholiad a gafodd erioed: sut oedd hwn yn gwybod cymaint?

Yna sylweddolodd fod y lleill wedi dioddef llawer iawn mwy na hi; roedd Emma yn yr ysbyty, roedd Rol wedi llosgi'i law, roedd Jos wedi dod yn agos at golli'i dad, doedd Meic wedi cael dim byd ond anlwc am bum mlynedd, ac roedd Branwen – wel, Duw a ŵyr beth oedd wedi digwydd i Branwen dros y blynyddoedd, ar ben cael ei beio am ddamwain angheuol ei chwaer fach.

Yr unig beth sy wedi digwydd i fi yw colli gwyliau yn America, meddyliodd. Ond taswn i heb gwrando ar Meic . . .

'Odyn ni'n mynd i *allu* 'whare?' clywodd Rol yn gofyn. 'Dim ond pump ohonon ni sy.'

'Pedwar.'

'Y?'

Branwen oedd wedi siarad. Safai ychydig oddi wrth y pedwar arall. 'Sa i'n credu 'mod i am 'whare.'

'Beth? *Pam* – ?' meddai Meic.

'Ti'n gwbod pam. 'Wedes i wrthot ti y bydden i ond yn 'whare pan fydden i'n barod. A fydda i ddim nes y byddi di wedi gweud y cwbwl wrtho i.'

'Ti'n *gwbod* y cwbwl, Branwen,' meddai Meic. 'Ti'n gallu deall pam na 'wedes i wrthot ti am Siân, on'd wyt ti?'

Syllodd Branwen arno am ychydig, yna trodd at y lleill.

'Faint ohonoch chi sy wedi'i gweld . . . sy wedi gweld Siân?' gofynnodd.

Edrychodd pawb ar ei gilydd, yna cododd Seren ei llaw, gan deimlo i raddau fel pe bai mewn dosbarth yn yr ysgol. Hanner-codi eu dwylo a wnaeth Jos a Meic.

'Ry'n ni wedi'i *chlywed* hi,' meddai Jos. 'A cha'l ambell gip arni, ond alla i ddim â bod yn siŵr o 'nny.'

''Ry'n ni i gyd wedi'i thimlo hi,' meddai Rol. 'Ne' wedi teimlo *rhywbeth*. Sa i'n gwbod am Emma . . .'

'Ma' hi wedi gweld rhywbeth, wy'n siŵr,' meddai Seren.

Trodd Branwen ac edrych allan i'r môr.

'Pam na ches *i* 'i gweld hi?' meddai'n dawel. Yna trodd yn ei hôl at y lleill, ei llygaid yn oer unwaith eto. 'Dw i moyn i chi i gyd 'weud y gwir am beth ddigwyddodd y diwrnod 'nna.'

Edrychodd o un wyneb euog i'r llall. Nid oedd y lleill yn gallu edrych ar ei gilydd hyd yn oed.

'Branwen . . . *allwn ni ddim*,' meddai Meic yn dawel.

'Ma'n rhaid i chi!' Neidiodd y pedwar wrth i Branwen sgrechen arnynt. ''Na un rheswm pam y des i'n ôl i'r ffycin lle 'ma – er mwyn neud i chi 'weud y gwir! '*Ych bai chi o'dd e'i gyd!* 'Nes i drial mynd mas ar ôl Siân, ond nethoch chi ddim gadel i fi fynd, ac erbyn i chi adel i fi fynd, ro'dd hi'n rhy hwyr! Ac fe 'wedoch chi i gyd gelwydd – chi'n gwbod 'nny! 'Wedoch chi 'mod i wedi mynd ar 'i hôl hi'n *syth*, ond es i ddim – *ches i ddim*, 'da chi!'

'Branwen . . .' sibrydodd Meic.

'*Ma'n rhaid i chi 'weud y gwir!*'

'Allwn ni ddim . . .'

'*Gallwch!*'

'. . . achos ma' mwy i'r gwir na 'nna,' gorffennodd Meic.

Rhythodd Branwen arno. 'Beth?'

Trodd Meic i ffwrdd gan edrych fel pe bai ar fin beichio crio, ond cydiodd Branwen yn ei wallt a'i droi'n ôl i'w hwynebu.

'Be ti'n feddwl?'

243

Rhwbiodd Meic ei ben. Edrychodd am gymorth oddi wrth Jos a Rol, ond roedd Jos yn edrych ar y môr, tra oedd Rol yn craffu ar ben y graig, fel petai'n chwilio am rywun neu am rywbeth.

Trodd at Seren. Roedd dagrau'n powlio i lawr ei hwyneb.

'Gwed wrthi, Meic. Ma'n iawn iddi ga'l gwbod, iddi ga'l deall falle . . .'

Nodiodd Meic, yna cydiodd yn ysgafn ym mraich Branwen a'i thywys i lawr at lle'r oedd tonnau bach y môr yn cusanu'r tywod yn swnllyd.

Ac adroddodd wrthi beth ddigwyddodd . . .

. . . *y diwrnod hwnnw pan oedd y glaw ar do'r sgubor yn swnio fel mil o ddrymwyr gwallgof ar sbid, a nhw'u chwech yn glyd ac yn sych yn eu tŷ bach o wair, yn eistedd neu'n penlinio mewn cylch gyda'r Gêm yn y canol, y Gêm yr oedden nhw i gyd erbyn hyn yn ysu am ei chwarae, heb sylweddoli mai'r Gêm, drwy'r amser, oedd yn eu chwarae nhw.*

Roedd chwe chornel i'r Gêm, a chwe chownter pren. Ac roedd chwech ohonyn nhw.

Tri bachgen a thair merch.

Perffaith.

Roedden nhw wedi chwarae cryn dipyn ar y Gêm erbyn y diwrnod hwnnw. Roedd y bechgyn wedi cusanu'r merched, a'r merched wedi cusanu'r bechgyn. Roedden nhw wedi cyffwrdd â'i gilydd dros eu dillad, a thrwy eu dillad, ac yna o dan eu dillad. Roedden nhw wedi dangos rhannau cudd o'u cyrff i'w gilydd, ac wedi dinoethi'n gyfan gwbl a chyffwrdd â'i gilydd nes bod y sgubor yn clecian â chyffro nad oedden nhw'n ei ddeall, rhyw gyffro meddwol a chwil . . .

. . . oherwydd dyna oedd ar y Gêm ei eisiau: dwyn eu plentyndod, bwydo oddi ar eu diniweidrwydd.

Ond y diwrnod hwnnw . . .

Dim ond newydd ddechrau chwarae roedden nhw pan glywson nhw wich y drws. Ro'n nhw'n ofni i ddechrau mai tad Jos oedd yno, neu'r Beiron annioddefol 'na, ond ffigur bach mewn cot law felen a ddringodd i ben y beliau gwair gyda gwên fach ddireidus ar ei hwyneb, yn llawn ohoni'i hun oherwydd iddi lwyddo i'w dilyn yr holl ffordd yno heb i'r un ohonyn nhw sylwi arni.

*Roedden nhw i gyd yn gas gyda hi, pawb ond Branwen –
mor gas nes y dechreuodd Siân wylo. Rhedodd allan yn ôl i'r glaw, a chododd Branwen er mwyn ei dilyn, ond safodd Rol rhyngddi a'r drws.*

'Ma'n rhaid bennu 'whare,' mynnodd pob un ohonyn nhw, ond roedd Branwen yn gwrthod: allai hi ddim gadael Siân allan yn y fath dywydd ar ei phen ei hun.

Trodd yr anghytuno yn ddadl, a'r ddadl yn ffrae, a'r ffrae bron iawn yn ffrwgwd, nes yn y diwedd cydiodd Branwen yn y dis a'i daflu – a chael yr union rif roedd arni ei angen i gyrraedd canol y Gêm. Cododd, cydiodd yn ei chot, a chan wgu ar y lleill, brysiodd allan ar ôl ei chwaer fach . . .

'. . . ond doedd dim golwg ohoni'n unman,' meddai'n awr, ei llygaid ar y môr. 'Roedd y glaw yn cwympo'n drwm, ac fe redes i drw'r caeau, a thrw'r goedwig deirgwaith, yn ôl ac ymlaen yn gweiddi'i henw, ond doedd dim golwg ohoni. Dw i'n cofio croesi'r afon, dros y cerrig, a bron â chwympo miwn, ro'n nhw mor lithrig, dw i'n cofio meddwl, ma'n *rhaid* 'i bod hi wedi croesi cyn i fi gyrredd, ne' 'se hi byth wedi mentro ar ei phen ei hunan â chyment o ofan dŵr arni, 'se hi wedi aros yma, ne' wedi mynd 'nôl i'r sgubor.

'Es i adre, gan feddwl yn siŵr y bydde hi yno'n aros amdana i, yn ishte o fla'n y teledu wedi pwdu 'da fi. Ond do'dd hi ddim, Meic . . . do'dd hi ddim 'na. A dda'th hi ddim adre chwaith . . . byth . . .'

Ysgydwodd Meic ei ben. 'Naddo . . .' Edrychodd i fyny. Roedd Branwen wedi troi ac yn syllu arno gyda llygaid oerion. Llyncodd, ac aeth ymlaen â'i stori. 'Ar ôl i ti fynd . . .'

'. . . digwyddodd rhywbeth nad oedd erioed wedi digwydd iddynt o'r blaen. Taflodd Rol y dis ac, fel Branwen, cafodd yntau'r union rif roedd ei angen arno i gyrraedd y canol. Digwyddodd yr un peth i Meic, ac i Jos, ac i Seren.

Cododd Emma'r dis a'i ddal yn ei dwylo am eiliad. Roedd y tensiwn bron yn annioddefol, fel petai'r byd i gyd yn dal ei wynt. Gallai Meic daeru fod hyd yn oed y glaw wedi peidio am ennyd, fel petai'n hofran yn yr awyr fodfedd uwchben to'r ysgubor ac yn aros nes i'r dis gael ei daflu cyn ffrwydro yn erbyn y to unwaith eto.

Taflodd Emma'r dis. Pump oedd y rhif, cofiai Meic, ac ar ôl pum naid, roedd hithau hefyd yn y canol gyda'r lleill.

Dyna pryd ffrwydrodd y byd. Swniai'r daran fel pe bai anghenfil anferth yn rhuo â phoen wrth iddo ymwthio o ddyfnderoedd y ddaear. Saethodd cwmwl mawr melyn o ganol y Gêm, cwmwl a oedd yn drewi'n waeth na chorff marw'r morlo hwnnw a gafodd ei olchi ar y traeth rai blynyddoedd ynghynt. Chwythwyd drws y sgubor ar agor, mor ffyrnig nes iddo daro'n erbyn y pared gyda sŵn fel ergyd o ddryll. A throdd y cwmwl yn gwmwl du, trwchus, ac am eiliad gwelsant ffigur tal, main yn sefyll yn ei ganol, ei wyneb yn wyn ond â'i lygaid yn llosgi'n goch fel goleuadau brêciau car yng nghanol y nos. Yna trodd y mwg yn golofn hir, denau cyn saethu allan drwy'r drws ar ôl Branwen, ac ar ôl Siân . . .

'Be nethoch chi wedyn?' gofynnodd Branwen.

'Wedyn? Dim byd. Dim ond rhedeg o'r sgubor am 'yn bywyde, gan adel y Gêm yno. A welest ti ddim byd?'

Ysgydwodd Branwen ei phen. 'Dim byd o gwbwl. Dim ond y glaw. Os o'dd 'na unrhyw beth i'w weld.'

'So ti'n meddwl taw gweud celwydd odw i?'

'Nid dyna fydde'r tro cynta.'

'O, dere!'

'Beth? Mae'n stori dda, on'd yw hi? Ac mae'n stori sy'n symud y bai yn dwt oddi wrthoch chi. Ddim achos i chi 'n rhwystro i rhag gadel y cafodd Siân ei damwain, ond oherwydd rhyw . . . rhyw *beth* o'dd yn byw tu fewn i'r Gêm. Cyfleus iawn – yn enwedig gan fod 'nna'n golygu 'mod i yr un mor euog â'r gweddill ohonoch chi. Ro'dd yn rhaid i'r *chwech* ohonon ni gyrredd y canol. A fi o'dd y cynta i neud 'nny.'

Roedd Seren wedi ymuno â nhw erbyn hyn. 'Branwen, ma' fe'n *wir*,' meddai. Roedd Seren yn wylo'n agored yn awr. ''Tawn i'n marw. *Dyna beth ddigwyddodd*. A dyna pam ro'n ni'n methu gweud wrth neb – 'se neb wedi'n credu ni . . . Awww!'

Roedd llaw Branwen wedi saethu allan a'i tharo ar draws ei hwyneb.

'Dyna pam roioch chi'r bai i gyd arna i? Achos o' chi ddim ishe i neb *'wherthin am 'ych penne chi*?' Camodd Branwen at Seren eto, ond roedd Jos wedi brysio atynt gan afael yn dynn yng ngarddyrnau Branwen.

'Nage 'na beth ma' Seren yn 'i 'weud! Ond *fydde* neb wedi'n credu ni – wnest ti ddim credu Meic nawr. Blydi hel, Branwen – ro'n ni i gyd 'di ca'l ofon, ofon uffernol! Welest ti mono fe. A phan glywon ni am Siân . . . fe wedon ni'r peth cynta dda'th i'n meddylie ni. *Plant* o'n ni – plant bach o'dd wedi ca'l ofon am 'u bywyde.'

Roedd Branwen wedi rhoi'r gorau i wingo. Safai'n stiff fel procer, a gollyngodd Jos ei afael ar ei garddyrnau.

'Beth   ddigwyddodd,   'te?'   meddai'n   dawel.   'Beth ddigwyddodd i Siân?'

Ond doedd neb yn gwybod, wrth gwrs.

Doedd yr un ohonyn nhw yno i weld Siân yn cyrraedd glan yr afon, sylweddoli fod y dŵr yn rhy uchel ac yn rhy wyllt iddi fedru croesi heb help, a phenderfynu mynd yn ôl i'r sgubor. Ond yna clywodd lais Branwen yn galw amdani. Trodd . . . ac ni welodd y siâp mawr du a gododd o'r afon y tu ôl iddi, ac a lapiodd ei freichiau meinion amdani a'i thynnu gydag ef yn ôl i'r dyfnderoedd tywyll, oer.

Pennod 27

(i)

Yn y siop bapur roedd Peter Phillips pan glywodd bod damwain ofnadwy wedi digwydd i ferch Raymond Christie.

Oedd 'ofnadwy' hefyd yn golygu 'angheuol' yn yr achos yma? meddyliodd, gan ei ffieiddio'i hun fwy neu lai'n syth am obeithio'r fath beth. *Beth yffarn sy'n digwydd i fi?* Dyn gwyllt a rythai'n ôl arno o'r drych. Roedd mynd draw i weld Linda ddoe yn gamgymeriad anferth; nid oedd arno'i *heisiau*, hyd yn oed. Yr ysfa i ddial mewn ffordd fach a phitw ar Raymond oedd wedi'i yrru yno, nid unrhyw chwant lloerig am Linda, a bu bron i'w galon roi'r gorau i guro pan ymddangosodd Emma yn y drws.

Yn ôl y sôn, rywbryd brynhawn ddoe y digwyddodd damwain Emma: yn weddol fuan ar ôl iddi ddal Peter a Linda gyda'i gilydd. Prin ei bod felly wedi cael cyfle i weld ei thad, heb sôn am achwyn wrtho.

Os mai dyna oedd ei bwriad, hynny yw. O'r gorau, roedd hi wastad wedi edrych i lawr ei thrwyn ar Peter, gwyddai, ond efallai ei bod yn nes o lawer at ei mam nag at ei thad; onid oedd Linda wastad yn brolio eu bod yn fwy fel dwy chwaer na mam a merch?

Ar y llaw arall, roedd merched yn tueddu i ffafrio'u tadau dros eu mamau . . . O, damo, sa i'n gwbod! melltithiodd Peter. Yr unig beth i'w wneud oedd ceisio cael gafael ar Linda, ond doedd dim ateb pan ffoniodd Peter y tŷ. Roedd hi yn yr ysbyty, mwy na thebyg.

Yno hefyd yr aeth Peter. Roedd newydd gloi ei gar pan welodd Gwilym Christie yn dod allan o'r brif fynedfa. Trodd Peter ar ei sawdl, ond sylweddolodd nad oedd Gwilym yn edrych i'w gyfeiriad. Jiawl, ma' hwn wedi torri'n ddiweddar, rhyfeddodd Peter; mae'n cerdded fel hen ddyn a'i gefn mor grwm â chryman. Gwyliodd Peter ef yn gollwng ei allweddi ddwywaith cyn iddo fedru datgloi ei gar a dringo i mewn iddo fel petai'n boenau i gyd.

Yna digwyddodd rhywbeth rhyfedd. Roedd Peter yn dechrau troi i ffwrdd pan welodd ddwy frân ddu, sgraglyd yn glanio ar foned car Gwilym. Doedd hynny, efallai, ddim yn od ynddo'i hun, ond yn sicr roedd ymateb Gwilym yn rhyfeddol. Dechreuodd ganu corn y car fel dyn o'i gof, ond yn rhyfedd chymerai'r adar ddim sylw o gwbl; ro'n nhw'n aros ar foned y car yn syllu i mewn ar y dyn gwallgof y tu ôl i'r olwyn. Dim ond ar ôl i Gwilym danio'r peiriant a gyrru fel ffŵl am allanfa'r maes parcio y penderfynon nhw godi'n ddilornus oddi ar y car a hedfan yn hamddenol i ffwrdd.

Oedd ymddygiad ac osgo gyffredinol Gwilym yn golygu fod Emma wedi marw? Nac oedd, mwy na thebyg, penderfynodd Peter: buasai wedi aros yn yr ysbyty gyda Raymond a Linda petai hynny wedi digwydd. Beth felly oedd yn bod ar y dyn, yn ymateb mor ffyrnig a dychrynllyd i'r brain? Dim ond adar cyffredin oedden nhw, ond edrychai Gwilym fel petai ar fin cael strôc!

Cafodd Peter achos i'w geryddu'i hun eilwaith ar ôl meddwl fel y buasai strôc i Gwilym yn help i ddileu ei broblem ef a Raymond gyda'r arian hwnnw oedd yn ddyledus i Branwen.

Ond yna cofiodd beth ddywedodd Branwen wrtho ddoe, sef bod Diane yn dod allan o Fryn Tawel ac yn dychwelyd adref. Heddiw efallai.

Ac roedd hynny, wrth gwrs, yn un o'r pethau olaf roedd ar Peter ei angen ar y foment.

Wrth ddod allan o'r lifft ar y coridor lle'r oedd ystafell breifat Emma, y person cyntaf a welodd yn dod tuag ato gyda choffi mewn cwpan blastig yn ei llaw oedd Linda. Arhosodd Linda'n stond, gan rythu arno â chasineb amlwg.

'Beth yffarn wyt *ti'n* moyn 'ma?' meddai.

'Newydd glywed am Emma odw i,' atebodd yntau. 'Shwt ma' hi, Linda?'

Edrychodd Linda i ffwrdd, gyda'i llygaid yn llenwi. 'Ma' golwg ofnadw arni,' meddai. 'Bu'n rhaid iddyn nhw shafo'r rhan fwya o'i gwallt hi bant, ac ma'i hwyneb bach hi . . . a'i dannedd hi . . .'

'Ond shwt ma' hi?'

'Ma' nhw'n gweud y dyle hi fod yn o'reit. So'r sgans a gafodd hi'n dangos unrhyw niwed i'r ymennydd, ta beth. 'I choese hi sy 'di diodde fwya . . . ond ma'r rheini 'fyd yn doriade twt, mynte nhw, a dylen nhw wella'n o'reit. Ond . . .'

'Beth?'

''Dyw hi ddim wedi dihuno, ddim yn iawn. Dim ond agor ei llygaid bob hyn a hyn, griddfan rhwbeth, a mynd 'nôl i gysgu.'

'Wel . . . falle bod cwsg yn llesol iddi, ti'n gwbod,' meddai Peter. Edrychodd o'i amgylch. ''Ma dy hunan wyt ti?'

'Beth . . . ? O . . . na, ma' Raymond 'da hi nawr. Ma' Wiliam wedi mynd draw i'r cantîn i 'whilo am rwbeth i'w frecwast.'

'O . . . y, grinda, Linda. So hi 'di . . . 'di *gweud* unrhyw beth wrth Raymond, yw hi? Ambytu ddo'?'

Camodd Linda oddi wrtho. ''*Na* pam ddest ti 'ma, ontefe? So ti'n becso dim am Emma, wyt ti!'

Taflodd Linda gynnwys ei chwpan goffi i ganol ei wyneb.

'Sa i'n moyn dy *weld* di 'to, Peter!' chwyrnodd. 'Paid ti byth â dod yn agos ato i 'to, ti'n clywed? Byth!'

Trodd oddi wrtho a diflannu i'r ystafell lle'r oedd Emma'n gorwedd.

Roedd Peter yn crynu wrth iddo ddychwelyd at ei gar. Llugoer oedd y coffi a daflodd Linda drosto, diolch byth, ond roedd yn ddigon cynnes i'w ddychryn.

Branwen, meddyliodd. *Branwen*. Ro'dd popeth yn o'reit nes i honno ddod 'nôl 'ma. Y hi sy wedi fy ngwneud i fel hyn.

250

Nid oedd cof ganddo o yrru allan o'r ysbyty. Y peth nesaf a wyddai, roedd yn eistedd yn ei gar yng ngheg stryd o dai teras diolwg yng nghanol y pentref, heb unrhyw syniad yn y byd pam roedd e yno.

Yna gwelodd ddrws ffrynt un o'r tai yn agor, a chamodd Branwen allan gyda mab y sbesimen afiach 'na, Brian Gruffydd.

Ac wrth i'r casineb a deimlai tuag ati lifo drosto a thrwyddo fel niwl coch, deallodd pam ei fod wedi dod yno.

A beth oedd yn rhaid iddo'i wneud os oedd am gael unrhyw reolaeth dros ei fywyd ei hun unwaith eto.

Arhosodd nes bod Branwen a Meic wedi troi cornel y stryd cyn cychwyn ei gar a'u dilyn yn araf.

(ii)

A nawr, roedd yn gorwedd ar ei fola ar ben y graig uwchben y traeth, fwy neu lai yn union yr un lle ag yr eisteddodd Branwen neithiwr yn syllu ar y môr ac yn edrych ymlaen. O'i amgylch ym mhobman tyfai blodau bach cryfion, pinc – Clustog Mair a Throellys y Graig – ac ambell glwstwr melyn o Flodau'r Fagwyr, ond roedd Peter yn ddall i'r rhain i gyd. Yn wir, roedd yn ddall i bopeth erbyn hyn. Popeth, heblaw Branwen.

Roedd hi ar y tywod wrth droed y graig, gyda'i ffrindiau. Gallai weld ei gwallt coch reit oddi tano bob tro y sbeciai i lawr dros yr ochr. Sylweddolodd ei fod wedi dewis lle da: pe bai rhywun yn synhwyro, rywsut, ei fod yno ac yn edrych i fyny ato, buasen nhw'n syllu fwy neu lai i lygad yr haul.

Hon oedd ffynhonnell popeth drwg oedd wedi digwydd iddo erioed; hon a ddifethodd ei fywyd gyda Diane a Siân, ac roedd hi wedi dychwelyd i ddifetha'i fywyd ymhellach. Teimlai Peter fod rhyw ddüwch mawr wedi cael gafael ynddo'n llwyr, a'r tywyllwch trwchus hwn oedd yn ei yrru

251

bellach. Croesawodd ef fel hen ffrind, oherwydd dyna beth oedd e mewn gwirionedd: hen ffrind wedi dod 'nôl i ymweld ag ef a'i helpu i roi trefn ar ei fywyd. Ni fuasai wedi cael gafael ar Diane heb gymorth y cyfaill hwn: gwas bach i ryw oic fel John Evans fyddai e hyd heddiw, gyda'r cenfigen yn ei gnoi'n feunyddiol, oni bai am yr help llaw a gafodd gan ei ffrind, y ffrind a'i dysgodd sut i chwarae'r gêm, sut i newid ychydig ar y rheolau a sut i fanteisio ar wendidau ei gyd-chwaraewyr. Sibrydion slei ei ffrind a ddywedodd wrtho beth i'w wneud, a sut i'w wneud, yr holl beth-pwy-pryd-pam-lle-sut i gyd.

A nawr roedd ei ffrind yn sibrwd unwaith eto yn ei glust, yn dangos iddo'n glir mai merch John Evans oedd y drafferth y tro hwn, ac wrth gwrs roedd hynny ond i'w ddisgwyl – llathen o'r un brethyn oedd y ddau. Roedd ond yn gyfiawn felly fod damwain anffodus yn digwydd iddi hithau hefyd, fod y garreg fawr a orffwysai nid nepell oddi wrth wefus y clogwyn yn llithro dros yr ochr ac yn ei gwasgu i mewn i'r tywod.

Yn union fel y cwympodd yr holl focsys trymion hynny ar ben ei thad yn y warws ddeuddeng mlynedd yn ôl, y tro cyntaf i ffrind Peter ddod ato a sibrwd yn ei glust.

Cododd ei ben eto, a gweld eu bod i gyd yn eistedd mewn cylch.

Perffaith.

Ymlusgodd Peter Phillips ar ei fol yn nes at y garreg fawr, heb sylwi fod merch ifanc yn cerdded tuag ato ar hyd y llwybr a arweniai at wefus y clogwyn.

(iii)

Ni fedrai Ffion feddwl am fynd yn ôl adref yn syth o'r ysgol. Pan agorodd ei hamlen a gweld beth oedd ei chanlyniadau, roedd y dychryn a'r cydymdeimlad a welodd ar wynebau ei ffrindiau wedi mynd trwyddi fel cyllell: roedd eu hwynebau wedi dangos yn glir iddi nad breuddwyd cas oedd hyn i gyd.

Yn barod gallai glywed geiriau ei rhieni – o, roedden nhw wedi dweud a dweud, roedd hyn ond i'w ddisgwyl a Ffion wedi gwneud dim byd yn ystod y misoedd diwethaf ond gwrando ar gerddoriaeth roc a breuddwydio am fechgyn a gwylio'r hen deledu felltith yna; a hithau â digon yn ei phen (*i fod*), ond dyma hi'n awr yn gorfod ailsefyll y rhan fwyaf o'i harholiadau. Ac os roedd hi'n *meddwl* eu bod am ei thrystio i weithio fel y dylai y tro hwn, yna roedd hi'n mynd i gael siom, byddai'n *rhaid* i Ffion weithio'r tro hwn hyd yn oed pe bai'n rhaid iddyn nhw sefyll uwch ei phen drwy'r amser . . .

Gwrthododd gwmni ei ffrindiau: roedd yn well ganddi fod ar ei phen ei hun am ychydig bach, diolch 'run peth. Diffoddodd ei ffôn, er y gwyddai fod hynny gystal â dweud y gwir wrth ei thad a'i mam, ond ni allai ystyried siarad â nhw am awr neu ddwy.

Dilynodd y llwybr i'r traeth, a dim ond pan drodd am ben y clogwyn y sylweddolodd fod y boen yn ei gwddf wedi mynd bron yn gyfan gwbl. Eisteddodd i lawr ar y glaswellt byr, pigog, heb sylwi ar y dyn a orweddai ar ei fol ar ben y clogwyn, ychydig lathenni'n unig oddi wrthi.

(iv)

Efallai, pe na bai Diane wedi digwydd agor ffenestr car Gwilym, y buasai wedi mynd yn syth adref o Fryn Tawel. Ond wrth iddynt aros wrth y goleuadau yng nghanol y pentref, llanwyd ei ffroenau ag arogl y môr, wedi'i gymysgu â phersawr unigryw eli lliw-haul.

'Chi'n gwbod beth, Gwilym?' meddai. 'Bydden i'n dwlu ca'l mynd lawr i'r traeth yn gynta. O's ots 'da chi? Ond am hanner awr fach?'

Edrychodd Gwilym arni'n llywaeth am eiliad neu ddau, cyn sylweddoli beth oedd ei chais. 'O . . . y . . . ie. O'reit.'

Beth sy'n bod ar hwn heddiw, tybed? meddyliodd Diane. Roedd ei feddwl yn amlwg ar bethau eraill, ac edrychai'n aml i fyny i'r awyr fel rhywun oedd yn disgwyl iddi arllwys y glaw unrhyw funud, er nad oedd cwmwl i'w weld yn unman. Nid oedd wedi shafio chwaith, ac roedd hynny o wallt oedd ganddo dros y lle i gyd.

Trodd Gwilym am y traeth. Efallai y byddai awyr iach y môr yn gwneud lles iddo yntau hefyd, meddyliodd, er bod rhywbeth yn dweud wrtho ei fod tu hwnt i feddigyniaeth syml fel yna erbyn hyn.

Roedd y brain a graffodd arno drwy ffenestr flaen ei gar ym maes parcio'r ysbyty wedi dweud hynny wrtho.

Nid oedd wedi dweud wrth Diane am ddamwain Emma. Ofnai y byddai hynny wedi agor rhyw lifddorau y tu mewn iddo, ac y byddai'r cyfan yn byrlymu allan ohono fel cân yn llawn anghytgordiau, ond â'i byrdwn yn ddigon clir: *Fy mai i yw e i gyd*. Sut fyddai dechrau egluro hynny wrth ferch oedd ond newydd ymadael ag ysbyty meddwl?

A bu yntau'n ddigon ffôl i gredu ei fod wedi dianc! Dylai ef o bawb, y cyfreithiwr cydwybodol a'r capelwr cadarn, fod wedi sylweddoli nad oedd y fath beth â dianc i gael. Ond wrth i'r blynyddoedd fynd heibio, dechreuodd ymlacio, a than yn ddiweddar credai fod y tywyllwch wedi gadael am byth, ei fod wedi'i gladdu'n ddwfn dan adfeilion yr hen dŷ hwnnw ar gyrion y pentref ddeugain mlynedd yn ôl.

Ond roedd y brain yn adrodd stori wahanol, ac roedd yr hyn oedd yn digwydd i Emma a'i ffrindiau'n awr yn tanlinellu hynny.

Roedd y Gêm gan Jos mewn bag Tesco, a bu Seren bron â chwerthin yn wallgof pan welodd hyn: yr uffernol wedi'i guddio y tu mewn i rywbeth mor gyffredin.

Aeth y pump i eistedd yng nghysgod y Graig Fawr. Cydiodd Seren yn y gwelltyn olaf o obaith oedd ganddi ar ôl.

'Ro'dd pwynt da 'da Rol gynne,' meddai. 'Falle na fyddwn ni'n *gallu* 'whare. Ma' angen 'whech ohonon ni. Allwn ni ddim 'whare heb Emma.'

Ond chwalodd Jos y gobaith bregus hwn.

'Gallwn,' meddai.

Tynnodd y Gêm o'r bag a'i hagor. Gwelsant fod un cownter yn y canol yn barod. Gafaelodd Jos ynddo a cheisio'i dynnu, ond roedd fel petai rhywun wedi'i osod yno â glud gorgryf.

'Ma'r Gêm yn cymryd fod Emma wedi 'whare'n barod,' meddai.

Dechreuodd Seren wylo eto. 'Allwn ni ddim 'whare . . . ma' rhwbeth yn mynd i ddigwydd i rywun . . . fel y tro dwetha . . .'

'Ca' dy ben, nei di?' Roedd llais Branwen mor galed ac oer â darn o haearn. Pa hawl oedd gan hon i wylo fel babi? meddyliodd. Y hi a'i sterigs plentynnaidd, a'i hwyneb wedi chwyddo'n goch ac yn hyll . . . Ysai Branwen am roi slapen arall iddi.

'Branwen . . .' dechreuodd Jos ei cheryddu.

'Beth? So llefen fel hyn yn mynd i helpu neb, odi e? 'Bach yn hwyr i ddechre llefen nawr, ta beth.'

Nid oedd Rol wedi cymryd unrhyw sylw o hyn. Edrychai'n ôl dros ei ysgwydd at y Graig Fawr. Ers iddo gyrraedd y traeth, gallai daeru iddo glywed llais yn galw'i enw. Swniai'n debyg iawn i lais Ffion, ond hefyd swniai'n bell iawn, rywsut, ac yn denau, fel petai'n cael ei gario ato gan y gwynt.

Ond doedd yna ddim gwynt heddiw. Roedd y môr yn

llonydd fel llyn. Eto, deuai'r llais i'w glustiau bob hyn a hyn, gan ddod o wahanol gyfeiriad bob tro fel adlais mewn ceunant, yn neidio o un graig i'r llall.

'Rol?'

Trodd yn ôl at y lleill. Roedden nhw i gyd yn edrych arno.

'Wyt ti'n barod?'

Nodiodd.

(vi)

Tynnodd Diane ei hesgidiau a gadael i'r tonnau bychain lyfu bodiau'i thraed. Chwarddai'n uchel gyda phleser pur, a theimlai Gwilym fod ei galon ar fin torri'n ddwy wrth iddo ei gwylio. Edrychai Diane mor ifanc, mor hapus, mor ddiniwed.

Llwyddodd Gwilym i wenu pan drodd ato'n sydyn a'i ddal yn ei gwylio.

'Neis?'

'Wnes i ddim sylweddoli gyment ro'n i'n colli hyn. Ddewch chi i badlo 'da fi, Gwilym?'

Padlo? Dduw mawr!

'Na, sa i'n credu . . .'

'Dewch! Pryd welodd y tra'd 'na olau dydd ddwetha?' pryfociodd Diane ef. Yna gwelodd rywbeth yn y pellter. 'Shgwlwch . . . nage . . . nage *Branwen* sy fan 'na?'

Pwyntiodd, a throdd Gwilyn i weld criw o bobl ifainc yn eistedd mewn cylch yng nghysgod y Graig Fawr. Roeddynt â'u pennau 'i lawr, fel petaen nhw'n edrych ar rywbeth oedd ar y tywod rhyngddynt . . .

Na!

Yna clywodd sŵn crawcian, ac edrychodd i fyny i weld dwy frân fawr ddu yn hedfan dros gopa'r Graig Fawr ac yn ôl ac ymlaen dros bennau'r pump ifanc ar y traeth.

Crawcian rhyw ddwy hen frân a ysgydwodd Ffion o'i synfyfyrdod. Bu'n eistedd yno fel delw yn tosturio wrthi'i hun, ond roedd hynny, sylweddolodd, wedi gwneud lles iddi oherwydd teimlai'n well o lawer erbyn hyn ac yn barod i wynebu'r dwrdio oedd yn sicr o fod yn aros amdani gartref.

O'reit, wnes i gawl o'r arholiadau, meddai wrthi'i hun, ond wnaiff e ddim digwydd 'to, rwy'n benderfynol o hynny. Ac o beidio â gwneud ffŵl ohonof fy hunan dros ryw fastad fel Rol hefyd. Rwyf wedi dysgu fy ngwers.

Cododd ar ei thraed, yna sylweddolodd fod yna griw o bobl ifainc ar y traeth oddi tani: gallai glywed eu lleisiau.

Camodd yn nes at ochr y clogwyn er mwyn ceisio'u gweld.

Roedd pum cownter yn y canol nawr. Dim ond Seren oedd eto i daflu'r dis. Llifai'r dagrau o'i llygaid gan gymysgu gyda'r llysnafedd o'i thrwyn, ond roedd hi y tu hwnt i sylwi ar bethau fel'na. Teimlai'r dis fel lwmpyn o blwm yn ei llaw.

'Seren, dere,' meddai Meic. 'Dere nawr, cariad.'

'*Alla i ddim!*' Roedd yn torri'i chalon, ei chorff yn ysgwyd wrth iddi igian crio. 'Alla i ddim . . .'

Cydiodd Jos yn ei llaw rydd. 'Ma'n rhaid i ti, Seren.'

Gan riddfan yn uchel fel un mewn poen, taflodd Seren y dis a heb edrych ar y rhif, gwthiodd ei chownter i'r canol at y pump arall.

Petawn i'n poeri nawr, meddyliodd Ffion, rwy'n siŵr y byddai'n glanio ar ben Rol. Ond pam ddylwn i wastraffu 'mhoer arno fe?

Gwenodd o sylweddoli nad oedd yn teimlo digon amdano, un ffordd na'r llall, i hyd yn oed boeri ar ei ben.

Trodd i fynd, ac wrth wneud gwelodd fod yna blentyn bach wedi sleifio i fyny'r tu ôl iddi. Merch fach oedd hi, ond yffach roedd hi wedi'i gwisgo'n rhyfedd ar ddiwrnod mor braf, mewn cot law felen!

Gwenodd i fyny ar Ffion, a gwenodd Ffion yn ôl arni.

'Haia . . .' dechreuodd, a neidiodd y ferch fach ymlaen gyda'i breichiau allan a gwthio Ffion yn galed yn ei stumog.

Teimlodd Ffion ei hun yn baglu'n ôl, ei thraed fel petaen nhw'n perfformio dawns dap wrth geisio aros ar y graig. Yna roedd yn hedfan, yn union fel y gwnaeth hi neithiwr yn ei breuddwydion, ac agorodd ei cheg i sgrechen . . .

. . . ac yn yr ysbyty neidiodd Linda wrth i Emma ddechrau sgrechen a'i thaflu'i hun yn ôl ac ymlaen ar ei gwely fel petai yna lu o gythreuliaid wedi meddiannu'i chorff. Ceisiodd Linda gydio ynddi a'i llonyddu ond roedd Emma'n rhy gryf, ac nid ymdawelodd nes bod dwy nyrs wedi'i dal i lawr nes i'r meddyg wthio nodwydd i'w braich. Setlodd yn ôl yn raddol, ond cyn dychwelyd i'w thrymgwsg, dywedodd un gair.

'Brain . . .'

. . . a gwelodd Peter y ferch ifanc yn troi oddi wrth ochr y dibyn, yna'n aros ac yn dweud rhywbeth fel petai'n cyfarch rhywun, ond doedd neb arall yno. Yna gwyliodd hi'n perfformio dawns ryfedd.

Neidiodd ar ei draed. 'Na – paid!' ceisiodd weiddi, ond doedd dim llais ganddo. Roedd yn rhy hwyr beth bynnag, oherwydd diflannodd y ferch wysg ei chefn dros ochr y clogwyn . . .

. . . a gwelodd Diane a Gwilym hi'r un pryd, ei breichiau'n troi'n ofer fel adain wedi torri wrth iddi syrthio o'r haul. Gwelodd Gwilym fod cwmni ganddi, dwy frân yn hedfan i lawr gyda hi, un bob ochr iddi, fel petaen nhw'n ei thywys i lawr i'r ddaear . . .

. . . a theimlai'r gwynt yn rhuthro i mewn dros ei gwefusau a rhwng ei dannedd ac i lawr ei gwddf, y gwynt yn llenwi'i chorff gan ei throi'n ysgafn, ysgafn, yn ysgafnach nag unrhyw bluen ac yn ei chodi'n ôl i ben y clogwyn lle'r oedd y ferch fach yn y got law yn aros amdani.

Safodd yno wrth ei hochr, a theimlodd law fechan y ferch yn llithro i mewn i'w llaw hi.

Roedd ei phen yn teimlo'n rhyfedd, a sylweddolodd ei fod yn gorwedd yn llac ar ei gwddf, ond ni theimlai unrhyw boen o gwbl. Deallodd ei bod ar ei ffordd i rywle, ond ar yr un pryd fod rhywbeth yn mynnu ei dal yn ei hôl, yn ei rhwystro rhag symud yn ei blaen. Yn ei hatal, a'i chadw yma yn y byd rhyfedd hwn a edrychai'r un fath ag arfer ond a deimlai'n wahanol iawn.

Syllodd i lawr y dibyn. Yno, ar y tywod, y gorweddai ei chorff; gallai weld yn glir y tatŵ bach ffug a beintiodd ar ei bol lai nag wythnos ynghynt. Roedden nhw i gyd yn sefyll o'i hamgylch, yn rhythu i lawr arni, a gwyddai o'r eiliad honno ei bod yn eu casáu, bob un ohonynt, gyda chasineb na theimlodd mo'i debyg erioed o'r blaen.

Gwelodd fod yna ddyn ar ben y clogwyn gyda nhw. Roedd yn cerdded wysg ei gefn oddi wrth ochr y dibyn, ei wyneb yn wyn a'i geg yn agor a chau wrth iddo fwmblan rhywbeth

259

wrtho'i hun. Aeth y dyn tuag atynt a cherdded drwyddynt fel
pe na baen nhw yno o gwbl cyn brysio i ffwrdd i'r pellter ar
hyd y llwybr.

Roedd y ferch fach yn syllu ar ei ôl gyda thristwch anferth,
a gwyddai Ffion y byddai hithau, hefyd, yn profi'r tristwch
ofnadwy hwn oherwydd dechreuodd sylweddoli na châi fyth
fynd adref eto.

Gydag un edrychiad olaf i lawr at y traeth, trodd y ddwy a
cherdded i ffwrdd law yn llaw dros y glaswellt pigog, byr,
drwy'r Blodau Fagwyr melyn a'r Clustog Mair pinc heb
blygu'r un ohonynt na'u sathru i'r ddaear. Ac er bod yr haul
yn uchel yn yr awyr las uwch eu pennau, ni thaflwyd unrhyw
gysgod gan yr un ohonynt, y ferch ifanc hardd gyda'i phen yn
hongian yn llac ar ei gwddf a'r ferch fach, bengoch a wisgai
got law felen ar ddiwrnod poeth o haf.

A welodd neb mohonyn nhw'n mynd chwaith, heblaw am
ddwy frân ddu oedd yn hedfan mewn cylchoedd diog
uwchben y traeth, y creigiau a'r môr.

NEATH PORT TALBOT LIBRARY
AND INFORMATION SERVICES

1		25		49		73	
2		26		50		74	
3		27		51		75	
4		28		52		76	
5		29		53		77	
6		30		54		78	
7		31		55		79	
8		32		56		80	
9		33		57		81	
10		34		58		82	
11	9/18	35		59		83	
12		36		60		84	
13		37		61		85	
14		38		62		86	
15		39		63		87	
16		40		64		88	
17		41		65		89	
18		42		66		90	
19		43		67		91	
20		44		68		92	
21		45		69		COMMUNITY SERVICES	
22		46		70			
23		47		71		NPT/111	
24		48		72